LES CANONS DES
CONCILES MÉROVINGIENS
(VIᵉ-VIIᵉ SIÈCLES)

SOURCES CHRÉTIENNES

N° 353

LES CANONS DES CONCILES MÉROVINGIENS (VIᵉ-VIIᵉ SIÈCLES)

TEXTE LATIN DE L'ÉDITION C. DE CLERCQ.
INTRODUCTION, TRADUCTION ET NOTES

Tome I

PAR

Jean GAUDEMET
Professeur honoraire à l'Université de Droit,
d'Économie et de Sciences sociales de Paris
Directeur d'études à l'École Pratique des Hautes Études

ET

Brigitte BASDEVANT
Maître de Conférences
à l'Université de Paris-Sud

Ouvrage publié avec le concours du
Centre National des Lettres et de Gerland-Industrie

LES ÉDITIONS DU CERF, 29, bd de Latour-Maubourg, Paris 7ᵉ
1989

L'édition de cet ouvrage a été préparée
avec le concours de l'Institut des « Sources Chrétiennes »
(U.A. 993 du Centre National de la Recherche Scientifique)

NOTE DES ÉDITEURS

Le Professeur Jean Gaudemet a publié en 1977 dans la collection *Sources Chrétiennes* (n° 211) les *Conciles gaulois du IVᵉ siècle* d'après le plan et le texte de l'édition Charles Munier : *Concilia Galliae. A. 314 — A. 506* (*Corpus Christianorum, Series latina,* t. 148, Turnhout 1963). Toute la partie de l'édition Munier relative au Vᵉ siècle était réservée pour un autre volume, resté à l'état de projet. En revanche, M. Gaudemet a achevé depuis quelque temps déjà, avec la collaboration de Madame Brigitte Basdevant, le présent volume, concernant les conciles mérovingiens des VIᵉ et VIIᵉ siècles, à partir de l'édition Carlo De Clercq : *Concilia Galliae. A. 511 — A. 695* (même collection et même date, t. 148 A).

La perspective choisie cette fois diffère de celle adoptée pour les *Conciles gaulois du IVᵉ siècle*. Ceux-ci reprenaient, à peu de chose près, le contenu de l'édition Munier, y compris les notices sur des conciles connus seulement par les mentions qu'en ont faites saint Hilaire ou Sulpice Sévère. Dans ce nouveau volume au contraire, d'assez nombreux conciles qui figurent chez C. De Clercq, mais ne sont connus que par les mentions de Grégoire de Tours ou d'autres, ont été laissés de côté. Le propos précis des auteurs était en effet de faire connaître les textes législatifs émanant des conciles mérovingiens, c'est-à-dire les canons promulgués par eux et transmis jusqu'à nous. D'où le titre donné au volume. Seuls quelques textes autres que les canons proprement dits, mais émanant de ces mêmes conciles, ont été reproduits également.

On ne cherchera donc pas ici une « histoire des conciles mérovingiens », et l'on ne considérera pas non plus comme exhaustif l'index nominal des évêques ayant participé aux conciles. Mais précisément, une rencontre opportune veut que paraisse simultanément aux Éditions du Cerf l'ouvrage de Madame Odette Pontal : *Histoire des conciles mérovingiens. 511-714,* adaptation française de *Die Synoden im Merowingerreich* (Paderborn 1986). Cette *Histoire* offrira un tableau complet et détaillé du contexte historique où s'inscrivent les canons conciliaires ici édités et traduits. En contrepartie, l'ouvrage de M. Gaudemet et de Madame Basdevant, en plus de son apport propre à l'histoire des canons, sera seul à permettre au lecteur français l'accès au texte même de ces canons, histoires et études s'étant limitées jusqu'ici à des analyses ou à des traductions très partielles.

INTRODUCTION

I. LE PROJET

Les canons conciliaires n'ont pas pour seul mérite de dire le droit. Certes, leur propos est de fixer des règles, de rappeler les devoirs du chrétien, de formuler des interdictions. Mais ces injonctions s'adressent à une société. Elles en disent les faiblesses et les exigences, les besoins et les aspirations. La règle de droit traduit un projet d'ordre social et met en cause des valeurs morales. Elle renseigne donc sur les mentalités, du moins sur celles des législateurs. Les abus dénoncés, les objectifs fixés fournissent de leur côté d'utiles témoignages sur la vie sociale, ses défaillances, son idéal.

L'intérêt de la législation conciliaire mérovingienne dépasse donc largement la seule curiosité du juriste. Pour une époque où les sources sont rares, où la narration mêle le merveilleux aux détails réels, où les soucis hagiographiques et apologétiques orientent les récits, les canons conciliaires offrent à l'historien une information qu'il ne saurait négliger. Documentation qui, sans doute, comme toujours en matière législative, prête plus d'attention aux défaillances qu'aux bonnes actions. De ce déséquilibre, dont il est impossible de mesurer l'ampleur, l'historien doit être conscient. Mais on ne saurait omettre des documents qui, pour les VIe et VIIe siècles, ont le mérite de l'abondance et de la précision dans leur datation et leur localisation.

Il était donc tentant de rendre plus aisée l'utilisation de ces textes. Et cependant proposer une traduction des canons conciliaires mérovingiens est une entreprise hasardeuse, qui n'a jamais été tentée [1], et nous nous sommes parfois demandé s'il ne serait pas plus sage d'y renoncer. Sans doute dispose-t-on d'éditions critiques qui offrent de solides bases de départ. Mais le style des rédacteurs, leur indifférence aux cas, aux genres, aux nombres rend la construction de la phrase incertaine et la traduction parfois aléatoire [2]. Alors même que le sens de la phrase est certain, la longueur des périodes, leur enchevêtrement, les redondances et les répétitions compromettent une traduction claire.

Aussi avons-nous dû naviguer entre deux écueils. Une traduction qui satisfasse à la simplicité et à la précision se serait éloignée du texte. Une fidélité sans faille à celui-ci eût rendu la lecture impossible et presque incompréhensible. Entre ces solutions extrêmes nous avons tenté de trouver une voie moyenne. Fidélité à la forme du texte, dans toute la mesure compatible avec une écriture française. Effort pour garder le déroulement des phrases, le jeu des redondances, les images du style. Mais au prix de quelques libertés parfois avec un strict « mot à mot ». Nul mieux que nous ne mesure l'imperfection du résultat.

Si le style du texte incitait à la prudence, son établissement soulevait moins de difficultés. Comme pour la traduction des *Conciles gaulois du IVe siècle* dans la collection *Sources Chrétiennes* nous avons suivi l'édition des *Concilia Galliae* donnée

---

1. Les ouvrages essentiels, l'*Histoire des conciles* d'HEFELE-LECLERCQ, *La législation religieuse franque* de C. DE CLERCQ, l'*Histoire des conciles mérovingiens* d'O. PONTAL, donnent l'analyse des canons, non leur traduction. Il en allait de même pour les pages consacrées aux conciles mérovingiens par Dom CEILLIER dans son *Histoire générale des auteurs sacrés et ecclésiastiques*.

2. Le sens des mots est lui-même parfois douteux et les dictionnaires ou vocabulaires ne sont pas de grand secours. Les *Indices* de l'édition de MAASSEN ne fournissent aucune interprétation de vocabulaire. Le *Dictionnaire* de BLAISE envisage la langue littéraire plus que celle du droit. Le *Wörterverzeichnis zu den Concilia aevi merovingici* de KÖBLER ne propose pas de traduction des termes ; il s'agit d'un simple relevé des mots qui figurent dans les canons conciliaires, avec référence à l'édition des *MGH*. Aussi sommes-nous tout spécialement reconnaissants au Père B. de Vregille, qui a accompli le travail lourd et ingrat de revoir notre texte et d'en corriger bien des imperfections.

dans le *Corpus Christianorum* par De Clercq en 1963. Cette édition bénéficiait elle-même de celle des *Concilia aevi merovingici* publiée en 1893 par Maassen dans les *Monumenta Germaniae Historica*. Ainsi, à la longue série des publications conciliaires qui, du Père Jacques Sirmond à l'*Amplissima collectio* de Mansi, ont fait connaître les conciles francs des VI⁰-VII⁰ siècles, s'ajoutent deux éditions critiques qui répondent pour bonne part aux exigences des historiens d'aujourd'hui. Rares sont les séries conciliaires aussi bien partagées [1].

Si l'édition du *Corpus Christianorum* a fourni un texte que nous n'avions pas l'intention de soumettre à révision, la liste des conciles retenus ici ne correspond pas exactement à celle donnée par De Clercq. A cela deux raisons qui expliquent notre choix.

C. De Clercq a publié le texte des *Concilia Galliae,* c'est-à-dire des conciles tenus sur le sol de la Gaule aux VIᵉ-VIIᵉ siècles. Nous nous sommes attachés aux conciles mérovingiens, écartant par là-même les conciles de l'Église wisigothique réunis en territoire gaulois [2]. Nous avons au contraire retenu les conciles de l'éphémère royaume burgonde, avant tout celui d'Épaone (517) — qui fut pour l'Église burgonde ce qu'avaient été ceux d'Agde (506) pour l'Église wisigothique et d'Orléans I

---

1. Les conciles africains ont bénéficié de l'édition de Ch. MUNIER dans le *Corpus Christianorum* (*CCL* 149, 1974). Mais la série wisigothique, à laquelle J. ORLANDIS et D. RAMOS-LISSÓN ont consacré une importante étude *(Die Synoden auf der Iberischen Halbinsel bis zum Einbruch des Islam [711]),* Paderborn 1981) attend son édition critique ; celle de Vives *(Concílios visigóticos e hispano-romanos,* Barcelone-Madrid 1963) donne seulement le texte et la traduction espagnole, sans aucun appareil critique. Les conciles de l'époque carolingienne ont dans les *MGH (Conc.,* t. II, 1904-1908) une édition procurée par WERMINGHOFF qui devrait être refaite pour tenir compte des nombreux travaux parus depuis le début du siècle. Dans la même section des *MGH,* W. HARTMANN a publié *Die Konzilien der Karolingischen Teilreiche, 843-859* (*Conc.,* t. III, 1984), et E.D. HEHL, avec la collaboration de H. FUHRMANN, *Die Konzilien Deutschlands und Reichsitalien,* Teil 1 : *916-960* (*Conc.,* t. VI¹, 1987). Pour la masse énorme des conciles médiévaux, du XIᵉ au XVᵉ siècle, la liste des éditions critiques est modeste.

2. Conciles d'Agde (506) et de Narbonne (589).

(511) pour celle de Clovis —, mais aussi le concile de Lyon I
(518-523), ainsi que les conciles de la province d'Arles, même
lorsqu'ils ont eu lieu dans des cités passées sous la domination
ostrogothique [1]. En effet, le territoire burgonde tombe dès 534
sous la maîtrise des princes mérovingiens et, pendant un siècle
et demi, des conciles « mérovingiens » se tiendront dans des
villes qui avaient été burgondes. Quant aux diocèses provençaux
occupés par Théodoric, ils participent dès le milieu du VIe siècle
aux grands conciles mérovingiens. Aussi a-t-il paru opportun
de retenir les deux conciles burgondes antérieurs à la conquête
franque et les conciles provençaux des années 524-529 [2].

Une autre élimination tient à des motifs différents. C. De
Clercq, historien des conciles, se devait de faire la collecte la
plus ample possible. A côté des conciles dont des collections
canoniques ont conservé les canons, il a publié des notices, plus
ou moins brèves, consacrées à des conciles dont les actes ne
nous sont pas parvenus [3]. Notre propos est différent. Le présent
volume ne concerne que la législation conciliaire mérovingienne.
De telles notices restent étrangères à notre objet [4].

Au total, alors que De Clercq a publié ce qui nous est
parvenu de 55 « conciles de Gaule », nous n'avons retenu que
les canons de 27 conciles.

Ces canons, comment nous sont-ils parvenus ?

1. Conciles d'Arles IV (524), Carpentras (527), Orange II (529),
Vaison II (529).
2. Même option faite par O. PONTAL.
3. Elles émanent surtout de Grégoire de Tours, source d'information
majeure pour cette période.
4. Il s'agit des conciles tenus à Valence (v. 529), Saintes (561-567),
Paris (577), Chalon (579), Berny (580), Lyon (581), en des lieux inconnus
(588 et 589), à Sorcy (589), Poitiers (589 et 590), Metz (590), en un
lieu incertain (590), à *Arverna* (584-591), Chalon (602), Sens (594-614),
en un lieu inconnu (après 614), Reims (vers 625), Mâcon (626-627),
Clichy (636), Orléans (639-641), Villeroi (v. 680), Mâlay (677-679),
Auxerre (692-696). Nous n'avons pas davantage retenu les conciles dont
nous ne connaissons que des interventions en matière judiciaire (Marseille 533, Paris 552 et 573) ou administrative, pour confirmer une
donation (Valence 585). Sur ces conciles, cf. O. PONTAL, *Histoire des
conciles mérovingiens*.

II. LA TRANSMISSION DES TEXTES CONCILIAIRES PAR LES COLLECTIONS CANONIQUES

Pas plus que pour l'immense majorité des conciles occidentaux depuis le IVᵉ siècle jusqu'à la fin du XIVᵉ, nous n'avons conservé les procès-verbaux des assemblées conciliaires mérovingiennes, ni même une expédition officielle de leurs canons. Ceux-ci ne sont connus que par des sources intermédiaires, les collections canoniques[1].

Ces collections sont des œuvres privées, donc sans garantie d'authenticité pour les textes qu'elles reproduisent. Leur propos était de mettre à la disposition de tous ceux qui en auraient besoin, évêques, juges ecclésiastiques, pasteurs, abbés, voire simples laïques, les textes fixant la discipline. A l'époque qui nous intéresse, cette discipline émane avant tout de conciles provinciaux ou interprovinciaux, ou même de simples synodes diocésains. Elle est donc essentiellement locale[2]. Les collections qui l'ont recueillie ont le même caractère. Aussi furent-elles de faible diffusion.

1. Les collections « gauloises » des VIᵉ-VIIᵉ siècles

C'est par ces collections que nous connaissons les conciles mérovingiens.

La multiplicité des conciles disciplinaires mérovingiens, le fractionnement politique et par suite ecclésiastique de la Gaule expliquent le nombre important de ces collections[3]. Beaucoup se bornent à citer quelques conciles. Nous les avons décrites

1. Sur les collections canoniques en général, cf. G. FRANSEN, *Les collections canoniques,* Turnhout 1973.
2. Ce caractère « local » peut s'entendre d'un vaste territoire (tel que le royaume wisigothique), d'une province, d'une cité.
3. Cf. FOURNIER - LE BRAS, I, p. 43 s.

dans un ouvrage auquel nous nous permettons de renvoyer [1], nous limitant ici à un bref rappel.

a) *Un premier groupe* est constitué par cinq collections, composées dans la région rhodanienne entre les années 525 et la fin du VIe siècle.

∗ La collection du manuscrit de Corbie (B.N., *lat. 12097*) fut compilée peu après 524, peut-être dans la province de Vienne. Elle fit l'objet de compléments jusqu'en 573 [2].

On y trouve [3], ajoutés à la rédaction primitive, dans l'ordre suivant [4], mais non dans une série continue, les conciles de Clermont, Vaison II, Paris III, Orléans V, Orléans I, Épaone, Orléans III depuis son canon 14 (13).

∗ La collection de Lyon reste, du fait des adjonctions qui y furent apportées, difficile à dater : peu après 529, dans sa forme première, ou milieu du VIe siècle. Elle accorde une large place aux conciles mérovingiens, groupés par petits ensembles, distants les uns des autres. Une première masse est constituée par les conciles d'Orléans I — où manquent [5] les canons 4, 5 et 7 —, d'Épaone, d'Arles IV et de Carpentras. Plus loin on trouve les conciles d'Orange II, Clermont, Orléans III, Orléans V ; puis, plus loin encore, le concile d'Arles V et, à la fin de la collection, celui de Mâcon I.

1. *Les sources du droit de l'Église en Occident du IIe au VIIe siècle,* Paris 1985, p. 142-149. La place tenue par les canons des conciles gaulois dans les collections canoniques de la Gaule franque et jusqu'au Décret de Gratien a fait l'objet d'un important Mémoire présenté à l'École Pratique des Hautes Études (V[e] section) par Yves Le Roy, auquel nous empruntons une partie des observations qui suivent. Ce Mémoire n'a pas été publié ; mais un article, qui en résume certaines données, a paru en 1984 (Y. LE ROY, « Les conciles gaulois et le Décret de Gratien », *RHDFE* 62, p. 553-575).

2. Analyse dans MAASSEN, *Quellen,* p. 556-574 ; bibliographie dans MORDEK, p. 91, n. 127.

3. F[os] 140-224.

4. Nous ne signalons pour les diverses collections que la présence des conciles mérovingiens édités dans ce volume.

5. Omission fréquente des c. 4, 5, 7 et 10 dans les collections : cf. *infra,* p. 15, 16, 19 (n. 3), 21, 28 (n. 4), 31 (et n. 1). Les raisons en sont données *infra,* p. 68.

* La collection du manuscrit de Lorsch *(Vatic. Palat. lat. 574)* fut composée dans le sud de la Gaule, en plusieurs étapes, avant les années 560. Elle accueille les conciles d'Orange II, Orléans I — dans une version abrégée pour les canons 4, 6-18, 22-31, 33-34, 36-40 —, Carpentras, Vaison II, Clermont — sauf le canon 1 et la fin du canon 16 —, Orléans III, IV et V.

* La collection dite d'Albi est connue par deux manuscrits. Le plus ancien, toulousain, fut rédigé vers 600 en utilisant des dossiers d'époques différentes, ce qui explique le désordre de la collection. Le manuscrit d'Albi *(Albigensis 147)* est une copie de celui de Toulouse. Il date de la seconde moitié du IX⁰ siècle.

On trouve dans la collection, par groupes distincts les uns des autres, les conciles d'Arles IV et d'Orléans IV, puis celui d'Arles IV à nouveau, le canon 1 du concile de Vaison II, les canons 2, 7, 8 et 14 du concile de Clermont ; plus loin, les conciles d'Orléans III et V, ce dernier incomplet dans les deux manuscrits ; et, dans le manuscrit d'Albi seulement, les canons 1-8 du concile d'Orange II.

* Appartient également à ce premier groupe la collection du manuscrit de Cologne, composée dans la région rhodanienne vers 600. Le compilateur a utilisé des sources diverses, d'où le désordre chronologique dans lequel sont présentés les conciles mérovingiens, dispersés en cinq masses : d'abord le concile d'Orléans I, sauf les canons 4, 5 et 7 ; puis, dans un deuxième groupe, ceux d'Épaone, Arles IV, Carpentras, Vaison II ; plus loin, ceux d'Orléans III et IV, Lyon I, Orange II ; enfin les conciles d'Orléans V et de Marseille.

* A côté de ces cinq collections, une petite collection, également du VI⁰ siècle, qui ne compte que 23 canons, les présente comme les derniers canons du concile d'Agde. En réalité les canons 3-16 reproduisent treize canons d'Épaone, dans une succession désordonnée[1]. Par sa réception dans l'*Hispana*[2], cette collection servira à la diffusion de la discipline gauloise.

b) *Un second groupe* de collections, plus tardif, comprend des compilations faites entre la seconde moitié du VI⁰ siècle et

1. Cf. GAUDEMET, « Épaone », col. 539-540.
2. Cf. *infra*, p. 20-21.

le VIIIe siècle dans des régions plus septentrionales devenues les centres de la vie politique, mais aussi de la vie monastique mérovingienne.

On retrouvera plus loin[1] la *Vetus Gallica,* composée aux environs de 600 selon une méthode très différente de celle des autres collections gauloises des VIe-VIIe siècles.

Cinq collections, composées entre la seconde moitié du VIe siècle et le milieu du VIIe, persistent au contraire à donner, selon le schéma traditionnel, des séries conciliaires homogènes.

∗ La collection de Saint-Maur, dont l'origine reste incertaine, fut commencée vers le milieu du VIe siècle et achevée au début du VIIe. On y trouve les conciles d'Orléans I — sauf les canons 4, 5, 7 et 10 —, de Clermont — sauf le canon 8 — et d'Orléans V — sauf le canon 22. D'une autre main ont été ajoutés ceux d'Épaone et d'Orange II.

∗ La collection du manuscrit de Reims n'est connue que par un seul manuscrit *(Phillipps 1743).* Compilée dans la seconde moitié du VIe siècle, elle reçut des compléments au VIIe. Elle contient une riche série mérovingienne : les conciles d'Orléans I — sauf les canons 4, 5 et 7 —, Épaone, Lyon I, Arles IV, Vaison II, Carpentras, Orange II, Orléans III, IV et V et, plus loin, Marseille et Paris V.

∗ La collection de Pithou (B.N., *lat. 1564),* composée vers la fin du VIe siècle, dans l'ouest de la Gaule, donne, en trois séries, le concile de Clermont, puis ceux d'Épaone et d'Arles IV, enfin ceux d'Orléans I et III.

∗ La collection du manuscrit de Diessen *(Monacensis lat. 5508)* date, dans sa forme primitive, du milieu du VIIe siècle. On y trouve les conciles d'Épaone, Vaison II, Paris V et Clichy.

∗ Enfin la collection de Saint-Amand, qui n'est pas antérieure à la fin du VIIe siècle, contient, par masses successives, les conciles d'Arles IV, Carpentras, Orange II ; puis la série des cinq conciles d'Orléans de 511 à 549 ; en troisième lieu les conciles de Vaison II, Épaone, Tours II, Mâcon I et II, Paris III, Auxerre, Chalon.

---

1. Cf. *infra,* p. 17.

Très différente de ces collections, qui respectent la série des canons de chaque concile et qui citent ceux-ci dans un ordre approximativement chronologique — d'où leur dénomination, quelque peu abusive, de « collections chronologiques » —, est la collection désignée par son éditeur, H. Mordek [1], sous le nom de *Vetus Gallica*. Il s'agit d'une collection « systématique », la première de la Gaule mérovingienne, qui regroupe des canons conciliaires selon un plan méthodique. Il y a donc « éclatement » des séries conciliaires au profit de cette présentation plus didactique.

La collection fut sans doute composée vers 600 (avant le concile de Clichy), les canons d'Autun y ayant été ajoutés après coup.

Sur ses quatre cent dix-huit textes, la *Vetus Gallica* en emprunte cent-onze à treize conciles mérovingiens, du concile d'Orléans de 511 (22 canons) à celui d'Autun de 663-680. On note l'absence surprenante du concile d'Arles IV, cependant très répandu dans les autres collections gauloises. Les conciles utilisés sont ceux d'Orléans (I, III et V), ainsi que ceux du sillon Saône-Rhône, avec les deux « écarts » d'Autun et de Clermont [2].

De ce relevé se dégage une première constatation : la place importante des conciles mérovingiens dans les collections gauloises des VIe-VIIe siècles. A cela rien que de très normal, puisque le but de ces collections était précisément de mettre à la disposition des utilisateurs les mesures disciplinaires décidées dans ces conciles.

Plus intéressante est la place accordée aux divers conciles. Un premier groupe figure dans la majorité des collections (dans plus de huit). Ce sont les conciles d'Orléans I, III, V, Épaone, Vaison II. Un second groupe, moins favorisé (de 5 à 7 collections), réunit les conciles d'Arles IV, Orange II, Carpentras, Clermont, Orléans IV. Si ce fléchissement peut s'expliquer

---

1. *Collectio Vetus Gallica, die älteste systematische Kanonessammlung des fränkischen Gallien,* Berlin - New York 1975.
2. Relevé et analyse de cet apport dans l'ouvrage, cité *supra,* de Mordek.

en partie par le caractère de certaines dispositions conciliaires [1], il montre aussi qu'après les mesures prises dans les assemblées de la première moitié du VIe siècle, la portée de la législation conciliaire mérovingienne tendait à s'amenuiser.

Nouveau fléchissement pour les conciles de la fin du VIe siècle et du VIIe siècle, qui ne figurent que dans une ou deux collections [2]. C'est ainsi que le concile de Paris V, qui fut cependant la plus grande assemblée conciliaire de l'époque et dont dix-sept canons concernent des points importants de discipline ecclésiastique, ne figure que dans deux collections, de même que les conciles de Mâcon I et II. Celui de Clichy n'est accueilli que par une seule collection.

On est ainsi conduit à distinguer trois périodes conciliaires, dont le succès dans les collections va en déclinant : la législation de la première moitié du VIe siècle, une étape intermédiaire avec les conciles du milieu du siècle, une chute avec ceux de la fin du VIe siècle et du VIIe siècle.

La chronologie n'est qu'un des éléments qui ont dicté le choix des collections. Elle ne fut pas toujours déterminante. On s'explique le succès des grands conciles qui, au début du VIe siècle, légiférèrent abondamment pour organiser les jeunes Églises wisigothique (Agde), franque (Orléans I, avec ses 31 canons), burgonde (Épaone, avec ses 40 canons). On doit aussi noter l'accueil fait aux canons des conciles d'Arles IV, Clermont, Orléans III.

Au contraire, de grands conciles, nombreux par leurs participants et souvent prolixes [3] réunis par les rois pour des motifs de prestige politique, mais peu créateurs, n'ont pas bénéficié des faveurs des collections (Orléans II et IV, Paris V). Même

---

1. Le concile d'Orange II est beaucoup plus dogmatique que disciplinaire ; celui de Carpentras n'a qu'un seul canon, d'objet assez particulier.

2. Ils ne pouvaient évidemment figurer que dans un nombre moindre de collections, puisqu'ils sont postérieurs aux collections gauloises les plus anciennes. Mais celles-ci ont souvent connu des adjonctions qui auraient pu les recueillir.

3. C'est le cas du concile de Tours en 567, très prolixe mais sans grand apport nouveau.

indifférence pour des conciles moins prestigieux, qui, suscités par des considérations locales, apportèrent peu de nouveautés disciplinaires.

2. Les conciles mérovingiens dans les collections canoniques du VIIᵉ au Xᵉ siècle

Largement accueillis dans les collections gauloises presque contemporaines de leur élaboration, les canons conciliaires mérovingiens ont encore connu hors de Gaule et au-delà du milieu du VIIᵉ siècle une audience certaine.

a) Les premières *collections italiennes* (fin Vᵉ siècle - début VIᵉ) avaient ignoré les conciles gaulois. Par la suite, des adjonctions gauloises furent introduites dans des collections romaines. L'un des manuscrits de la collection de Saint-Blaise (B.N., *lat. 4279*) accueille le canon 16 du concile d'Orléans I (511). La *Quesnelliana aucta* (B.N., *lat. 1454, 1458, 3842 A, 3848 A*) fait place à ce concile et à celui de Paris III (556-573). Mais les collections italiennes n'accordèrent jamais grande audience à la législation conciliaire mérovingienne.

b) *L'Espagne wisigothique* fit preuve de moins de réserve [1], même si aucun concile mérovingien ne figure dans la collection du manuscrit de Novare [2].

* Le *Liber Complutensis,* achevé entre 527 et 561, connu seulement par l'*Epitome Hispanico* qui sans doute le reprit intégralement, donne les rubriques du concile d'Orléans I [3] et celles des canons 1 et 2 du concile d'Arles IV [4].

---

1. Sur les collections hispaniques, cf. J. GAUDEMET, *Les sources du droit de l'Église en Occident du IIᵉ au VIIᵉ siècle,* Paris 1985, p. 149-161.

2. Édition MARTÍNEZ-DÍEZ, « La colección del ms. de Novara », *Anuario de historia del derecho español* 33 (1963), p. 391-538. La collection est postérieure au concile de Lérida de 546 qu'elle cite, mais probablement antérieure à 589.

3. Manquent les canons 4, 5, 7 et 10, qui font aussi défaut dans des collections gauloises.

4. Cf. G. MARTÍNEZ-DÍEZ, *El Epitome Hispanico (Miscellanea Comillas* 36-37), 1962, p. 42.

* L'*Epitome Hispanico* (fin VIe - début VIIe siècle) accorde quelque place à la législation mérovingienne. Il résume[1] les vingt-sept canons du concile d'Orléans I, les canons 1 et 2 du concile d'Arles IV, le concile d'Orléans V, à l'exception du canon 22. Ce dernier est qualifié de « concile d'Auvergne de France », appellation erronée, que l'on retrouvera par la suite[2].

* Plus importante est la place accordée aux conciles mérovingiens par la grande collection de l'Église wisigothique, l'*Hispana*, en raison de son influence au-delà de la frontière pyrénéenne.

Malheureusement, l'histoire de la collection est complexe. L'*Hispana* connut plusieurs versions successives[3]. Certaines ne sont plus attestées aujourd'hui par une tradition manuscrite, et l'absence d'une édition critique complique encore l'utilisation de la collection[4].

La première forme de l'*Hispana*, l'*Hispana Isidoriana*, achevée en 634, ne comptait comme concile mérovingien que celui d'Orléans I. Plus tard on y ajouta le concile d'Arles IV.

D'autre part la petite collection « gauloise » de vingt-trois canons reprise par l'*Hispana* a donné treize canons du concile d'Épaone[5]. Dans plusieurs manuscrits de l'*Hispana*, cette col-

1. Cf. G. MARTÍNEZ-DÍEZ, *ibid.*, p. 138-140, 159, 180-181.

2. Cf. *infra*, p. 21, à propos de l'*Hispana Vulgata*.

3. Selon les recherches de MARTÍNEZ-DÍEZ (voir note suivante), de la forme primitive — non conservée —, l'*Hispana Isidoriana*, sont issues 2 versions, la *Juliana* (680-690) et la *Vulgata* (v. 694-702). Chacune d'elles a donné 2 versions : la première l'*Hispana Toletana* et l'*Hispana Gallica*, la seconde une version catalane et la version commune. En outre un répertoire méthodique, les *Excerpta*, composé à partir de l'*Isidoriana*, mais adapté pour la *Juliana* et la *Vulgata*, leur servit de table des matières. C'est sur ce plan des *Excerpta* que fut compilée l'*Hispana* systématique.

4. L'édition de l'*Hispana* donnée par F.A.G. GONZÁLEZ (*Collectio canonum ecclesiae Hispanae*, Madrid 1808) et reprise par Migne (*PL* 84) combine plusieurs formes et donne ainsi une *Hispana* nouvelle, qui ne reproduit exactement aucune des versions anciennes. Une édition critique est en cours : voir les 5 volumes publiés par G. MARTÍNEZ-DÍEZ, *La colección canónica Hispana*, Madrid 1966-1984.

5. Présentés comme les derniers canons (c. 50 s.) du concile d'Agde (cf. *supra*, p. 15).

lection de vingt-trois canons reparaît une seconde fois, à la suite de la série conciliaire espagnole, sous le titre de *Sententiae quae in veteribus exemplaribus conciliorum non habentur, sed a quibusdam insertae.*

Dans l'une des deux formes issues de l'*Isidoriana*, l'*Hispana Juliana* (vers 680-690), source elle-même de la *Toletana* et de la *Gallica*, on retrouve le concile d'Orléans I — sauf les canons 4, 5, 7 et 10 —, et en plus une petite collection méthodique [1] en vingt canons, qui utilise onze canons de conciles mérovingiens [2].

Dans la version *Toletana* figure une autre masse mérovingienne, ajoutée peut-être entre 694 et 702. Celle-ci comprend les canons des conciles d'Épaone [3], ainsi que ceux des conciles de Carpentras, Vaison II, Clermont, Orléans III et V — sauf le canon 22.

De son côté la version *Vulgata* regroupe en une seule masse l'apport mérovingien, tentant un regroupement qui combine chronologie et affinités géographiques. Y figurent les conciles d'Arles II, Vaison II, Orléans I et III, Épaone, Carpentras, Clermont, Orléans V — présenté encore comme « concile d'Auvergne » [4]. A quoi s'ajoutent les canons d'Épaone — présentés ainsi deux fois — contenus dans la collection des *Sententiae*, sous une attribution au concile d'Agde.

La liste des rubriques données par les *Excerpta* de l'*Hispana* ne retient que celles du concile d'Orléans I — sauf les canons 4, 5, 7 et 10 — et d'Arles II.

C'est à cet apport mérovingien limité que se ralliera l'*Hispana systématique* (B.N., *lat. 11709*), qui donne le texte de vingt-sept canons du concile d'Orléans I — avec les mêmes omissions que dans les *Excerpta* —, le canon 4 du concile d'Arles IV et y ajoute le canon 35 (32) du concile d'Orléans III.

---

1. Biens d'Église, discipline des clercs, juifs.

2. Conciles d'Épaone (c. 4, 7 et 12), de Clermont (c. 6 et 9), d'Orléans III (c. 13, 16, 23, 25 et 33) et d'Arles V (c. 4).

3. Sauf les c. 1-3, 5, 18-21, 32, 35 ; cf. GAUDEMET, « Épaone », col. 540.

4. Cf. *supra*, p. 20, cette fausse qualification dans l'*Epitome Hispanico.*

Au total l'apport mérovingien aux collections espagnoles reste modeste. On y retrouve, plus accusée encore, l'indifférence croissante pour les conciles mérovingiens lorsqu'on avance dans le temps. Le concile d'Orléans I (511) et, dans une mesure moindre, celui d'Épaone (517) — parfois masqué sous une attribution au concile d'Agde —, le bref concile d'Arles IV (524) sont les mieux traités. Ceux des années 527 (Carpentras), 549 (Orléans V) sont accueillis par l'*Hispana Toletana* et la *Vulgata*. Mais la législation conciliaire mérovingienne postérieure à 549 ne franchira jamais les Pyrénées.

Comment s'est opérée cette percée limitée de la discipline mérovingienne dans la péninsule ibérique ? On l'ignore. Si certains parallèles dans les apports mérovingiens entre les collections wisigothiques et celles de Lyon, de Corbie ou de Lorsch ont été avancés, aucun signe net d'emprunt n'a pu être relevé.

c) Ignorés des collections italiennes, accueillis avec modération par les collections wisigothiques, les conciles mérovingiens eurent-ils *en Gaule* même, après la floraison des collections gauloises des VIe-VIIe siècles, une fortune meilleure ?

La réponse ne saurait être simple. Il faut tout d'abord noter que la collection remise par le pape Hadrien à Charlemagne en 774, la *Dionysio-Hadriana*, n'en fait nul usage, même dans ses formes augmentées. Même silence dans la *Dacheriana* (vers 800). Les deux collections qui ont connu le plus grand succès à l'époque carolingienne n'ont donc pas fait appel aux conciles mérovingiens. La réserve romaine à l'égard d'une législation élaborée loin de son influence se fit ainsi sentir même sur les collections utilisées dans l'Empire franc.

Ce n'est pas cependant que cette législation ait été totalement ignorée par les collections franques du VIIIe au Xe siècle. Il faut à cet égard distinguer trois groupes de collections : celles, nombreuses, qui s'inspirèrent de la *Vetus Gallica,* et parfois de très près ; celles, souvent mineures, qui restèrent étrangères à son influence ; enfin, de beaucoup les plus importantes, les *Fausses Décrétales* du Pseudo-Isidore.

α) L'influence exercée par la *Vetus Gallica,* son exploitation parfois assez servile par des collections des VIIIe-IXe siècles ont

été étudiées par Mordek [1]. Grâce à elle, des canons conciliaires
mérovingiens ont pris place dans ces collections.

∗ L'une des plus importantes, et dont la diffusion est attestée
par le nombre des manuscrits qui nous en sont parvenus, est
la *Collectio Herovalliana* [2]. Composée au plus tôt au milieu du
VIIIᵉ siècle, cette collection méthodique, qui suit de très près
la *Vetus Gallica*, utilise des canons des conciles d'Épaone, de
Clermont, d'Orléans III, IV et V, de Mâcon I et II, de Lyon
III.

∗ On retrouve des canons des conciles d'Orléans I et III
dans une autre collection gauloise du VIIIᵉ siècle, dite collection
du manuscrit de Saint-Germain (B.N., *lat. 12444*), elle aussi
collection méthodique mais de moindre diffusion.

∗ Plus riche en citations de canons mérovingiens, la seconde
collection du manuscrit de Freising *(Monacensis lat. 6243)*.
Cette petite collection méthodique en cent neuf chapitres donne,
par l'intermédiaire de la *Vetus Gallica* qu'elle utilise abondamment, des canons d'Épaone, Orléans I, III et V, Vaison II,
Arles V, Lyon II, Mâcon I et II [3].

∗ Composée après 816 et conservée dans un manuscrit du
milieu du IXᵉ siècle (B.N., *lat. 3859)*, la première collection du
manuscrit de Bonneval fait un usage plus important des conciles
mérovingiens [4]. Quatorze d'entre eux lui ont fourni des textes :
ceux d'Épaone, Orléans I, II, III, IV et V, Lyon I (c. 4
seulement), Clermont (c. 12 seulement), Arles V, Paris III,
Tours II, Mâcon I et II, Autun [5].

---

1. MORDEK, p. 101-207 (« Die Wirkung der Sammlung »).

2. Du nom du propriétaire d'un de ses mss (B.N., *lat. 13657)*,
Antoine VYON d'HÉROUVAL. On conserve 8 mss complets de la collection, dont B.N., *lat. 2123, 3848 B, 4281* ; cf. MORDEK, p. 109-143.

3. Cf. MORDEK, p. 147-151 ; il donne (p. 618-633) l'édition de la
collection.

4. Sur la collection, cf. MORDEK, p. 167-171.

5. Table détaillée dans H. MORDEK, « Die Rechtssammlungen der
Handschrift von Bonneval — ein Werk der karolingischen Reform »,
Deutsches Archiv für Erforschung des Mittelalters 24 (1968), p. 431-433.

* Enfin, pour arrêter ici un relevé qui n'est pas exhaustif, la Collection en quatre livres [1] ou en cinquante-trois [2] titres, conservée par plusieurs manuscrits, cite des canons d'Épaone, Orléans I, III et V. La chose est d'autant plus remarquable que cette collection est largement tributaire de la *Dacheriana,* qui ignore, comme on l'a vu, la discipline mérovingienne.

β) D'autres collections, composées en Gaule, mais indépendantes de la *Vetus Gallica,* n'ont pas négligé les conciles mérovingiens. On n'en donnera que deux exemples.

* Une petite collection de la première moitié du VIIIe siècle, la collection de Bourgogne (Bruxelles, ms. *8780-8793)* cite une trentaine de canons mérovingiens, empruntés à sept conciles : Orléans I (c. 1, 2, 3, 8, 9, 25, 26, 29, 30, 31), Épaone (c. 4, 9, 12, 13, 22), Clermont (sauf le c. 14), Tours (c. 3, 4, 6, 8, fin du c. 10), Lyon III (c. 5), Mâcon I (c. 6, 8, 9, 3, 5) et Auxerre [3].

* Dans la seconde moitié du IXe siècle, la collection du manuscrit de Beauvais *(Vatic. lat. 3827)* empruntait une importante série de canons mérovingiens à une source qui avait déjà été utilisée par l'auteur de la collection de Saint-Amand [4]. Les deux séries sont en effet identiques et les conciles y figurent dans le même ordre [5].

γ) Plus que ces collections mineures, ce sont les recueils pseudo-isidoriens qui, jusqu'au XIe siècle, connaîtront une vaste audience au nord des Alpes [6] Parmi eux, les plus notables sont les Faux Capitulaires, mis sous le nom d'un « Benoît le Lévite »,

---

1. Cf. MAASSEN, *Quellen,* p. 852-863. La collection ne saurait guère être antérieure à 825 (cf. FOURNIER - LE BRAS, I, p. 318).

2. Cf. MORDEK, p. 172-176.

3. Cf. MAASSEN, *Quellen,* p. 636-638.

4. Cf. *supra,* p. 16.

5. Cf. MAASSEN, *Quellen,* p. 778-780.

6. Il ne saurait être question ici de donner l'indication des nombreux travaux récents suscités par ces recueils. On trouvera une orientation générale, dépassée sur quelques points, mais toujours fondamentale, dans FOURNIER - LE BRAS, I, p. 127-233 ; voir depuis : H. FUHRMANN, *Einfluss und Verbreitung der pseudoisidorischen Fälschungen (MGH, Schriften* 24, t. I-II, Stuttgart, 1972-1974).

et les Fausses Décrétales, recueil de décrétales mais aussi de canons conciliaires qui se dit compilé par *Isidorus Mercator*.

Composées en Gaule au milieu du IXe siècle, ces deux collections étaient bien placées pour accueillir largement la législation conciliaire mérovingienne. Cependant la place qu'elles lui accordent reste des plus modestes.

＊ Les Faux Capitulaires se sont montrés les plus généreux. Cette collection canonique, qui prétend compléter la Collection en quatre livres des Capitulaires d'Anségise, est en réalité une composition faite par les faussaires en utilisant des textes authentiques, mais en omettant soigneusement de donner leur référence exacte.

Aucun des mille trois cent dix-neuf chapitres des Faux Capitulaires ne se reconnaît donc comme canon de concile mérovingien. C'est le mérite de Seckel[1], après une première recherche menée par Knust[2], d'avoir identifié les textes utilisés par les faussaires.

Étant donné ce camouflage des textes, les Faux Capitulaires ne peuvent être comptés parmi les collections qui ont contribué à la transmission des canons mérovingiens. Le recueil ne les mentionne jamais. Son intérêt pour l'historien est d'un autre genre. Le relevé des emprunts faits aux conciles mérovingiens, la façon dont ils ont été traités témoignent de l'audience dont ces textes jouissaient dans l'Empire franc au milieu du IXe siècle.

Or, si des emprunts ont été faits à dix conciles au moins[3], ils ne portent que sur une quarantaine de canons.

L'utilisation de ceux-ci se présente sous des formes très différentes. Tantôt on peut en déceler seulement une vague réminiscence dans une formule dont on ne saurait toujours

---

1. « Studien zu Benedictus Levita », *Neues Archiv* 26, 29, 31, 34, 35, 39, 40, 41 (1901-1917). La mort a empêché E. SECKEL de donner les sources de la fin du 1. III et celles des Appendices.

2. Éditeur en 1837 des Faux Capitulaires dans les *MGH* (*LL.,* t. II). En tête de cette édition KNUST a donné la liste des sources de Benoît le Lévite.

3. Épaone, Orléans I, III et V, Clermont, Tours, Mâcon II, Auxerre, Paris V, Clichy.

assurer qu'elle ait été reprise à un canon mérovingien [1]. Tantôt il s'agit d'une « mosaïque », composée à l'aide d'emprunts multiples, auxquels les canons mérovingiens ont apporté leur contribution [2]. Enfin dans certains cas, le texte du canon est reproduit et devient un chapitre des Faux Capitulaires. La reproduction est parfois fidèle [3], ou bien une interpolation vient modifier le texte [4] — souvent une sanction [5].

On voudrait savoir à quelle collection les faussaires ont emprunté ces canons mérovingiens. Seckel s'est employé à fournir les éléments d'une réponse [6]. Un seul point est certain : Benoît le Lévite ne disposait pas des textes conciliaires originaux. Mais il n'est pas possible d'identifier les collections dont il a fait usage. Et cela pour deux raisons : nous sommes loin d'avoir conservé toutes les collections qui pouvaient se trouver dans un scriptorium du milieu du IXe siècle. Par ailleurs l'argument que l'on veut tirer des variantes de texte pour proposer ou écarter des filiations reste toujours précaire par suite du peu

---

1. Par exemple : I, 136 (Épaone, c. 29) ; II, 88 (Paris V, c. 8) ; II, 164 (inspiré de Clichy, c. 7, dont quelques expressions sont reprises) ; II, 370 (Clermont, c. 5, et Paris V, c. 11).

2. Par exemple : II, 428 utilisant Tours (c. 16, 20, 25, 26) ; III, 422 utilisant Orléans V (c. 3).

3. Ainsi pour I, 190 (Orléans III, c. 13 in fine) ; II, 134 (Clermont, c. 14) ; 135 et 136 (Orléans V, c. 14 et 13) ; 139 et 140 (Orléans I, c. 19 et 22) ; 154 et 155 (Épaone, c. 6 et 9) ; 156 (Paris V, c. 6) ; 409 (Clichy, c. 10) ; 418 (Tours, c. 27) ; 434 et 435 (Mâcon II, c. 10 et 19) ; III, 139 et 140 (Paris V, c. 6 et 11) ; 264-267 (Clermont, c. 1, 5, 10, 14) ; 272 (Épaone, c. 37-38) ; 273-278 (Orléans III, c. 23-26, 31-32) ; 279 (Tours, c. 4) ; 337-338 (Paris V, c. 14-15) ; 408-411 (Clermont, c. 1, 5, 10, 14) ; 419-420 (Orléans V, c. 13 et 14).

4. Ainsi en II, 428 (Tours, c. 26, avec de multiples modifications) ; III, 145 (Orléans III, c. 35, avec modification de la formule finale) ; 350 (Orléans V, c. 17, mais avec élimination du métropolitain).

5. Par exemple I, 192 (Auxerre, c. 43), où l'anathème se substitue à une excommunication d'un an ; II, 381 (Orléans V, c. 17), où pour éliminer le métropolitain, bête noire de l'atelier isidorien, on a substitué l'excommunication au recours à ce prélat.

6. Spécialement dans un « Excursus » de ses dernières études (Neues Archiv 41 [1917], p. 231-245).

de respect de la forme des textes par les auteurs de collections
et surtout par les copistes.

Trois données sont certaines. Les chapitres des Faux Capitulaires qui reproduisent des canons mérovingiens [1] le font le
plus souvent par séries [2]. Sont privilégiés les conciles de Clermont, d'Orléans III et V, de Paris V. Enfin certains canons
sont reproduits dans deux ou trois chapitres des Faux Capitulaires, ce qui prouve que l'utilisation des dossiers constitués par
les faussaires a été faite sans grande méthode et sans révision
d'ensemble.

Il est possible que les compilateurs aient utilisé l'*Hispana
Gallica,* qu'ils connaissaient, puisque l'atelier isidorien l'a re-
maniée pour en faire une version désignée aujourd'hui sous le
nom d'*Hispana d'Autun* [3]. Seckel a par ailleurs montré que
certains textes au moins avaient été repris à une collection
proche de celle de Corbie.

* La place accordée aux conciles mérovingiens dans les
Fausses Décrétales est encore plus modeste. La collection, dans
sa forme la plus complète [4], emprunte à l'*Hispana* des séries
conciliaires et des décrétales qui constituent la deuxième et la
troisième partie du recueil. La première, œuvre propre des
faussaires, donne une série de décrétales de Clément (88-97) à
Melchiade (310-314), toutes apocryphes et composées à l'aide
de textes empruntés à diverses sources. Les canons des conciles
mérovingiens pouvaient donc trouver place et dans la série
conciliaire, où ils auraient été présentés officiellement, et dans

1. Et non pas ceux qui se contentent de quelques emprunts ou
réminiscences.
2. Ainsi II, 134-140 (= Clermont, c. 14 ; Orléans V, c. 14, 13 ;
Orléans I, c. 19, 22) ; 154-156 (= Épaone, c. 6 et 9 ; Paris V, c. 6) ; 434-
435 (= Mâcon II, c. 10 et 19) ; III, 139 et 140 (= Paris V, c. 6 et 11) ;
264-267 (= Clermont, c. 1, 5, 10, 14) ; 272-279 (= Épaone, c. 37-38 ;
Orléans III, c. 23-26 et 31-32 ; Tours, c. 4) ; 408-411 (= Clermont, c. 1,
5, 10, 14) ; 419-420 (= Orléans V, c. 13 et 14).
3. Cf. FOURNIER - LE BRAS I, p. 138-141.
4. La forme A[1] de HINSCHIUS. — L'édition de P. HINSCHIUS,
Decretales pseudoisidorianae (2 vol., Leipzig 1863), dont les spécialistes
ont dit les insuffisances, ne rend pas inutile celle procurée par J. MERLIN
en 1513 à Paris et reproduite par Migne (*PL* 130).

les apocryphes, où, sans dire leur nom, ils auraient servi à leur composition.

Cette utilisation masquée que l'on a remarquée dans les Faux Capitulaires est réduite dans les Fausses Décrétales à peu de chose. Friedberg en a indiqué trois cas, concernant les canons 35 (32) du concile d'Orléans III, 17 de celui d'Orléans V, 1 du concile de Paris III [1]. En fait, seul l'emprunt au concile d'Orléans III pour une décrétale du Pseudo-Marcellin [2] est net.

Quant à la série conciliaire des Fausses Décrétales, elle a retenu — par l'*Hispana Gallica* — comme concile mérovingien le seul concile d'Orléans I, réduit, comme dans l'*Hispana Gallica* [3], à vingt-sept canons [4].

Au total, la place officielle ou masquée faite par les deux grandes collections du milieu du IXe siècle à la législation des conciles mérovingiens est des plus limitée, ce qui confirme la perte de crédit de ces conciles.

3. Les conciles mérovingiens
dans les collections canoniques du XIe siècle

Le Décret de Burchard de Worms (entre 1008 et 1012) et les collections d'Yves de Chartres, qui encadrent le XIe siècle, constituent les deux masses les plus importantes de l'activité canonique à cette époque. Mais le XIe siècle est aussi celui où le mouvement de restauration de la discipline ecclésiastique, désigné sous le nom de « réforme grégorienne », s'accompagne d'une intense activité des canonistes d'outre-monts et tout spécialement de l'entourage des papes.

Ces « collections de la réforme grégorienne [5] » mettent avant tout l'accent sur l'autorité romaine et font de son exercice et de la centralisation les moyens essentiels de la réforme ecclésiastique. On ne pouvait attendre d'elles qu'elles accordent

1. *Decretales pseudoisidorianae*, p. CXXVI et CXXVIII.
2. *Ibid.*, p. 221.
3. Cf. *supra*, p. 21.
4. Les Fausses Décrétales omettent les c. 4, 5, 7, 10 (cf. *Decretales pseudoisidorianae*, p. 336-338).
5. Cf. FOURNIER - LE BRAS, II, p. 4-54 et 127-221.

grand crédit à la législation conciliaire mérovingienne. En fait, elles l'ignorèrent. L'importance de ces collections dans l'histoire du droit canonique de cette époque explique, au moins pour partie, la place modeste qui fut faite aux canons mérovingiens dans les collections du XIᵉ siècle.

* Le Décret de Burchard de Worms ne pouvait être marqué par l'esprit grégorien, qui ne s'exprime pas avant le pontificat de Léon IX (1049-1054). Mais cette collection rhénane, fortement influencée par le *De synodalibus causis*[1] d'un autre Rhénan, l'abbé de Prüm, Réginon (vers 906), ne prête qu'une attention lointaine à la législation mérovingienne. Elle cite en petit nombre des canons provenant de quinze conciles mérovingiens : Orléans I, Épaone, Arles IV, Vaison II, Clermont, Orléans III, IV et V, Paris III, Tours II, Mâcon I et II, Auxerre, Paris V et Autun, soit au total une quarantaine de canons. Ceux-ci constitueront l'essentiel de la contribution mérovingienne aux collections chartraines.

* On désige sous ce nom les collections composées dans la dernière décennie du XIᵉ siècle par l'évêque de Chartres, Yves : une compilation considérable de 3760 canons, le Décret[2], composé en 1093-1094 ; puis, peu après, la Tripartite, encore manuscrite, dont la « collection A », chronologique, comporte une série conciliaire[3] ; enfin, la Panormie[4], qui allégeait et mettait en ordre le matériel imposant du Décret. Seuls nous intéressent ici les deux collections qui font appel à l'« extérieur », le Décret et la collection A de la Tripartite.

Dans cette dernière, 35 canons sont empruntés aux conciles mérovingiens : après les canons 3 et 4 du concile d'Arles IV, 27 des 31 canons du concile d'Orléans I ; puis, au milieu des conciles wisigothiques, une seconde série mérovingienne, empruntée sans doute à l'*Hispana Gallica* : les canons 4 d'Épaone,

---

1. Édition H. WASSERSCHLEBEN (Leipzig 1840). La législation conciliaire mérovingienne n'y est représentée que par le c. 10 d'Orléans III, le c. 5 de Tours et le c. 2 de Clichy.

2. Édité en *PL* 161.

3. La collection B, qui reprend ses textes au Décret, est pour nous sans intérêt.

4. *PL* 161.

6 de Clermont, 24, 26 et 33 d'Orléans III ; enfin le canon 18
du concile de Mâcon I.

Sur ces 3760 canons, le Décret n'a emprunté que 56 canons
à 15 conciles mérovingiens. Ceux-ci vont d'Orléans I (11 canons)
à Autun (le seul canon 5). On y retrouve les conciles d'Épaone
(5 canons), Arles IV, Vaison II (chacun avec 2 canons ; ceux de
Vaison étaient déjà dans le Décret de Burchard), Clermont, les
conciles d'Orléans III, IV et V, Paris III, Tours II (avec les
2 canons déjà donnés par Burchard), Mâcon I et II, Auxerre
(5 canons), Paris V (le seul canon 15), Autun (le seul canon 5)
— ces deux canons figuraient eux aussi dans le Décret de
Burchard.

L'essentiel de cet apport vient donc du Décret de l'évêque
de Worms. Quarante des 56 canons mérovingiens du Décret
d'Yves étaient dans celui de Burchard. A la Tripartite, le Décret
a repris quelques canons des conciles d'Orléans I (c. 12, 25 et
27) et III (c. 14 et 33). Un recueil proche de la collection de
Saint-Amand a donné le reste[1].

On ne peut donc reprocher à Yves d'avoir ignoré la vieille
législation conciliaire d'époque mérovingienne. A cet égard, il
se démarque des canonistes italiens de son temps. Mais il est
resté discret dans l'usage qu'il en a fait. L'écran de l'*Hispana*
et des écrits pseudo-isidoriens a joué. La place accordée aux
conciles mérovingiens continue à décliner. Le Décret de Gratien,
ultime grande compilation du droit canonique ancien qu'ait
connue le Moyen Age, porte la marque de ce discrédit.

4. Les conciles mérovingiens
dans le Décret de Gratien

Onze conciles mérovingiens sont utilisés dans ce Décret,
compilé sans doute aux alentours de 1140 à Bologne[2]. Ils ont

1. Conciles d'Orléans III (c. 8 et 9), Orléans IV (c. 10), Orléans V
(c. 7), Paris III (c. 6 et 8), Mâcon I (c. 13 et 18), Auxerre (c. 17 et 25).
2. La littérature sur le Décret, sur sa date et son auteur est
considérable. Orientation générale donnée par J. RAMBAUD, « Le legs
de l'ancien droit : Gratien », 1re partie de *L'âge classique (1140-1378)*.

donné cinquante-et-un canons, soit fort peu de chose sur la masse énorme du Décret (près de quatre mille canons).

Seul le concile d'Orléans I est largement utilisé avec 25 de ses 31 canons[1]. Le concile d'Épaone n'a donné que 4 canons sur 40, Arles IV : 2 sur 4, Clermont : 2 sur 16, Orléans III ; 5 sur 36, Orléans V (qualifié de « concile d'Auvergne », comme dans l'*Hispana*[2]) : 3 sur 24, Arles V : 1 sur 7, Paris III : 2 sur 9, Mâcon I : 3 sur 20, Auxerre : 2 sur 45, et Paris V : 2 sur 17.

On notera que le Décret de Gratien fait une place, fort modeste il est vrai, aux conciles de Paris III, Mâcon I, Auxerre et Paris V ignorés par l'*Hispana*.

L'essentiel de cette contribution a été reprise aux collections chartraines, surtout à la Tripartite (28 canons), beaucoup moins à la Panormie (6 canons) et au Décret (5 canons)[3]. Cinq autres textes proviennent peut-être d'un florilège concernant l'autorité épiscopale[4].

Ainsi l'inégale attention portée aux divers conciles mérovingiens dès les collections des VIIᵉ-VIIIᵉ siècles se retrouve au terme de l'histoire des collections canoniques, dans le Décret de Gratien. Les premiers conciles mérovingiens y tiennent une place honorable (celui d'Orléans I presque au complet, deux

---

Sources et théorie du droit (G. LE BRAS, Ch. LEFEBVRE, J.R.), Paris 1965, p. 51-129. — Sur la place des conciles mérovingiens dans le Décret, voir l'article d'Y. LE ROY, qui envisage les canons gaulois de 314 à 614.

1. L'absence des c. 4, 5, 7 et 10 a déjà été relevée pour plusieurs collections antérieures : cf. *supra*, p. 14 (et n. 5).

2. Cf. *supra*, p. 21.

3. Viennent de la Tripartite : 23 canons du concile d'Orléans I, les c. 3 et 4 du concile d'Arles IV, le c. 6 du concile de Clermont, les c. 24 et 26 du concile d'Orléans III. Ont été empruntés à la Panormie : les c. 26, 27 et 28 du concile d'Épaone, le c. 8 du concile de Paris III, les c. 10 et 25 du concile d'Auxerre. Quant au Décret, il a fourni les c. 25 et 27 du concile d'Orléans I, le c. 6 du concile de Paris III, le c. 18 du concile de Mâcon I, le c. 15 du concile de Paris V.

4. Selon une hypothèse présentée par Y. LE ROY (p. 563). — Il s'agit des c. 7 et 16 du concile d'Orléans III, des c. 2 et 12 de celui d'Orléans V, du c. 2 du concile d'Arles V.

canons sur quatre pour le concile d'Arles IV en 524). Mais déjà le concile d'Épaone est fort peu représenté. Pour les conciles du milieu du VIe siècle (après 524 jusqu'à 549, année du concile d'Orléans V) le fléchissement est net. Quant à ceux de la seconde moitié du VIe siècle et du VIIe, ils font totalement défaut (par exemple celui de Mâcon II en 585) ou ne figurent qu'avec de rares canons[1]. Déclin qu'on ne saurait attribuer à l'auteur du Décret. Il apparaissait déjà dans la Tripartite et remonte, comme on l'a vu, aux collections anciennes.

Tels sont les documents qui nous ont conservé la législation conciliaire mérovingienne. Leur nombre garantit la qualité de la transmission, même si, sur bien des points, chaque collection n'est pas sans défaut. Avant d'exposer, dans ses grandes lignes quels en furent l'objet et la portée, il faut évoquer les assemblées qui l'ont élaborée.

1. 10 canons seulement pour l'ensemble des conciles postérieurs à 550.

III. LES ASSEMBLÉES CONCILIAIRES

Où et comment se sont réunis les vingt-sept conciles dont nous avons conservé les mesures disciplinaires ? Quels prélats y ont siégé ? Telles sont les deux questions qu'il faut maintenant envisager.

1. Géographie conciliaire [1]

La Gaule mérovingienne a connu deux types de conciles : des conciles provinciaux, réunissant, normalement sous la présidence du métropolitain, les suffragants de la province, et des conciles interprovinciaux, auxquels étaient convoqués les épiscopats de plusieurs provinces.

a) *Les conciles provinciaux* ont été particulièrement nombreux dans la province d'Arles. On ne retiendra ici que ceux d'Arles IV, Carpentras, Orange II, Vaison II, Arles V, qui seuls ont promulgué des textes législatifs. Bien que « provinciaux », ces conciles réunirent toujours beaucoup d'évêques (jamais moins de 11, parfois 18), car la province d'Arles ne comptait pas moins de vingt-trois diocèses [2].

Beaucoup plus au nord, le « concile » d'Auxerre fut un simple *synode diocésain* réunissant autour de l'évêque une partie du clergé, et il est très probable que celui d'Autun, convoqué sans doute par l'évêque saint Léger, eut le même caractère. La liste des souscriptions des ecclésiastiques qui ont participé à l'assemblée n'ayant pas été conservée, on ne peut l'affirmer avec une totale certitude.

b) Les dix-neuf autres réunions furent des *conciles interprovinciaux*. Leur rayonnement géographique n'en fut pas moins

---

1. Voir l'article de Champagne-Szramkiewicz (Bibliographie).
2. Le concile réuni par l'évêque Aspasius, en 551, ne concerne aussi que la province d'Eauze.

très variable. La Gaule mérovingienne comptait quatorze provinces ecclésiastiques — y compris la province de Mayence [1]. Toutes furent présentes au concile de Paris V, où l'on dénombra soixante-quinze évêques (ou leurs délégués). Le concile d'Orléans V, le plus nombreux du VIe siècle, réunit des évêques venant de treize provinces. Mais, à certains conciles, trois provinces seulement furent représentées [2]. D'autres réunions concernent de quatre à dix provinces.

Des considérations ecclésiastiques ont pu contribuer à ces inégalités. Il faut également tenir compte des distances à parcourir, de la difficulté et des risques des voyages, de l'âge, de l'état de santé, de l'inégal dynamisme des prélats. Mais, plus que tout, importent les contingences politiques.

La chose est évidente pour les assemblées qui inaugurent l'activité conciliaire dans les royaumes franc et burgonde [3]. Le premier concile d'Orléans, en 511, fut convoqué par Clovis, récemment converti ; celui d'Épaone, convoqué par le métropolitain de Vienne, Avit, bénéficia de l'appui du catholique Sigismond.

Par la suite, la vie conciliaire resta marquée par les complexités de la politique mérovingienne, soit que les princes aient pris eux-mêmes l'initiative des réunions, soit que la zone de participation des évêques aux conciles subisse le contrecoup des partages territoriaux.

α) *L'initiative des princes.* Le deuxième concile d'Orléans, en 533, fut réuni *ex praeceptione gloriosissimorum regum*, c'est-à-dire à l'initiative des trois fils de Clovis, Childebert Ier, le roi de Paris, de qui dépendait Orléans, Clotaire Ier, le roi de Soissons, et Théodebert Ier, le roi de Reims, donnant ainsi l'un des rares témoignages d'entente entre les trois frères. La présence des métropolitains de Bourges, Tours, Rouen, Sens, Vienne, Eauze

---

1. 3 suffragants de Mayence ont siégé au concile de Paris V.

2. Celles de Rouen, Tours (avec leur métropolitain) et Sens au concile de Tours. Ce concile, qui ne réunit que 9 prélats, fut le moins nombreux de cette période.

3. Déjà en 506, le concile d'Agde pour l'Église wisigothique avait été tenu avec l'autorisation d'Alaric II, cependant arien et sévère vis-à-vis de l'épiscopat catholique.

et d'évêques des trois royaumes fit de ce concile une grande assemblée de l'Église mérovingienne.

Deux ans plus tard, le concile de Clermont se tint avec le consentement de Théodebert Ier. Mais la zone à laquelle répondent les présences épiscopales à ce concile (15 évêques) ne correspond pas exactement à celle que l'on assigne au royaume de Théodebert en 535[1].

A Orléans, en 541, neuf provinces participent au concile, dont celle d'Arles, qui est associée pour la première fois à l'épiscopat franc, à la suite de l'annexion de 536. Le concile d'Orléans V, convoqué par Childebert Ier avec l'accord de son frère Clotaire Ier, réunit en 549 des évêques de treize provinces[2]. La situation politique mérovingienne lui permit ainsi d'être le plus nombreux du VIe siècle.

C'est sur l'*iniunctio* du roi Gontran que fut réuni le premier concile de Mâcon (581-583), auquel participèrent, autour de leur métropolitain, des évêques des provinces de Lyon, Vienne, Sens, Bourges, et d'autres prélats venus des provinces d'Arles et de Besançon[3].

Clotaire II, devenu seul roi des territoires francs en 613, convoqua le concile de Paris l'année suivante. Parmi les soixante-quinze prélats, appartenant à quatorze provinces, qui firent de cette assemblée le plus grand concile mérovingien, on relève la présence d'évêques venus de loin : Tongres, Sion, Nice, Oloron, Saint-Pol-de-Léon.

Le même roi prit l'initiative du concile de Clichy de 626 ou 627. Et, bien qu'il eût confié en 625 à son fils Dagobert le gouvernement de l'Austrasie, il réunit à Clichy des prélats

---

1. Cf. CHAMPAGNE-SZRAMKIEWICZ, p. 10-11. Il ne faut d'ailleurs pas oublier que, pour déterminer les territoires des divers rois mérovingiens, les historiens ont eu recours aux souscriptions des évêques aux conciles. Cette façon de faire peut expliquer certaines concordances que l'on crut pouvoir établir entre frontières politiques et limites ecclésiastiques. Elle fait apparaître la précarité de ces suggestions.

2. Le fils de Théodebert (mort en 547 ou 548), Théodebald, n'était qu'un enfant. A sa mort en 555, Clotaire s'empara sans difficulté de sa succession.

3. De même les conciles de Lyon III et de Mâcon II réunissent des évêques du royaume de Gontran.

d'Austrasie, de Neustrie, de Bourgogne. Toutefois, la province d'Arles en fut absente ainsi que la Bretagne — sauf Nantes. Et l'on ne retrouve plus les évêques des diocèses lointains de Belgique, de la haute vallée du Rhône ou des confins pyrénéens [1].

Le concile de Chalon (647-653) fut, formellement, convoqué par Clotaire II. Mais le jeune âge du roi laissa en fait l'initiative de la réunion au maire du palais de Neustrie [2].

C'est sur l'ordre de Chilpéric II que se réunit le concile de Bordeaux (662-675), qui, en fait, ne concernait que l'Aquitaine. Le même prince qui, à la mort de Clotaire III en 653, fut proclamé roi de Neustrie et de Bourgogne assista au dernier grand concile mérovingien, celui de Saint-Jean de Losne (673-675), dont il avait prescrit la tenue.

Ainsi, près de la moitié des conciles interprovinciaux de l'époque mérovingienne se réunissent à l'initiative et parfois en présence du roi. Il n'est pas interdit de supposer que certaines de ces interventions répondaient à des préoccupations religieuses. Mais elles ont aussi été guidées par des vues politiques. De telles initiatives ne pouvaient en effet que servir le prestige des princes et faciliter leurs rapports avec les chefs des Églises du royaume.

β) *L'influence des partages territoriaux.* A ces liens éclatants entre les conciles et la vie politique s'ajoute l'influence, parfois difficile à déceler, qu'exercent sur l'aire géographique couverte par ces assemblées les partages ou les regroupements de territoire qui ponctuent l'histoire de la Gaule aux VIe et VIIe siècles.

Ces zones conciliaires ne peuvent être déterminées que par les listes de souscriptions mentionnant les parcipants aux conciles. Elles témoignent d'une indéniable influence des mutations politiques.

Les périodes pendant lesquelles l'ensemble du territoire fut soumis à une maîtrise unique furent rares et brèves. Ce fut,

1. Voir la carte des cités épiscopales représentées dans DE CLERCQ, *Législation*, p. 63.

2. On y rencontre, entourés d'une grande partie de leur épiscopat, les métropolitains de Vienne, Lyon, Besançon, Sens, Bourges et des délégués de la province de Tours.

tout d'abord, le règne de Clovis, marqué par le grand concile
d'Orléans de 511 qui groupa des évêques venus de sept provinces [1]. Celles du royaume burgonde (Lyon, Vienne, Besançon)
n'y figurent évidemment pas, ni la province de Narbonne, ni
les provinces rhénanes de Cologne, Mayence, Trèves. En 535,
à Clermont, se réunissent des évêques venant de provinces
ecclésiastiques diverses. Certains étaient les pasteurs de villes
conquises par les Francs sur les Burgondes (Langres, Rodez,
Viviers, Avenches) ou sur les Wisigoths (Lodève).

L'unité fut rétablie au profit de Clotaire Ier à la fin de son
règne, mais aucun grand concile ne se tint au cours de ces trois
dernières années, de 558 à 561. Après quarante ans de luttes
fratricides, l'unité reparaît lorsqu'en 613 Clotaire II reste seul
roi. L'année suivante eut lieu le concile de Paris, dont on a dit
l'exceptionnelle ampleur [2].

C'est encore sous le règne de Clotaire II que se tint le concile
de Clichy, qui réunissait, lui aussi, des prélats de presque toute
la Gaule [3].

Enfin l'unité politique restaurée en 673, au profit de
Childéric II, est marquée par le dernier grand concile mérovingien, celui de Saint-Jean de Losne [4].

Si de grands conciles, qualifiés parfois de « nationaux »,
marquent ainsi les périodes d'unité [5], on constate, lors des
morcellements politiques, une certaine symétrie entre les
royaumes et les zones conciliaires [6]. Celle-ci n'est cependant pas
totale. Pour des motifs divers, légitimes ou égoïstes, tous les

1. Bordeaux, Bourges, Eauze, Reims, Rouen, Sens, Tours.
2. *Supra*, p. 35.
3. Cf. *supra*, p. 35-36. Cependant la province d'Arles est absente.
4. La liste des souscriptions n'ayant pas été conservée, on ne peut
pas dire quels diocèses participèrent à ce concile.
5. Il faut cependant signaler le cas exceptionnel du deuxième concile
d'Orléans, réuni en 533 à l'initiative des 3 fils de Clovis, où se retrouvèrent des évêques venus des 3 royaumes francs, et même les évêques
de Vienne et d'Autun, qui appartenaient au royaume burgonde, près de
s'effondrer.
6. Le concile de Lyon I, antérieur à l'âge des partages, est limité
au royaume burgonde. On y trouve seulement des évêques des provinces
de Besançon, Lyon, Vienne et Arles.

évêques du royaume concerné n'assistent pas à la réunion ; à l'inverse, on y rencontre des évêques venus des royaumes voisins. La proximité du lieu de réunion, la volonté propre des prélats expliquent ces franchissements de frontière. Le pouvoir politique ne semble pas les avoir systématiquement entravés.

Les exemples de conciles réunissant l'épiscopat d'un royaume né du partage sont nombreux : celui de Clermont pour le royaume de Théodebert, où figurent des évêchés échelonnés de Tongres à Lodève, de Limoges à Lausanne ; les deux conciles de Lyon et les deux conciles de Mâcon pour le royaume bourguignon de Gontran [1]. Citons enfin le concile de Chalon, réuni par le maire du palais de Neustrie, où se retrouvèrent des évêques venus d'Amiens et d'Antibes, de Rennes et de Sion.

2. Sociologie conciliaire

A l'exception de l'ultime grand concile mérovingien, celui de Saint-Jean de Losne, les vingt-quatre conciles provinciaux ou interprovinciaux que nous avons retenus [2] donnent la liste de souscriptions des évêques — ou de leurs délégués —, éventuellement des abbés et des prêtres qui ont participé à la réunion. Nous connaissons ainsi quatre cent trente-cinq noms de prélats qui ont contribué à l'élaboration de la législation conciliaire.

Quels étaient ces hommes ? Dans leur étude déjà citée, J. Champagne et R. Szramkiewicz se sont efforcés de répondre à cette question [3]. Nous rappellerons ici les principales conclusions d'une enquête dont les auteurs eux-mêmes ont reconnu les limites.

La grande majorité de ces noms sont en effet ceux d'inconnus, dont l'histoire n'a conservé le souvenir que par ces listes sans

1. Gontran étant le tuteur du jeune Clotaire II, qui a succédé à son père Chilpéric, assassiné, des évêques du royaume de Clotaire participèrent au concile de Mâcon II.

2. Il faut en effet déduire des 27 assemblées étudiées dans cet ouvrage, en dehors du concile de Saint-Jean de Losne, les 2 synodes diocésains d'Auxerre et d'Autun.

3. « Recherches sur les conciles des temps mérovingiens ». Voir aussi l'ouvrage de M. Heinzelmann : Bischofsherrschaft in Gallien.

grand relief. Cette constatation n'est pas sans importance. Elle conduit à penser que ces conciles n'ont guère reçu d'impulsion des grands prélats mérovingiens, de ceux qui se sont signalés par leur sainteté ou par leur participation à la vie politique. Ni Remi de Reims, ni Didier de Cahors ne figurent parmi les souscripteurs ; pas plus que Grégoire de Tours, qui dit cependant avoir participé à des conciles. Césaire d'Arles, en dehors de la présidence des conciles de sa province, avait assisté au concile d'Agde en 506. Mais l'âge lui interdit de se rendre à Orléans en 541. Parmi les conseillers des princes, Arnoud de Metz siège à Clichy (626-627), Éloi de Noyon et Ouen de Rouen au concile de Chalon (647-653).

On constate d'autre part une progression des noms francs, qui passent de 9 % pour Orléans en 511 à 65 % pour Paris en 614 [1]. Mais on sait que des Gallo-Romains prenaient volontiers des noms francs. L'onomastique n'est donc pas ici d'un grand secours pour le sociologue.

Si l'on sait peu des hommes, du moins connaît-on le zèle avec lequel certains prélats participèrent à la vie conciliaire. Indépendamment d'une présence relativement facile aux assemblées de leur province, attestée surtout pour la province d'Arles, on retrouve les noms des mêmes évêques à plusieurs conciles interprovinciaux, parfois à cinq réunions [2].

Agricola, qui occupa le siège de Chalon pendant quarante-huit ans, assista à quatre conciles interprovinciaux. Lucretius de Die est à Orléans en 541 et à Paris en 552 ; il se fit représenter à Orléans en 549 et à Lyon dans les années 567-570. L'archevêque d'Arles, Sapaudus, siégea à Paris en 552, Arles en 554, Valence vers 583-585, et se fit représenter à Mâcon en 585.

Certes la longue durée de certains épiscopats facilite cette présence à de nombreux conciles. Prétextat, évêque d'Apt, participa à cinq conciles entre 517 (Épaone) et 541 (Orléans IV) ; son confrère d'Orange, Vindimialis, fut, lui aussi, à cinq réu-

---

1. Pourcentage qui se maintient au milieu du VIIe siècle : 62 % à Clichy, 52 % à Chalon.

2. Sur les 435 métropolitains ou évêques recensés (ou leurs délégués), 71 ont siégé au moins dans deux conciles, 34 dans trois, 16 dans quatre, 7 dans cinq.

nions entre 527 (Carpentras) et 541 (Orléans IV) et il se fit encore représenter en 549 à Orléans.

Le lieu des réunions joue aussi son rôle. Il n'est pas étonnant de retrouver, au début du VI⁰ siècle, le métropolitain de la province d'Arles, Césaire, présidant les réunions d'Arles en 524, Carpentras en 527, Orange en 529, Vaison en 539. Mais on voit aussi les deux évêques de Coutances et de Séez, Lauto et Passivus, ou leurs représentants, aux quatre conciles tenus à Orléans entre 533 et 549.

Le mérite est plus grand chez Deuterius de Vence, qui siégea à Orléans en 541 et 549 et se fit représenter à Arles en 554 et à Mâcon en 585.

On notera l'assiduité toute particulière des métropolitains. Celui de Bourges est présent ou représenté à quatorze conciles, celui de Vienne à treize et celui de Lyon à douze. Cependant les métropolitains sont parfois absents d'un concile où siègent quelques-uns de leurs suffragants.

A Paris, en 614, on compte douze métropolitains ; onze à Clichy quelques années plus tard. Sept conciles font état de la présence de six à neuf métropolitains, douze de deux à cinq.

Il arrive que le métropolitain soit seul à assurer la présence de sa province. C'est le cas dans quinze réunions depuis le concile de Paris de 552. A Clichy, trois métropolitains (Vienne, Besançon, Cologne) sont sans suffragants. Mais il ne semble pas que cela autorise à conclure qu'à partir du milieu du VI⁰ siècle on ait eu tendance à confier au métropolitain la représentation de toute sa province. Le nombre des suffragants dans les conciles de la fin de la période mérovingienne reste en effet aussi considérable qu'il l'avait été dans la première moitié du VI⁰ siècle.

Du fait de leur situation géographique, certaines provinces apparaissent plus souvent et plus massivement dans les assemblées conciliaires. D'une enquête qui porte sur l'ensemble des conciles mérovingiens [1], il résulte que les provinces de Sens, Lyon, Bourges et Vienne sont les mieux représentées. La Rhénanie (Trèves, Cologne, Mayence) figure rarement. Si l'on passe de la province au siège épiscopal, Bourges, Vienne, Lyon et

---

1. Cf. CHAMPAGNE-SZRAMKIEWICZ, p. 17-20.

Autun sont en tête. Globalement ce sont les évêchés situés entre le nord de la région parisienne et une ligne Lyon-Grenoble-Gap, avec pour limite à l'est le Doubs et la Saône, que l'on rencontre le plus fréquemment. La Bretagne, l'Aquitaine, le Languedoc, le Sud méditerranéen sont rarement présents [1].

Quelle conséquence eut ce zèle pastoral ? La question n'est pas sans importance, car la présence des évêques aux conciles a un double intérêt. Elle indique évidemment ceux qui ont participé aux travaux et donc contribué à l'élaboration de la législation. D'autre part, tout évêque qui avait souscrit le texte des canons et qui en rapportait un exemplaire dans son diocèse, prenait par là-même l'engagement implicite de les faire appliquer. Les souscriptions déterminent ainsi le territoire où les canons d'un concile devaient recevoir application. C'est même là, avec tout l'aléa d'une telle information, le seul élément dont nous disposions pour fixer la zone de diffusion de la législation conciliaire [2].

Dans l'appréciation de cette participation provinciale, il faut tenir compte de l'éloignement de certains sièges par rapport aux régions habituelles des réunions, à savoir le centre de la Gaule et le sillon Rhône-Saône. Les provinces de Mayence et de Cologne sont aux confins des domaines mérovingiens, de même que le diocèse de Sion ou certains évêchés de la province d'Eauze et de Provence.

D'autre part, du fait de leur inégale superficie et surtout du nombre inégal des cités dans chaque province, toutes les provinces ecclésiastiques ne comptent pas le même nombre de diocèses : 23 dans la province d'Arles, 11 dans celle d'Eauze, 9 à Vienne ou à Reims, 8 à Bourges, Sens ou Tours, 7 à Rouen et 3 seulement pour Besançon ou Cologne.

Les provinces le plus souvent présentes, et avec le plus de participants, sont celles du centre du monde mérovingien : celle

1. *Ibid.*, p. 20-23.
2. On pourrait aussi invoquer la réception des conciles dans les collections canoniques. Mais il est rare que l'on puisse fixer avec quelque chance de certitude la région où furent composées ces collections. A supposer celle-ci connue, rien ne prouve que la discipline qu'elle fait connaître ait été effectivement observée en cette région.

de Sens présente à 17 conciles avec 77 sièges, Lyon (17 et 63), Vienne (16 et 72), Bourges (16 et 60). Si la province d'Arles n'est présente que 13 fois, elle n'en délégua pas moins, en raison du grand nombre de ses diocèses, 135 prélats. Très rares et peu nombreuses sont au contraire les présences des provinces des confins orientaux : Trèves (4 et 12), Cologne (4 et 5), Mayence, dont les 3 suffragants, mais non le métropolitain, siègent à Paris en 614 (seule participation de cette province à la vie conciliaire mérovingienne).

Même constatation si des métropolitains on passe aux suffragants. Les diocèses les plus souvent présents sont ceux d'un bloc compact, qui va du nord de la région parisienne à la ligne Lyon-Grenoble-Gap. Les évêques d'Autun se signalent par leur fréquente présence (à 12 conciles sur 18). Ici encore les contingences géographiques ont joué. Elles expliquent la rareté des évêques de Bretagne, du sud de l'Aquitaine et du Midi méditerranéen [1].

Si l'on connaît le nombre, les noms, les évêchés des Pères conciliaires, on ignore le rôle tenu par chacun d'eux. Auditeur attentif et votant discret, prélat influent ou habile manœuvrier, réformateur hardi ou fidèle défenseur de la discipline ancienne ? Seuls des procès-verbaux ou des récits de témoins permettraient de cerner les caractères, les tendances, l'influence. Or ils font défaut.

A travers les canons conciliaires une enquête difficile et aux résultats incertains pourrait être entreprise. On constate parfois certaines dominantes dans les préoccupations d'un concile. Celui d'Orange, en 529, fut théologique. Celui de Saint-Jean de Losne dénonce avec insistance les défaillances de l'épiscopat. Certains s'inquiètent du pillage des biens d'Église, d'autres des conditions de recrutement de l'épiscopat. Si les canons sont dictés par les exigences des temps, ils trahissent aussi les soucis des législateurs.

A cette étude de fond devrait se joindre une enquête stylistique et lexicographique. Des formules reviennent (*necator pau-*

---

1. Cf. CHAMPAGNE-SZRAMKIEWICZ, p. 20-23.

perum[1] pour les spoliateurs des églises), et le style varie, d'un pathos effrayant à une langue simple et claire.

Enfin il faudrait relever les noms des prélats qui fréquentaient ces assemblées[2]. Dans un temps où les « dossiers » étaient rares, les hommes furent la mémoire vivante des conciles. Faut-il aller plus loin et attribuer à leurs interventions la reprise par un concile d'une disposition déjà votée dans une assemblée antérieure, lorsqu'un même prélat se trouve dans les deux réunions ?

Cette difficile restitution du rôle des hommes dans l'élaboration des décisions a été tentée par Champagne et Szramkiewicz, à propos de la législation sur la désignation des évêques[3]. On ne peut que renvoyer à leur enquête. Elle fournit un exemple qui devrait inspirer de nouvelles recherches sur d'autres points de la discipline ecclésiastique.

Ainsi, des sources d'information nous sommes passé aux réunions conciliaires, puis à leurs participants. L'enquête sur les hommes conduit à celle sur leurs préoccupations. Il reste à évoquer son expression dans la législation.

---

1. L'expression (orthographiée parfois *negator pauperum*) remonte au moins au concile d'Agde de 506 (c. 4). Elle revient une douzaine de fois dans les canons des conciles mérovingiens (voir Index *ad loc*).

2. Rares sont les Pères du concile de Clichy (626-627) qui avaient déjà siégé à Paris en 614. Au contraire, sur les 54 métropolitains et évêques qui siégèrent à Mâcon en 585, 4 métropolitains et 12 évêques avaient participé au premier concile tenu dans cette ville (581-583). Le bref espace de temps, le choix du même lieu ont servi cette continuité.

3. *Art. cit.*, p. 29-48.

IV. LES SOUCIS DISCIPLINAIRES

Une foi certaine chez beaucoup de baptisés, mais mal dégagée des traditions païennes et des superstitions populaires, une Église jeune qui doit s'organiser dans les cadres politiques nés des « invasions », la défense de sa dignité et de son intégrité contre des déviations internes et des appétits extérieurs, telles apparaissent les dominantes d'une situation à laquelle doivent faire face les conciles.

Plus que leurs injonctions, dont la répétition dans des réunions successives prouve la faible audience [1], c'est ce qu'ils laissent apparaître de cette situation qui intéresse l'historien. Non qu'ils ne fulminent pas menaces et peines pour tenter d'obtenir l'obéissance [2]. Les châtiments divins sont rarement évoqués ; les peines corporelles [3] ou privatives de liberté [4] sont exceptionnelles. La grande sanction, celle qui revient dans tous les conciles et pour les défaillances les plus diverses, c'est l'« exclusion de la communion [5] ». Refus de l'eucharistie sans

1. Dans cette répétition des mêmes injonctions on a parfois cru pouvoir déceler l'influence d'un concile sur un autre. DE CLERCQ (*Législation*, p. 106) signale celle de Clermont et d'Orléans IV sur Mâcon I ; de Tours II sur Paris III et Lyon II et III ; de Lyon II sur Paris V ; de Chalon et Bordeaux sur Saint-Jean de Losne ; de Tours II et Mâcon II sur Auxerre.

2. Cf. VOGEL, « Les sanctions infligées aux laïcs et aux clercs par les conciles gallo-romains et mérovingiens ».

3. La fustigation est prévue dans 5 canons (voir Index, *ad loc.*).

4. Essentiellement l'internement, temporaire ou à vie, dans un monastère.

5. Ou encore la « privation de la communion de l'Église » : voir Index, *ad* Exclusion de la communion, de la charité des frères, de la communauté, de l'Église ; Privation de la communion. Nous avons conservé ces expressions dans la traduction, n'utilisant le terme « excommunication » que dans les cas rares où cette terminologie est utilisée par le canon.

doute, mais aussi mise à l'écart de la communauté [1], sanction religieuse et sociale à la fois. Pour les clercs, c'est aussi la privation des fonctions ecclésiastiques, de l'office, de l'honneur ecclésiastique dont ils se sont rendus indignes, ce qui comportait naturellement l'interdiction d'en exercer les fonctions [2], ou la privation du droit de célébrer le sacrifice eucharistique.

Dégradation, déposition, suspense sont rares dans le vocabulaire de l'époque [3], et l'on peut penser que les concepts qu'ils désignent aujourd'hui et que cisèlera le droit canonique des XIIe-XIIIe siècles n'étaient pas encore dégagés.

Les questions qui retiennent l'attention conciliaire sont diverses. Aucun concile n'a tenté de présenter ses canons dans un ordre logique. C'est dans son extrême variété la vie quotidienne des communautés qui est envisagée : celle des clercs et des laïques, de l'épiscopat et des moines, la vie liturgique et sacramentaire, les relations avec le pouvoir et les puissants de tous ordres, celles aussi avec les non-catholiques.

Pour la commodité de l'exposé, et à défaut de tout guide dans les textes conciliaires nous les évoquerons sous quatre rubriques : les personnes ecclésiastiques, le patrimoine, le culte et la liturgie, la vie sociale [4].

1. Parfois désignée comme une « exclusion de la communauté » ou « de la charité des frères » : voir Index, *ad loc*. On trouvera un relevé des diverses expressions utilisées par les conciles mérovingiens pour désigner cette sanction dans l'article de VOGEL, « Les sanctions infligées aux laïcs et aux clercs », p. 8-20.

2. Voir Index, *ad* Exclusion des fonctions ecclésiastiques ; Privation de la fonction ecclésiastique, du droit de dire la messe.

3. *Suspendere, regradare :* par exemple dans le concile d'Orléans IV (c. 10) et V (c. 18).

4. On trouvera dans l'*Histoire des conciles mérovingiens* de Madame PONTAL un tableau de l'Église mérovingienne à la lumière de ses conciles. Notre propos, plus modeste, est seulement de relever ce que les conciles ont décidé en matière de discipline ecclésiastique.

1. Les personnes ecclésiastiques

Accès à la cléricature et statut du clergé, organisation hiérarchique, vie monastique et engagement religieux, tels sont les points majeurs abordés par les canons.

a) *Accès à la cléricature*

Dès le premier concile d'Orléans, en 511, apparaissent les difficultés auxquelles donne lieu le choix des pasteurs. Le clergé prive le roi d'une partie de ses hommes, souvent parmi les meilleurs, et surtout lui retire des guerriers. Aussi les évêques réunis à Orléans doivent-ils reconnaître que l'accès à la cléricature ne sera pas possible sans l'accord du roi ou du gouverneur de province[1]. Si le pouvoir politique entend contrôler l'accès aux ordres, le pouvoir domestique n'est pas moins exigeant lorsqu'il s'agit d'ordination d'esclaves. L'évêque ne doit pas ordonner des esclaves à l'insu de leur maître[2].

Les exigences proprement canoniques sont codifiées dans plusieurs canons du troisième concile d'Orléans[3], en 538 : condition d'âge (25 ans pour les diacres et 30 ans pour les prêtres)[4] et stage d'un an avant l'ordination[5]. D'autre part, le candidat ne doit pas avoir été marié deux fois ni avoir épousé une veuve[6]. Il ne doit pas non plus être engagé parmi les pénitents. De même refuse-t-on l'accès aux ordres à ceux qui ont vécu avec une concubine[7].

Rares sont les dispositions qui se réfèrent à une exigence, même minime, de connaissances littéraires ou liturgiques[8].

---

1. Canon 4 (*regis iussio, iudicis uoluntas*).
2. Le maître doit accepter l'affranchissement de l'esclave — un esclave ne pouvant être clerc — et, par conséquent, perdre ses droits sur lui : voir le c. 8 (voir aussi le c. 6 du concile d'Orléans V).
3. Canons 6, 10 et 29 ; voir déjà les c. 2, 3, 37 du concile d'Épaone et les c. 1, 2, 3 du concile d'Arles IV.
4. Cf. déjà le concile d'Arles IV, c. 1.
5. *Ibid.,* c. 2.
6. Conciles d'Épaone, c. 2, d'Arles IV, c. 3, d'Orléans IV, c. 10.
7. Concile d'Orléans III, c. 10. Mais ce canon précise que l'on ne rejettera pas ceux qui ont été ordonnés par ignorance !
8. Concile d'Orléans II, c. 16.

b) *Statut du clergé*

De nombreuses et fréquentes prescriptions concernent le statut des clercs, leur tenue, leur vie morale, leur soumission à l'autorité épiscopale.

Le souci de pureté, la peur de la femme sont au premier rang des préoccupations conciliaires. Rares sont les conciles qui ne légifèrent pas sur ces questions, et les mêmes défenses cheminent de l'un à l'autre. Évêques, prêtres, diacres mariés ne doivent plus avoir de relations sexuelles avec leur femme [1]. Ordonnés avant leur mariage, les clercs majeurs ne pourront pas contracter d'union après leur ordination [2]. De multiples canons interdisent aux clercs d'avoir sous leur toit une femme autre qu'une très proche parente [3]. Celle-ci est même parfois exclue, parce que l'on craint que sa présence ne soit une occasion pour d'autres femmes d'entrer chez un clerc.

Plus tard apparaissent les interdictions d'avoir des chiens et des faucons pour la chasse [4], de porter des armes [5], de participer à la justice du sang [6]. De même est-il interdit aux clercs à partir du diaconat de prêter à intérêt ou de faire le commerce [7].

Si les conciles insistent peu sur l'habit clérical, ils rappellent les clercs à la décence et à la discrétion [8].

Le canon 2 du concile de Lyon II oblige à respecter les testaments des clercs — qui le plus souvent gratifient les églises —,

---

1. Concile de Clermont, c. 13, que reproduit celui de Mâcon I, c. 11 ; le concile d'Orléans III (c. 2) étend cette interdiction aux sous-diacres, alors que celui d'Orléans V (c. 4) ne l'applique qu'à partir du diaconat. Voir aussi les conciles de Tours (c. 11-14) et Auxerre (c. 21).

2. Orléans III, c. 17 (premier texte à formuler cette interdiction).

3. Conciles d'Orléans I, c. 29, III, c. 4, IV c. 17, V, c. 3 ; Clermont, c. 16 (reproduit par Mâcon I, c. 1), Tours II, c. 20, Lyon III, c. 1 ; Bordeaux, c. 3 ; Chalon, c. 3 ; Losne, c. 4 ; Autun, c. 10. Une telle prescription n'était pas nouvelle : cf. déjà conciles d'Elvire, c. 27, de Nicée, c. 3 ; lettre de Sirice à Himère, c. 12 (*PL* 13, col. 1144), etc.

4. Conciles d'Épaone, c. 4 (seul texte pour la période 511-585) ; Mâcon II, c. 13 ; Losne, c. 15.

5. Concile de Losne, c. 2.

6. Concile d'Auxerre, c. 33-34.

7. Concile d'Orléans III, c. 30.

8. Concile de Mâcon I, c. 5, et de Bordeaux, c. 1.

et cela quand bien même les clercs, par ignorance, ne se seraient pas conformés aux exigences de la loi civile.

Quant au strict devoir d'obéissance envers l'évêque, la fréquence de son rappel atteste que les prélats présents aux conciles avaient à se plaindre de son inobservation [1].

Non moins fréquents les rappels de l'interdiction faite aux clercs de comparaître devant les juges séculiers [2]. Instauration difficile du « privilège du for », qui restera à travers les siècles source d'innombrables conflits. Ce « privilège » s'impose au clerc, qui ne pourrait y renoncer qu'avec l'autorisation de son évêque. Il s'agit en effet d'un privilège de l'Église, et non d'une faveur faite au clerc. Il arrivait d'ailleurs que celui-ci cherchât à s'y soustraire.

c) *Organisation hiérarchique*

Un grand absent dans cette législation conciliaire, le pape, auquel les canons ne font jamais appel pour trancher un différend ou formuler une règle [3]. Un seul texte prévoit qu'il sera fait appel au Siège apostolique, par l'intermédiaire du métropolitain, pour connaître la date de Pâques, si quelque doute subsiste à ce sujet [4].

1. Par exemple conciles d'Orléans III, c. 12, 22, 23 ; IV, c. 25 ; Tours II, c. 15 ; Mâcon I c. 10 ; Paris V, c. 5 ; Clichy, c. 3.

2. La première mesure conciliaire en Gaule mérovingienne fut prise à Orléans en 538, où fut interdite la citation en justice d'un clerc ou par un clerc, sans autorisation épiscopale (Orléans III, c. 35) ; cf. aussi Orléans IV (541), c. 20 ; Mâcon I, c. 7-8 ; Mâcon II, c. 10 ; Auxerre, c. 37, 41, 43 ; Paris V, c.6 ; Clichy, c. 7 et 20.

3. La lettre d'Avit convoquant le concile d'Épaone fait état de reproches mordants du pape au métropolitain de Viennoise. Le préambule du concile d'Orange fait référence à « l'avertissement et à l'instruction du Siège apostolique », et Césaire envoya les actes de ce concile à la papauté, qui en confirma la teneur. Mais ce concile traite essentiellement de questions théologiques. Le concile de Tours II (c. 21) cite comme *auctoritas* la lettre d'Innocent Ier à Victrice de Rouen. Celui de Vaison II (c. 4) dit simplement qu'il « est juste » de faire mention du nom du pape dans les églises.

4. Concile d'Orléans IV, c. 2

On n'a pas à rechercher les raisons de cette autonomie de l'Église mérovingienne : difficultés matérielles des relations avec Rome, isolement de la Gaule après les invasions, conviction chez les prélats métrovingiens qu'ils peuvent faire face par eux-mêmes aux difficultés qu'ils rencontrent ?

L'Église des Gaules est une fédération assez lâche de provinces ecclésiastiques qui ont à leur tête un métropolitain : quatorze provinces dont on a vu plus haut la participation à la vie conciliaire[1]. Certains titulaires de sièges métropolitains ne font pas toujours état de leur qualité dans les souscriptions des actes des conciles[2]. Modestie, ou signe d'une certaine faiblesse du cadre métropolitain dans les régions périphériques du monde mérovingien ?

En tout cas, aucune instance supérieure au métropolitain n'est signalée pour la Gaule mérovingienne, ni primatie, ni vicariat. Seuls les conciles interprovinciaux établissent des liens épisodiques et précaires entre les métropoles.

Exerçant les fonctions pastorales dans son diocèse, le métropolitain a, vis-à-vis de sa province, une triple mission : réunir les conciles provinciaux, qui pour répondre aux demandes de certains conciles auraient dû se tenir annuellement[3] ou même deux fois par an[4] ; arbitrer les différends entre ses suffragants[5] ; intervenir dans le choix des évêques de sa province[6].

---

1. *Supra* p. 41-42. Nous excluons la province de Narbonne, qui fait partie de l'Église wisigothique.

2. C'est le cas des 5 métropolitains qui ont souscrit les actes du concile d'Orléans I (au moins dans le texte que nous avons retenu). Mais ce sont surtout les métropolitains de Besançon qui figurent parmi les évêques dans les souscriptions des conciles d'Épaone, Lyon I, Orléans V, Mâcon I et II, Clichy.

3. Conciles d'Orléans II, c. 2 ; III, c. 1 ; IV, c. 37 ; V, c. 23.

4. Concile de Tours II, c. 1.

5. Conciles d'Orléans V, c. 1 ; Lyon II, c. 1 ; Mâcon II, c. 9 ; Paris V, c. 13. On a plusieurs exemples de conciles réunis pour juger des évêques, par exemple à Marseille en 533, à Paris en 552 et 573 (DE CLERCQ, p. 85-95, 166-169, 211-217).

6. Le consentement du métropolitain à l'*electio* épiscopale n'est signalé que par les conciles de Clermont (c. 2), Orléans III (c. 3), Paris V (c. 2).

Plus nombreuses sont les dispositions concernant l'évêque, car la vie religieuse de la communauté s'organise autour de lui. Il en est le chef et doit donner l'exemple. Certains conciles concentrent l'essentiel de leurs dispositions sur ses obligations [1]. Les conciles sont soucieux d'élections régulières. Conformément à une discipline souvent rappelée depuis le IVᵉ siècle, l'évêque ne doit pas désigner son successeur de son vivant. L'élection appartient au clergé et au peuple [2]. Le canon 10 du concile d'Orléans V y ajoutait « l'assentiment du roi », repoussée par celui de Paris III dans son canon 8. Le métropolitain confirme le choix, et la consécration est donnée par trois évêques au moins [3]. Enfin il est interdit de désigner un évêque pour un diocèse déjà pourvu d'un titulaire [4].

A plusieurs reprises les conciles rappellent les évêques aux limites géographiques de leur autorité. Il ne leur est pas permis d'ordonner des clercs relevant d'un autre prélat, ni d'exercer leurs fonctions hors de leur diocèse [5]. Ces défenses n'étaient pas nouvelles. Déjà au IVᵉ et au Vᵉ siècle des conciles s'étaient efforcés d'imposer le respect des zones de compétence. La répétition des rappels disciplinaires prouve qu'il n'était pas facile de s'opposer à de tels empiètements.

---

1. Ainsi celui de Losne, à une époque où, devant les désordres de la vie politique et religieuse, l'évêque semble être l'ultime recours.

2. Sur les désignations épiscopales, cf. GAUDEMET, *Élections*, p. 50-62. La législation conciliaire est très abondante ; voir par exemple, conciles d'Orléans I, c. 5-7 ; II, c. 7 ; III, c. 3 ; V, c. 9-12 ; Clermont, c. 2 ; Paris III, c. 8 ; Paris V, c. 2 ; Chalon, c. 10. Tous ces textes font état de l'élection par le clergé et par le peuple.

3. Les conciles mentionnent en général le concours du métropolitain et des comprovinciaux : cf. Orléans III (c. 3) et V (c. 10), Paris III (c. 8). Seuls les comprovinciaux sont mentionnés dans le concile d'Orléans II (c. 7) pour l'*ordinatio* du métropolitain, et le métropolitain seul dans celui de Paris V (c. 2-3).

4. Conciles d'Orléans V, c. 12 ; Chalon, c. 4 ; Losne, c. 5.

5. Conciles de Lyon I, c. 2 ; Clermont, c. 10 et 11 ; Orléans III, c. 16-17 ; Orléans V, c. 5 ; Arles V, c. 7 ; Chalon, c. 13. Sur ce point cf. J. GAUDEMET, « Charisme et droit. Le domaine de l'évêque », *Zeitschr. der Savigny-Stift. f. Rechtgesch., Kan. Abt.* 74 (1988), p. 44-70.

Enfin de multiples dispositions insistent sur les devoirs de l'évêque. Celui-ci doit-être un modèle pour son peuple[1]. Plus que tout autre, il doit mener une vie de sainteté[2]. Sa présence dans sa ville est requise le dimanche[3] et aux grandes fêtes, pour qu'il préside aux cérémonies liturgiques[4]. A lui d'assurer l'évangélisation par la prédication[5] et, sauf raison grave, de participer aux conciles provinciaux[6].

C'est à lui encore qu'il revient d'absoudre les pénitents[7]. Il exerce son autorité sur l'ensemble du clergé et accrédite les clercs qui sortent du diocèse en leur donnant des lettres de recommandation[8]. Il doit procurer au clergé des paroisses ce qui lui est nécessaire pour l'instruction religieuse des fidèles[9].

A lui aussi d'assurer aux prisonniers une nourriture suffisante[10], de veiller aux besoins des lépreux[11] et des pauvres[12], d'accueillir les étrangers[13].

A travers cette législation conciliaire, c'est l'organisation religieuse du diocèse qui apparaît. Multiplicité d'« oratoires privés », églises des domaines des grands propriétaires, avec leurs desservants propres qu'il faut maintenir, tâche parfois difficile, sous l'autorité épiscopale[14]. L'institution de cadres hiérarchiques intermédiaires entre l'évêque et les églises paroissiales

1. Bordeaux, c. 4.
2. Losne, c. 1 et 10.
3. Orléans I, c. 31.
4. Losne, c. 8.
5. *Ibid.*, c. 18.
6. *Ibid.*, c. 21.
7. Épaone, c. 28.
8. Épaone, c. 6 ; Orléans III, c. 18 ; Clichy, c. 14 ; Losne, c. 7 et 19.
9. Orléans IV, c. 6.
10. Orléans V, c. 20.
11. *Ibid.*, c. 21.
12. Orléans I, c. 16. — Sur l'assistance dans le diocèse de Tours, cf. L. PIÉTRI, *La ville de Tours du IVe au VIe siècle,* Paris 1983, p. 710-729.
13. Mâcon II, c. 11.
14. Orléans I, c. 17 et 25 ; Clermont, c. 15 ; Orléans IV, c. 7 et 26 ; Chalon, c. 14.

est rendue nécessaire par le développement de la vie chrétienne à travers des diocèses ruraux très étendus. L'archidiacre et le prévôt apparaissent dans les canons 20 et 21 du concile d'Orléans IV, l'archiprêtre dans le canon 7 de Tours, dans les canons 20, 43 et 44 du synode d'Auxerre, qui mentionne aussi un « archi-sous-diacre » au canon 6.

Si les œuvres de charité et d'assistance (malades, voyageurs, pauvres, lépreux, prisonniers) sont évoquées, on notera l'absence de toute référence à l'enseignement, qui, bientôt et pour long-temps, deviendra l'une des fonctions sociales importantes de l'Église.

d) *Vie monastique et engagement religieux*

La vie monastique reste sous le contrôle de l'évêque, qui exerce à l'égard des abbés une autorité disciplinaire[1]. Les moines sont tenus à l'obéissance, à la pauvreté, au célibat[2]. L'accès des monastères d'hommes est interdit aux femmes[3]. Interdiction similaire faite aux hommes pour les monastères féminins[4]. Les conditions d'entrée dans les monastère de femmes, l'obligation d'y demeurer après engagement définitif sont précisées[5]. Il est interdit aux moniales de contracter un mariage, qui viendrait rompre leur engagement[6].

De nombreuses dispositions concernent la discipline monas-tique[7]. Les devoirs de l'abbé — un seul par monastère[8] — dans la surveillance des moines[9] ou la gestion du patrimoine[10],

---

1. Épaone, c. 10 et 19 ; Orléans I, c. 19 ; Orléans II, c. 21.
2. Orléans I, c. 19-21 ; Tours II, c. 16 et 18.
3. Tours II, c. 17.
4. Épaone, c. 38.
5. Orléans V, c. 19.
6. Mâcon I, c. 12.
7. Auxerre, c. 23, 24, 26 ; Paris V, c. 14 ; Losne, c. 19 et 20 ; Autun, c. 1, 5, 6, 8, 10, 15.
8. Épaone, c. 9 ; Chalon, c. 12.
9. Auxerre, c. 23, 26 ; Autun, *passim*.
10. Épaone, c. 8 ; Chalon, c. 15.

ses rapports avec l'épiscopat[1], les sanctions qu'il peut encourir[2] sont précisés.

Les conciles font souvent état d'engagements privés pris par des femmes non mariées[3] ou des veuves[4] désireuses de mener une vie de prière et de pénitence. Il s'efforcent de les protéger contre les ravisseurs, en menaçant les coupables de peines graves[5].

2. Le patrimoine

L'Église mérovingienne dispose d'un important patrimoine, fruit de la générosité des petits et des grands. Mobilier cultuel, parfois de grande valeur, trésor en espèces, esclaves, mais surtout biens fonciers, églises, maisons d'habitation pour le clergé, hospices, vastes domaines qu'il faut exploiter.

Quelques dispositions sont relatives aux sources de cette fortune, offrandes et oblations diverses et surtout libéralités entre vifs ou à cause de mort[6]. Le respect de la volonté des défunts est souvent rappelé[7]. La dîme, conseillée par les hommes d'Église qui invoquent les textes bibliques, n'est imposée que par le concile de Mâcon II, dans son canon 5.

Les conciles sont soucieux de protéger ce patrimoine contre de multiples appétits : ceux des clercs qui auraient parfois tendance à confondre avec leur fortune personnelle les biens d'Église dont ils sont les administrateurs pour le service divin et le secours des pauvres[8], mais plus encore ceux des laïques, surtout des plus puissants, voire de la royauté.

---

1. Paris V, c. 4.
2. Épaone, c. 19 ; Losne, c. 17
3. Paris V, c. 15 ; Clichy, c. 26.
4. Auxerre, c. 22 ; Paris V, c. 15 ; Clichy, c. 26 ; Losne, c. 12-13.
5. Orléans III, c. 19 ; Paris III, c. 5.
6. Mâcon I, c. 4 ; Paris V, c. 8 et 12 ; Clichy, c. 12 et 22.
7. Lyon II, c. 2 ; Paris V, c. 12.
8. Orléans I, c. 5 ; Chalon, c. 7.

L'administration des biens est confiée à l'évêque[1]. Presque tous les conciles en traitent : celui d'Orléans III y porte une attention toute spéciale dans de nombreuses dispositions[2].

Les revenus, fruits et produits de cet important patrimoine sont partagés par l'évêque entre l'évêché, les paroisses et les pauvres[3].

La protection du patrimoine est juridiquement assurée par son inaliénabilité[4] et son imprescriptibilité[5]. Mais les conciles doivent lutter contre les entreprises des laïques, et surtout celles des princes, qui cherchent à s'approprier une partie de ce patrimoine[6]. Grégoire de Tours mentionne les prétentions de Clotaire Ier, qui, au milieu du VIe siècle, avait songé à prélever pour le fisc un tiers des biens d'Église. Il fallut les menaces de l'évêque de Tours pour que le roi renonce à cette confiscation[7].

3. Culte et liturgie

Moment essentiel du culte chrétien, la messe retient l'attention de plusieurs conciles. Celui d'Orléans I rappelle aux fidèles, dans son canon 26, qu'ils ne doivent pas quitter l'église avant la fin de l'office. Celui d'Orléans IV renouvelle, au canon 4, les prescriptions sur le vin du sacrifice[8]. Le second concile de Mâcon, en 585, invite, au canon 4, les fidèles qui assistent à la messe à offrir le pain et le vin. Au canon 10, il rappelle au célébrant l'obligation d'être à jeun[9] et fixe, au canon 6, l'emploi des espèces consacrées qui restent après la communion à la messe.

1. Orléans I, c. 17 ; Orléans IV, c. 9, 11, 12, 18, 33-36 ; Paris V, c. 8.

2. Canons 5, 13, 20, 21, 25, 26.

3. Orléans I, c. 14-15, Carpentras, c. 1

4. Épaone, c. 7, 12, 17 ; Orléans III, c. 13 ; Orléans V, c.13 ; Clichy, c. 15 et 25.

5. Épaone, c. 18 ; Orléans I, c. 23 ; Clichy c. 2.

6. Clermont, c. 5 et 14 ; Tours, c. 25 et 26 ; Paris III, c. 1 ; Chalon, c. 6.

7. *Hist. Franc.* IV, 2.

8. Cf. aussi synode d'Auxerre, c. 8.

9. Cf. synode d'Auxerre, c. 19.

Le synode d'Auxerre interdit, au canon 10, de célébrer deux messes le même jour sur le même autel. Il défend également à un prêtre de célébrer sur un autel où l'évêque aurait déjà célébré ce jour-là.

L'usage « oriental et italien » du *Kyrie*, ainsi que le *Sanctus* sont prescrits par le canon 3 du concile de Vaison II.

Le respect des lieux saints [1], l'utilisation à des fins exclusivement religieuses des églises [2], leur entretien [3], la consécration des autels [4] préoccupent aussi la législation conciliaire.

De nombreuses dispositions prescrivent le respect du dimanche et le repos dominical [5]. Parmi les fêtes, Noël et Pâques retiennent particulièrement l'attention des conciles [6].

Le Carême est de quarante jours [7], et non de cinquante. Le concile de Mâcon I, dans son canon 9, est seul à prescrire une seconde période de deux jours de jeûne par semaine de la Saint-Martin à Noël.

D'autres dispositions, peu nombreuses, concernent l'eucharistie [8], le baptême [9], l'état de pénitent [10] et la réconciliation [11], la sépulture [12].

4. La vie sociale

La place que tient l'Église mérovingienne dans la société et dans l'État, sa richesse, l'importance de son épiscopat, les exigences de sa morale autant que son esprit de miséricorde

1. Chalon, c. 17 et 19.
2. Auxerre, c. 9.
3. Carpentras, c. 1.
4. Épaone, c. 26
5. Orléans III, c. 15, 31, 32 ; Auxerre, c. 16 ; Mâcon II, c. 1 ; Chalon, c. 18.
6. Épaone, c. 35 ; Orléans IV, c. 1 et 3.
7. Orléans I, c. 24 ; Orléans IV, c. 2 ; Auxerre, c. 2.
8. Tours II, c. 3 ; Auxerre, c. 12, 36, 42.
9. Auxerre, c. 18 ; Mâcon II, c. 3.
10. Orléans III, c. 27-28.
11. Épaone, c. 36.
12. Clermont, c. 3 et 7 ; Mâcon II, c. 17.

l'obligent à dépasser la seule sphère d'une vie religieuse entendue dans des limites étroites. Ici encore le témoignage des conciles est important.

Église et royauté

On n'insistera pas sur les points de rencontre entre l'Église et les pouvoirs séculiers [1]. On a vu plus haut le rôle des princes, l'incidence des partages et réunifications politiques sur la vie conciliaire elle-même [2].

Nous avons également signalé l'intérêt porté par les rois aux choix épiscopaux [3] ou leurs tentatives de s'approprier une partie du patrimoine ecclésiastique [4]. De nombreux canons tentent de mettre les clercs à l'abri des juridictions séculières [5].

Collaboration non sans méfiance de la part de l'Église, générosités qui ne vont pas sans de lourdes contre-parties de la part des souverains, telle paraît être la ligne sinueuse des rapports entre les deux puissances pendant les siècles mérovingiens. Les choses changeront profondément avec Charlemagne et ses successeurs.

Il faut ici simplement signaler l'importance de la législation conciliaire relative à l'asile [6]. Son but n'est pas de soustraire un coupable à un châtiment mérité, mais de lui éviter d'être exposé à une violence incontrôlée.

Le mariage [7]

Aucune disposition conciliaire ne fixe les formes de conclusion du mariage, laissant aux rituels liturgiques le soin de les décrire

1. La question a été traitée par Madame PONTAL tout au long de son *Histoire des conciles mérovingiens.*

2. *Supra,* p. 34-38 ; cf. DE CLERCQ, *Législation,* p. 104.

3. *Supra,* p. 50.

4. *Supra,* p. 53.

5. *Supra,* p. 48.

6. Épaone, c. 39 ; Orléans I, c. 1, 2, 3 ; Orléans IV, c. 21 ; Orléans V, c. 22 ; Mâcon II, c. 8 ; Clichy, c. 9. — Sur l'asile à cette époque, cf. TIMBAL.

7. Pour une vue générale, nous nous permettons de renvoyer aux pages consacrées à cette période (p. 99-108) dans notre livre, *Le mariage en Occident,* Paris 1987.

et au pouvoir séculier celui d'en déterminer les conditions de validité.

Seul le concile d'Orléans IV s'intéresse au consentement, pour exiger celui des parents au mariage de leur fille (canon 22) et pour imposer l'affranchissement préalable — et donc l'assentiment du maître — pour le mariage des esclaves (canon 24).

Une seule question intéresse les conciles, mais avec une particulière insistance, la lutte contre les unions incestueuses. Nombreux sont les canons qui énumèrent longuement toutes les éventualités de mariage entre proches, pour les interdire et exiger la rupture de telles unions[1]. Cette horreur de l'inceste n'était pas nouvelle. Rome l'avait ressentie, sans éprouver le besoin de lui consacrer une législation exubérante. Dans le christianisme mérovingien l'horreur devient terreur, et la peur du crime obsède le législateur. Le fait est d'importance, car la voie ainsi tracée sera suivie par la législation canonique médiévale. Mais si cette dernière consacre de multiples dispositions à condamner les mariages entre proches, elle ne limitera pas à cela son code matrimonial. Pour l'époque mérovingienne, au contraire, c'est le souci majeur et souvent exclusif.

D'où vient cette obsession ? On ne peut s'engager ici dans une enquête difficile. Le concile de Tours cite abondamment les interdits bibliques qui lui fournissent un argument d'autorité. Les aurait-on recherchés si la question n'avait pas préoccupé les milieux ecclésiastiques ? Usages germaniques contre lesquels l'Église veut réagir ? Nécessité imposée à beaucoup par une vie refermée sur de petites communautés sans possibilité d'échanges lointains ? Et, pour les grands, cercle étroit auquel contraint la volonté de ne pas déroger ?

Quelle place ont tenu dans la réalité des unions mérovingiennes les cas d'inceste, souvent peu vraisemblables, que condamnent les canons ? A la sociologie historique d'apporter, si elle le peut, des éléments de réponse. Nous nous bornons ici à signaler les soucis du législateur.

---

1. Épaone, c. 30 ; Orléans I, c. 18 ; Lyon I, c. 1 ; Orléans II, c. 10 ; Clermont, c. 12 (repris et aggravé par Orléans III, c. 11) ; Orléans IV, c. 27 ; Tours II, c. 22 ; Paris III, c. 4 ; Lyon I ; c. 4 ; Mâcon II, c. 18 ; Paris V, c. 16 ; Auxerre, c. 27-32 ; Clichy, c. 10.

Les « autres »

L'Église catholique mérovingienne trouve en face d'elle des hérétiques, des païens et des juifs.

a) *Les hérétiques.* De ceux-ci les conciles se préoccupent peu. Celui d'Orléans III dénonce les bonosiens, secte arienne, qui s'était répandue surtout dans le royaume burgonde. Il fait appel au bras séculier contre ceux qui veulent rebaptiser les catholiques (canon 34)[1]. Le concile d'Orléans IV soumet à une pénitence — à fixer par l'évêque — les catholiques passés à l'hérésie et qui ont ensuite abjuré leur erreur (canon 8).

Les rapports avec les hérétiques sont interdits[2]. Mais on ne refuse pas les sacrements aux hérétiques repentis[3].

La liturgie de la messe doit témoigner de la vraie foi[4].

b) *Païens et paganisme.* Rares aussi les canons relatifs aux païens. Non qu'ils aient disparu. Le concile de Clichy interdit de leur vendre des chrétiens (canon 3). Ce qui préoccupe davantage les conciles, c'est la persistance chez les chrétiens de pratiques païennes, qui attestent le caractère superficiel de l'évangélisation. La superstition fleurit[5] et les usages païens persistent[6].

c) *Les juifs.* La place que leur accordent les canons conciliaires, la peur qu'ils suscitent dans les rangs de l'épiscopat attestent leur importance dans le monde mérovingien.

Le grand souci est d'éviter les relations avec les juifs, qui mettraient en péril la foi des chrétiens, d'où l'interdiction de mariage entre juifs et chrétiens[7], et surtout les nombreuses dispositions relatives aux esclaves chrétiens appartenant à des juifs. Des canons interdisent une telle pratique[8]. D'autres

---

1. Cf. aussi Clichy, c. 5.
2. Épaone, c.15.
3. Épaone, c. 16
4. Vaison II, c.5.
5. Orléans I, c. 30 ; Tours II, c. 23.
6. Orléans II, c. 20 ; Orléans IV, c. 15 et 16 ; Tours II, c. 23 ; Auxerre, c. 1, 3, 4 ; Clichy, c. 16.
7. Orléans II, c. 19 ; Clermont, c. 6.
8. Mâcon I, c. 16 ; Clichy, c. 13 ; Chalon, c. 9.

cherchent à éviter que les maîtres juifs ne convertissent leurs esclaves chrétiens à leur foi[1]. Aussi s'efforce-t-on de faciliter la libération des esclaves chrétiens retenus par des juifs[2].

D'autres dispositions visent à isoler les juifs du reste de la société. Elles leur interdisent certaines fonctions. C'est ainsi qu'un juif ne saurait être juge d'un chrétien[3]. Plus encore, le concile de Mâcon I ne consacre pas moins de cinq canons à la situation des juifs, leur interdisant d'exercer des fonctions judiciaires ou de percevoir les taxes (canon 13)[4]. Le même concile, reprenant une disposition du concile d'Orléans III (canon 33), leur interdit de paraître en public du Jeudi saint au Lundi de Pâques. Le concile d'Épaone (canon 15) interdit de participer à des repas avec des juifs[5].

Autant de mesures d'isolement qui, en s'opposant aux contacts, espèrent protéger la vraie foi.

J. G.

1. Orléans IV, c. 31 ; Mâcon I, c. 17.
2. Orléans III, c. 14 et Orléans IV, c. 30.
3. Clermont, c. 9.
4. Cf. Paris V, c.17.
5. Sur ces mesures, on consultera B. BLUMENKRANZ, *Juifs et chrétiens dans le monde occidental*, Paris - La Haye 1960.

SOURCES ET BIBLIOGRAPHIE

I. — COLLECTIONS ET MANUSCRITS

A	B.N., *lat. 3846*	Coll. de Saint-Amand
B	*Vatic. lat. 3827*	Coll. du ms. de Beauvais
C	B.N., *lat. 12097*	Coll. du ms. de Corbie
D	*Monacensis lat. 5508*	Coll. du ms. de Diessen
E	*Phillipps 1763*	*Vetus Gallica*
F	B.N., *lat. 1451*	Coll. de Saint-Maur
G	B.N., *lat. 1454*	*Quesnelliana*
I	*Albigensis 147*	Coll. dite d'Albi
K	*Coloniensis 212*	Coll. du ms. de Cologne
L	*Phillipps 1745*	Coll. de Lyon
M	Bruxelles, *8780-8793*	Coll. de Bourgogne
N	*Vatic. Palat. lat. 574,*	Coll. du ms. de Lorsch
O	B.N., *lat. 1458*	*Dionysio-Hadriana*
P	B.N., *lat. 1564*	Coll. de Pithou
R	*Phillipps 1743*	Coll. du ms. de Reims
S	*Vindobon. lat. 411*	*Hispana Gallica*
T	Toulouse, *364*	Coll. dite d'Albi
V	*Vatic. Reg. lat. 1127*	Coll. de Saint-Maur
X	*Vindobon. lat. 217*	*Vetus Gallica*
Y	B.N., *lat. 1452*	Coll. de Lyon
Z	Saint-Gall, *675*	*Vetus Gallica*

II. — ÉDITIONS DES CONCILES

DE CLERCQ = C. D.C., *Concilia Galliae. A. 511 — A. 695,* CCL 148 A, 1963.

MAASSEN = Fr. M., *Concilia aevi merovingici* (*MGH, Conc.,* t. I) Hanovre, 1893.

MANSI = J.D. M., *Sacrorum conciliorum nova et amplissima collectio,* Florence, t. VIII (1762), IX (1763), X (1764).

MORIN = G. M., *Sancti Caesarii episcopi Arelatensis opera omnia,* Maredsous. Vol. I : *Sermones et admonitiones,* 1936. Vol. II : *Opera varia,* 1942.

MUNIER = C. M., *Concilia Galliae. A. 314 - A. 506,* CCL 148, 1963.

— *Conc. Afr.* . = C. M., *Concilia Africae. A. 345 - A. 525,* CCL 149, 1974.

SIRMOND = J. S., *Concilia antiqua Galliae,* Paris 1629, t. I.

SURIUS = L. S., *Tomus primus conciliorum omnium,* Cologne 1567.

III. — ÉTUDES

CCL	*Corpus Christianorum, Series Latina,* Turnhout.
C. Th.	*Codex Theodosianus* (Mommsen), Berlin.
DACL	*Dictionnaire d'Archéologie chrétienne et de Liturgie,* Paris.
DHGE	*Dictionnaire d'Histoire et de Géographie ecclésiastiques,* Paris.
DTC	*Dictionnaire de Théologie Catholique,* Paris.
J.W.	Jaffé-Wattenbach (voir ci-dessous).
MGH	*Monumenta Germaniae Historica,* Hanovre-Berlin.
AA	*Auctores antiquissimi.*
Capit.	*Legum sectio* II : *Capitularia regum Francorum.*
Conc.	*Legum sectio* III : *Concilia.*
LL.	*Leges* in-fol.
Schriften	*Schriften des Reichsinstituts für ältere deutsche Geschichtskunde.*

PL   *Patrologia Latina* (J.-P. Migne), Paris.
RHDFE   *Revue Historique de Droit français et étranger*, Paris.
SC   *Sources Chrétiennes*, Paris.
TLL   *Thesaurus Linguae Latinae*, Munich.

BLAISE = A. B., *Dictionnaire latin-français des auteurs chrétiens*, Turnhout 1954.

CEILLIER = Dom R. C., *Histoire générale des auteurs sacrés et ecclésiastiques* (16 vol.), t. X et XI, Paris 1862.

CHAMPAGNE-SZRAMKIEWICZ = J. C. et R. S., « Recherches sur les conciles des temps mérovingiens », *RHDFE* 49 (1971), p. 5-49.

DE CLERCQ, *Législation* = C. D.C., *La législation religieuse franque de Clovis à Charlemagne (507-814)*, Louvain-Paris 1936.

DU CANGE = Ch. D.C., *Glossarium mediae et infimae Latinitatis*, Paris 1678.

L. DUCHESNE, *L'Église au VIᵉ siècle*, Paris 1925.

— *Fastes* = L.D., *Fastes épiscopaux de l'ancienne Gaule*, t. I : *Les provinces du sud-est*, 1907² ; t. II : *L'Aquitaine et les Lyonnaises*, 1910² ; t. III : *Les provinces du nord et de l'est*, 1915.

FOURNIER - LE BRAS = P. F. et G. L.B., *Histoire des collections canoniques en Occident depuis les Fausses Décrétales jusqu'au Décret de Gratien*, 2 vol., Paris 1931-1932.

Ph. JAFFÉ - G. WATTENBACH, *Regesta pontificum romanorum*, t. I, Leipzig, 1885.

J. GAUDEMET, « A propos du canon 12 du concile de Mâcon (1ᵉʳ nov. 583) », *Mémoires de la Société pour l'histoire du droit et des institutions des anciens pays bourguignons, comtois et romands* 13 (1950-1951), p. 277-282.

— *Élections* = J. G., *Les élections dans l'Église latine des origines au XVIᵉ siècle*, Paris 1979.

— « Épaone » = J. G., « Épaone (Concile d') », *DHGE* 15 (1963), col. 524-545.

HEFELE-LECLERCQ = C.J. H. et H. L., *Histoire des conciles*, Paris, t. II², 1908 ; t. III¹, 1909.

M. HEINZELMANN, *Bischofsherrschaft in Gallien* (*Francia*, Suppl. 5), Zurich 1976.

G. KÖBLER, *Wörterverzeichnis zu den Concilia aevi merovingici* (*Arbeiten zur Rechts- und Sprachwissenschaft*, Band 7), Giessen 1977.

LE ROY = Y. L.R., « Les conciles gaulois et le Décret de Gratien », *RHDFE* 62 (1984), p. 553-575.

LONGNON = A. L., *Géographie de la Gaule au VIᵉ siècle*, Paris 1878.

MAASSEN, *Quellen* = F. M., *Geschichte der Quellen und der Literatur des canonischen Rechts*, t. I, Gratz 1870 (éd. anast. 1956).

R. METZ, *La consécration des vierges dans l'Église romaine*, Paris 1954.

MORDEK = H. M., *Kirchenrecht und Reform im Frankreich : die Collectio Vetus Gallica, die älteste systemat. Kanonessammlung d. fränk. Gallien ; Studien u. Edition*, Berlin-New York 1975.

J. MOREAU, *Dictionnaire de géographie historique de la Gaule et de la France*, Paris 1972 (Suppl. 1983).

NIERMEYER = J.F. N., *Mediae Latinitatis Lexicon Minus*, Leyde 1976.

PONTAL = O. P., *Histoire des conciles mérovingiens*, Paris 1989.

— *Synoden* = O. P., *Die Synoden im Merowingerreich*, Paderborn 1986.

TIMBAL = P. T., *Le droit d'asile*, Paris 1939.

C. VOGEL, *La discipline pénitentielle en Gaule des origines à la fin du VIIᵉ siècle*, Paris 1952.

— « Les sanctions infligées aux laïcs et aux clercs par les conciles gallo-romains et mérovingiens », *Revue de droit canonique* 2 (1952), p. 5-29, 171-194, 311-320.

NOTE SUR LA PRÉSENTATION
DU TEXTE LATIN

L'édition De Clercq des *Concilia Galliae A. 511 - A. 695,* qui suit de très près celle de Maassen, *Concilia aevi Merovingici,* pour l'établissement du texte des conciles, a aussi maintenu l'orthographe adoptée par celle-ci. Il s'agit de l'orthographe, très incertaine, des manuscrits précarolingiens, rendant la lecture difficile et prêtant à de nombreuses confusions. Cette orthographe varie d'ailleurs d'un témoin à l'autre ou d'un passage à l'autre ; il arrive qu'elle soit presque normale. Maassen a opté en général pour les formes les plus aberrantes.

Il nous a semblé que, dans une édition comme la nôtre, la lecture devait être facilitée, sans que le texte soit modifié pour autant. C'était la règle que suivaient les anciens éditeurs. Elle a été appliquée par Ch. Munier aux *Concilia Galliae A. 314 - A. 506,* utilisée par nos *Conciles gaulois du IVᵉ siècle.*

On sait que les confusions les plus courantes portent sur les équivalences *e/ae, e/i, o/u, b/u* consonne, *c/g,* et sur l'omission ou l'addition superflue du *-m* final, d'où de nombreuses confusions entre les cas et les temps. Nous avons donc écrit *uxoris* au lieu de *oxores, necator* au lieu de *negatur, metropolitanus* au lieu de *mitrupulitanus,* etc., et modifié de nombreuses désinences. Il s'agit d'une démarche d'ordre pratique et sans prétention philologique, qui ne préjuge pas de ce que fut effectivement le latin mérovingien.

Dans un cas, celui du concile de Bordeaux, spécialement difficile et transmis par un seul manuscrit, nous avons respecté l'orthographe originale — celle du concile de Losne, transmis uniquement par ce même manuscrit, est relativement plus correcte.

Liste des conciles retenus

CONCILE D'ORLÉANS I [1]
(10 juillet 511)

Le concile d'Orléans de 511 (Orléans I) fut le premier grand concile de l'Église franque. Clovis en prit lui-même l'initiative, témoignant ainsi de la volonté d'établir des rapports cordiaux entre le pouvoir civil et le pouvoir religieux. L'Aquitaine était rattachée au royaume depuis peu, et le roi pensait alors tout particulièrement aux besoins de l'Église dans cette province. Il accorda la présidence du concile à Cyprien de Bordeaux, métropolitain de la Première Aquitaine. En convoquant ce concile, Clovis indiqua aux prélats les points sur lesquels ceux-ci auraient à délibérer ; beaucoup de canons se présentent ainsi comme des réponses aux questions posées par Clovis. Les thèmes abordés dans les trente-et-un canons sont variés. Le bénéfice du droit d'asile (c. 1, 2, 3) est plus étendu que dans la législation antérieure. Le concile se préoccupe aussi des conditions d'admission aux ordres (c. 4, 7, 8), des obligations des clercs (c. 9, 10, 11, 12, 13, 29, 30), des monastères (c. 19, 20, 21, 22), de la liturgie (c. 24, 25, 26, 27, 28, 31), de la gestion du patrimoine ecclésiastique (c. 5, 6, 14, 15, 16, 23).

Le 10 juillet 511, les actes du concile sont souscrits par trente-deux évêques, soit la moitié du nombre total des évêques des États de Clovis. On constate l'absence de tout prélat de la région des Pyrénées, des deux Germanies et des deux Belgiques (le métropolitain de Reims n'y figure pas). Le Nord est peu représenté : seuls sont

1. Cf. CEILLIER, X, p. 743 ; HEFELE-LECLERCQ, II², p. 1005-1015 ; DE CLERCQ, *Législation,* p. 8-13 ; PONTAL, p. 47-58.

présents les évêques d'Amiens, Noyon, Senlis et Soissons. En revanche, les évêques des territoires récemment conquis ont en général bien répondu à l'appel royal. Les métropolitains de Bordeaux, Bourges, Rouen, Tours sont venus, accompagnés de presque tous les évêques de leur province [1]. De la lointaine Bretagne s'est déplacé l'évêque de Saint-Pol-de-Léon.

Considérés comme fondamentaux, les canons de ce concile ont été largement diffusés et repris par les conciles ultérieurs du VIe siècle [2].

TRANSMISSION : Les canons du concile d'Orléans I ont été largement repris dans les collections canoniques de Corbie, Lyon, Lorsch, Cologne, Pithou, Saint-Maur, Reims, Saint-Amand, Bourgogne et Beauvais ; la collection de Saint-Blaise a repris le canon 16.

DESTINÉE ULTÉRIEURE : Les conciles mérovingiens n'ont pas, dans l'ensemble, reçu un accueil très favorable dans les collections canoniques du haut Moyen Age. Pourtant, le premier concile d'Orléans fait exception à cette règle. Il est amplement utilisé dans de nombreuses collections jusqu'au Décret de Gratien compris. Les canons 4, 5, 7 et 10 ont été souvent omis. Leur absence se comprend aisément : le c. 4, sur l'ordination des clercs, prévoit expressément le droit de présentation des candidats par les laïcs, roi ou seigneur, solution à laquelle on s'opposera bientôt. Le c. 5 se réfère aux libéralités de Clovis envers les églises, le c. 7 interdit de quémander des présents et le c. 10 envisage le sort des églises ariennes, dispositions de circonstance qui n'intéresseront plus les générations suivantes. Ces canons mis à part, les autres décisions du concile d'Orléans I ont bénéficié d'une large diffusion. On les retrouve dans la

---

1. Pour la province de Bourges manquent Albi et Mende, aux mains des Goths ; pour celle de Sens manque Nevers, en territoire burgonde.

2. Le concile d'Épaone reprend de nombreuses dispositions de ce concile (voir *infra,* p. 94). Des canons des conciles d'Orléans III, IV et V s'en inspireront aussi, notamment à propos du droit d'asile.

Vetus Gallica (22 canons), dans l'*Hispana* systématique (27 canons), dans la seconde collection de Freising et dans la collection de Bonneval (20 canons). Beaucoup sont à la fois dans 2 ou 3 de ces collections, rédigées entre 600 et 816.

Les collections des IXe et Xe s. n'ignorent pas ce concile, même si elles l'utilisent assez peu : Benoît le Lévite reprend les c. 19 et 22, Réginon de Prüm emprunte 5 canons à ce synode (c. 8, 17, 19, 25, 26), emprunts limités, mais plus importants cependant que ceux auxquels donneront lieu les autres conciles mérovingiens. Dans les collections du XIe s., le premier concile d'Orléans retrouve une place essentielle. Le Décret de Burchard ne reprend que le c. 8, mais les collections de la réforme grégorienne insistent davantage sur ce synode. La Collection en deux livres (vers 1053) reprend le c. 31 ; Anselme de Lucques utilise les c. 2 et 23. Les collections chartraines font appel à ce concile : le Décret lui emprunte 11 canons (1, 2, 8, 9, 12, 15, 17, 19, 25, 26, 27), la Tripartite 23 (1, 2, 6, 8, 9, puis les c. 12 à 31 à l'exception des c. 18 et 29) et la Panormie 3 (25, 26, 27). La Collection en treize livres contient le c. 19, le *Polycarpus* [1] les c. 8 et 15.

Enfin, le Décret de Gratien reprend 25 des 31 canons. Dans cette dernière collection [2], manquent les c. 4, 7, 10, 11, 18 et 29. On peut expliquer ces lacunes : les c. 4, 7 et 10 avaient souvent été omis par les collections antérieures. Le c. 18 vise la répression de l'inceste — question qui obséda les évêques mérovingiens —, mais la législation ultérieure ayant précisé cette question, les dispositions du c. 18 devinrent sans intérêt. Quant au c. 29, il renvoie à une réglementation antérieure, sans rien ajouter de nouveau.

Ainsi l'ensemble de la législation du premier concile mérovingien a-t-elle été reprise largement dans de nombreuses collections canoniques. Pourquoi cet accueil, que ne rencontreront plus les conciles ultérieurs ? La répétition de dispositions comparables tout au long des conciles mérovingiens a probablement conduit les canonistes médiévaux à orienter l'essentiel de leurs emprunts vers le premier de ces conciles.

1. Collections du début du XIIe s. décrites par FOURNIER et LE BRAS, II, p. 251-259 et 169-185.
2. Cf. LE ROY, p. 113.

CONCILIVM AVRELIANENSE
511. Iul. 10.

INCIPIVNT CANONES AVRELIANENSES
EPISCOPORVM XXX(II)
SVB CLVDOICO REGE

Epistola ad regem

Domno suo catholicae ecclesiae filio Chlothouecho gloriosissimo regi omnes sacerdotes, quos ad concilium uenire iussistis.

Quia tanta ad religionis catholicae cultum gloriosae fidei cura uos excitat, ut sacerdotalis mentis affectu sacerdotes de rebus necessariis tractaturos in unum collegi iusseritis, secundum uoluntatis uestrae consultationem et titulos, quos dedistis, ea quae nobis uisum est definitione respondimus ; ita ut, si ea quae nos statuimus etiam uestro recta esse iudicio conprobantur, tanti consensus regis ac domini maiori auctoritate seruandam tantorum firmet sententiam sacerdotum.

Canones

Cum autore Deo ex euocatione gloriosissimi regis Clothouechi in Aurelianensi urbe fuisset concilium summorum antistitum congregatum, communi omnibus conlatione complacuit hoc, quod uerbo statuerunt, etiam scripturae testimonio roborare.

1. De homicidis, adulteris et furibus, si ad ecclesiam confugerint, id constituimus obseruandum, quod eccle-

CONCILE D'ORLÉANS
10 juillet 511

ICI COMMENCENT
LES CANONS DU CONCILE D'ORLÉANS
DE 32 ÉVÊQUES
SOUS LE ROI CLOVIS

Lettre au roi

A leur seigneur, fils de l'Église catholique, le très glorieux roi Clovis, tous les évêques à qui vous avez mandé de venir au concile.

Puisque si grand est le souci de la foi glorieuse qui vous incite à honorer la religion catholique, que vous avez, par estime pour l'avis des évêques, prescrit que ces évêques se réunissent pour traiter des questions nécessaires, c'est conformément à la consultation et aux articles voulus par vous que nous faisons les réponses qu'il nous a paru bon de formuler. De la sorte, si ce que nous avons déterminé est aussi reconnu juste à votre jugement, l'approbation d'un si grand roi et seigneur confirmera que doit être observée avec une plus grande autorité la sentence d'un si grand nombre d'évêques.

Canons

Comme, par la volonté de Dieu, à la convocation du très glorieux roi Clovis, s'était réuni dans la ville d'Orléans un concile des plus hauts prélats, il a plu à tous, après délibération commune, de confirmer aussi par un témoignage écrit ce qu'ils ont décidé oralement.

1. Au sujet des homicides, des adultères et des voleurs, s'ils se réfugient à l'église, nous avons décidé que serait

siastici canones decreuerunt et lex Romana constituit : ut
ab ecclesiae atriis uel domum ecclesiae uel domum episcopi eos abstrahi omnino non liceat ; sed nec aliter
consignari, nisi ad euangelia datis sacramentis de morte,
de debilitate et omni poenarum genere sint securi, ita ut
ei, cui reus fuerit, criminosus de satisfactione conueniat.
Quod si sacramenta sua quis conuictus fuerit uiolasse,
reus periurii non solum a communione ecclesiae uel
omnium clericorum, uerum etiam a catholicorum
conuiuio separetur. Quod si is, cui reus est, noluerit sibi
intentione faciente conponi et ipse reus de ecclesia actus
timore discesserit, ab ecclesia uel clericis non quaeratur.

2. De raptoribus autem id custodiendum esse censuimus, ut, si ad ecclesiam raptor cum rapta confugerit et
femina ipsa uiolentiam pertulisse constiterit, statim libe-
retur de potestate raptoris et raptor, mortis uel poenarum
inpunitate concessa, aut seruiendi conditione subiectus
sit aut redimendi se liberam habeat facultatem. Sin uero
quae rapitur patrem habere constiterit et puella raptori

---

1. Cf. TIMBAL, p. 96-137. — Ce canon reflète l'une des conceptions
les plus étendues du droit d'asile. Les crimes d'homicide, d'adultère et
de rapt seront expressément exclus du droit d'asile par les mesures
restrictives de JUSTINIEN en 535 (Novelle 17, 7, c. 7).

2. Cf. Sirmond 13 (21 nov. 419) ; *C. Th.* 9, 45, 4 (23 mars 431) ; *C.
Th.* 9, 45, 5 (28 mars 432).

3. Il s'agit de l'espace situé à l'intérieur des portes extérieures de
l'église. Cette disposition reprend exactement la constitution du 23 mars
431 et reflète le souci des clercs d'installer des coupables le plus loin
possible de l'autel lui-même.

4. Survivance du simple droit d'intercession de l'évêque.

5. Système de la composition.

observé ceci[1], qu'ont décrété les canons ecclésiastiques et
qu'a fixé la loi romaine[2] : qu'il ne soit aucunement permis
de les arracher de l'atrium de l'église, de la maison de
l'église[3] ou de la maison de l'évêque[4], mais qu'ils ne
soient remis qu'à la seule condition d'avoir été garantis,
par serment prêté sur les évangiles, contre la mort, la
mutilation et tout genre de peines, moyennant que le
criminel convienne d'une satisfaction[5] avec celui envers
qui il est coupable. Si quelqu'un est convaincu d'avoir
violé son serment, qu'il soit, comme coupable de parjure,
séparé non seulement de la communion de l'Église et de
tous les clercs, mais aussi de la table commune des
catholiques. Si celui envers qui l'homme est coupable ne
veut pas, par l'effet de l'obstination, accepter la composition et que le coupable lui-même, poussé par la peur,
vienne à quitter l'Église, qu'il ne soit pas recherché par
l'Église et les clercs[6].

2. Au sujet des ravisseurs[7], nous avons jugé qu'il faut
observer ceci : si le ravisseur se réfugie dans l'église avec
celle qu'il a enlevée, et s'il est établi que la femme a été
victime de violence, qu'elle soit aussitôt libérée du pouvoir du ravisseur ; quant au ravisseur, qu'on lui accorde
l'impunité pour ce qui est de la mort et des autres peines :
ou bien qu'il soit soumis à la condition servile, ou bien
qu'il ait la libre faculté de se racheter. Si au contraire il
apparaît que la jeune fille enlevée a encore son père et
qu'elle était consentante envers son ravisseur, soit avant

6. Le c. 1 figure dans : *Vetus Gallica* 44, 1 ; *Hispana* systématique
V, 17, 1 ; 2nde coll. de Freising (c. 87) ; ms. de Bonneval 13, 7 ; Burchard
de Worms III, 190-192 ; Yves de Chartres, Décret III, 107-109, et
Tripartite II, 29, 1, 3 ; Décret de Gratien, Causa 17, q. 4, c. 36.

7. Ils seront exclus du droit d'asile par Justinien (voir *supra,* p. 72,
n. 1).

aut rapienda aut rapta consenserit, potestati patris ex-
cusata reddatur et raptor a patre superioris conditionis
satisfactione teneatur obnoxius.

3. Seruus qui ad ecclesiam pro qualibet culpa confugerit, si a domino pro admissa culpa sacramenta susceperit, statim ad seruitium domini redire cogatur ; sed
posteaquam datis a domino sacramentis fuerit consigna-
tus, si aliquid poenae pro eadem culpa, qua excusatur,
probatus fuerit pertulisse, pro contemptu ecclesiae uel
praeuaricatione fidei a communione et conuiuio catholicorum, sicut superius conpraehensum est, habeatur extraneus. Sin uero seruus pro culpa sua ab ecclesia defensatus
sacramenta domini clericis exigentibus de inpunitate perceperit, exire nolentem a domino liceat occupari.

4. De ordinationibus clericorum id obseruandum esse
censuimus, ut nullus saecularium ad clericatus officium
praesumatur nisi aut cum regis iussione aut cum iudicis
uoluntate ; ita ut filii clericorum, id est patrum, auorum
ac proauorum, quos supradicto ordine parentum constat
obseruatione subiunctos, in episcoporum potestate ac
districtione consistant.

1. Ceillier, X, p. 744, interprète différemment la dernière disposition de ce canon, considérant que le sens est celui-ci : « Si la jeune fille
a consenti à son enlèvement, et qu'elle ait encore son père, elle lui sera
rendue sans que le père puisse exiger aucune autre satisfaction du
ravisseur. »
2. Le c. 2 figure dans : *Vetus Gallica* 48, 3 ; *Hispana* systématique
V, 3, 1 ; ms. de Bonneval 14, 16 ; Burchard de Worms III, 191 ; Anselme
de Lucques X, 57 ; Yves de Chartres, Décret III, 108, Panormie II, 72,
Tripartite II, 29, 2 ; Décret de Gratien, Causa 36, q. 1, c. 3.
3. Le canon reprend les dispositions du droit romain : cf. *C. Th.* 9,
45, 5 (432). De même : Gélase (fr. 41) ; concile d'Orléans V (c. 22) ;
concile de Clichy (c. 9). Toutes les législations séculières affirment la
même règle : cf. Timbal, p. 100.
4. Le c. 3 figure dans : *Vetus Gallica* 44, 2 ; *Hispana* systématique

soit après le rapt, qu'elle soit mise hors de cause et rendue à la puissance paternelle et que le ravisseur soit tenu comme redevable, à l'égard du père [1], de la satisfaction aux conditions ci-dessus [2].

3. Que l'esclave [3] qui s'est réfugié à l'église pour quelque faute, s'il reçoit de son maître le serment au sujet de cette faute, soit tenu de revenir au service du maître. Mais si, une fois qu'il a été remis en vertu du serment donné par le maître, il vient à être prouvé qu'il a subi une peine pour cette faute qui est pardonnée, que le maître soit, en raison de ce mépris de l'Église et de cette violation de la foi, tenu pour étranger à la communion et à la table commune des catholiques, comme il a été indiqué plus haut. Et si l'esclave, protégé par l'Église pour sa faute, a reçu de son maître, à la requête des clercs, un serment d'impunité, et qu'il ne veuille pas partir, qu'il soit permis au maître de s'en saisir [4].

4. Au sujet des ordinations des clercs, nous avons jugé qu'il faut observer ceci : qu'on n'ose promouvoir aucun des séculiers à la fonction cléricale, si ce n'est soit sur l'ordre du roi, soit avec l'autorisation du comte [5] ; à cette réserve que les fils de clercs — qu'il s'agisse de leurs pères, grands-pères ou arrière-grands-pères —, puisqu'il apparaît qu'ils ont des liens avec l'exercice de l'ordre susdit de leurs parents, demeurent sous le pouvoir et la décision des évêques [6].

V, 18, 1 ; ms. de Bonneval 13, 21 ; Yves de Chartres, Panormie II, 73 ; Décret de Gratien, Causa 17, q. 4, c. 36, § 1.

5. *Iudex* est emprunté au vocabulaire du Bas-Empire. Le mot désignait le gouverneur de province.

6. Pour les descendants de clercs, l'évêque décidera de leur entrée dans les ordres sans intervention de l'autorité séculière. En somme le contrôle royal est très poussé : mis à part ceux qui sont de famille cléricale, personne ne peut entrer dans les ordres sans autorisation du roi.

5. De oblationibus uel agris, quos domnus noster rex ecclesiis suo munere conferre dignatus est uel adhuc non habentibus Deo sibi inspirante contulerit, ipsorum agrorum uel clericorum inmunitate concessa, id esse iustissimum definimus, ut in reparationibus ecclesiarum, alimoniis sacerdotum et pauperum uel redemtionibus captiuorum, quidquid Deus in fructibus dare dignatus fuerit, expendatur et clerici ad adiutorium ecclesiastici operis constringantur. Quod si aliquis sacerdotum ad hanc curam minus sollicitus ac deuotus extiterit, publice a conprouincialibus episcopis confundatur. Quod si nec sub tali confusione correxerit, donec emendet errorem, communione fratrum habeatur indignus.

6. Si quis ab episcopo uel de ecclesiae uel de proprio iure crediderit aliquid repetendum, si nihil conuicii aut criminationis obiecerit, eum pro sola conuentione a communione ecclesiae non liceat submoueri.

7. Abbatibus, presbyteris omnique clero uel in religionis professione uiuentibus sine discussione uel commendatione episcoporum pro petendis beneficiis ad domnos uenire non liceat. Quod si quisquis praesumserit, tamdiu loci sui honore et communione priuetur, donec per poenitentiam plenam eius satisfactionem sacerdos accipiat.

8. Si seruus absente aut nesciente domino et episcopo sciente, quod seruus sit, aut diaconus aut presbyter fuerit ordinatus, ipso in clericatus officio permanente, episcopus

---

1. Le c. 5 figure dans le ms. de Bonneval 22, 5.

2. Le c. 6 figure dans : *Vetus Gallica* 17, 7 ; *Hispana* systématique III, 29, 3 ; 2nde coll. de Freising (c. 2) ; ms. de Bonneval 22, 6 ; Yves de Chartres, Tripartite II, 29, 4 ; Décret de Gratien, Causa 2, q. 7, c. 20.

3. Les rois.

5. Au sujet des présents et des terres que le roi notre seigneur a daigné conférer par don personnel aux églises, ou de ceux qu'il conférera sous l'inspiration de Dieu à celles qui n'en ont pas encore, avec concession de l'immunité à ces terres et aux clercs, nous déclarons qu'il est très juste que tout ce que Dieu daignera donner comme revenus soit dépensé pour la réparation des églises, l'entretien des évêques et des pauvres et le rachat des captifs, et que les clercs soient tenus d'apporter leur aide aux travaux des églises. Si l'un des évêques se montre moins soucieux et zélé dans cette gestion, qu'il soit publiquement réprimandé par les évêques comprovinciaux. S'il ne s'amende pas sous une telle réprimande, qu'il soit tenu pour indigne de la communion de ses frères jusqu'à ce qu'il se corrige de sa faute [1].

6. Si quelqu'un croit devoir réclamer à un évêque un bien, soit de ceux de l'église, soit de ceux qu'il possède en propre, au cas où il n'use pas d'injures ou d'accusation criminelle, qu'il ne soit pas permis, pour cette seule plainte, de l'exclure de la communion de l'Église [2].

7. Qu'il ne soit pas permis aux abbés, aux prêtres et à tous clercs, ou à ceux qui vivent selon la profession religieuse, de venir trouver nos seigneurs [3] pour demander des bénéfices [4] sans examen et recommandation des évêques. Si quelqu'un se le permettait, qu'il soit privé de sa dignité et de la communion jusqu'à ce que l'évêque reçoive, par la pénitence, pleine satisfaction de sa part [5].

8. Si un esclave, en l'absence du maître ou à son insu, est ordonné diacre ou prêtre par un évêque qui sait qu'il est esclave, qu'il demeure dans sa fonction cléricale, mais

4. Cf. concile de Paris III, c. 1.
5. Le c. 7 figure dans le ms. de Bonneval 8, 3.

eum domino duplici satisfactione conpenset. Sin uero episcopus eum seruum esse nescierit, qui testimonium perhibent aut eum supplicauerint ordinari, simili redhibitione teneantur obnoxii.

9. Si presbyter uel diaconus crimen capitale commiserit, simul et officio et communione pellatur.

10. De hereticis clericis, qui ad fidem catholicam plena fide ac uoluntate uenerint, uel de basilicis, quas in peruersitate sua Gothi hactenus habuerunt, id censuimus obseruari, ut si clerici fideliter conuertuntur et fidem catholicam integre confitentur uel ita dignam uitam morum et actuum probitate custodiunt, officium, quo eos episcopus dignos esse censuerit, cum impositae manus benedictione suscipiant ; et ecclesias simili, quo nostrae innouari solent, placuit ordine consecrari.

11. De his, qui suscepta paenitentia religionem suae professionis obliti ad saecularia relabuntur, placuit eos et a communione suspendi et ab omnium catholicorum conuiuio separari. Quod si post interdictum cum iis quisquam praesumserit manducare, et ipse communione priuetur.

1. Le c. 8 figure dans *Vetus Gallica* 11 ; *Hispana* systématique I, 60, 6 et 28 ; ms. de Bonneval 6, 4, et 27, 18 ; Réginon de Prüm I, 404 ; Burchard de Worms II, 24 ; Yves de Chartres, Décret VI, 125, Tripartite II, 29, 5 ; *Polycarpus* II, 31, 44 ; Décret de Gratien, Dist. 54, c. 19.

2. Le c. 9 figure dans : *Vetus Gallica* 16, 5 ; *Hispana* systématique I, 27, 2 et 30, 7 ; ms. de Bonneval 9, 23 ; Yves de Chartres, Décret VI, 368 et XV, 18, Tripartite II, 29, 6, 8 ; Décret de Gratien, Dist. 81, c. 14 (pr.).

3. Le canon règle le sort du patrimoine ecclésiastique arien.

4. Le terme *benedictio* est souvent employé pour désigner l'ordination ministérielle.

que l'évêque indemnise pour lui le maître par une double compensation. Si par contre l'évêque ne savait pas qu'il était esclave, que ceux qui ont porté témoignage ou ont sollicité qu'il soit ordonné soient tenus pour obligés à pareil dédommagement [1].

9. Si un prêtre ou un diacre a commis un crime capital, qu'il soit chassé et de son office et de la communion [2].

10. Au sujet des clercs hérétiques qui viennent à la foi catholique en toute bonne foi et volonté, et au sujet des églises que les Goths, dans leur hérésie, ont occupées jusqu'ici [3], nous avons décidé que soit observé ceci : si les clercs se convertissent de bonne foi et confessent intégralement la foi catholique, et s'ils mènent de même une vie digne par l'honnêteté de leurs mœurs et de leur conduite, qu'ils reçoivent l'office dont l'évêque les estimera dignes, en étant bénis par l'imposition de la main [4] ; quant aux églises, il a été jugé bon qu'elles soient consacrées selon le même rite que celui employé pour l'inauguration des nôtres.

11. Au sujet de ceux qui, après avoir été admis à l'état de pénitent [5], oublieux de l'engagement de leur profession, retombent dans la vie séculière, il a été jugé bon qu'ils soient et privés de la communion et séparés de la table commune de tous les catholiques. Si après cet interdit quelqu'un ose manger avec eux, qu'il soit lui aussi privé de la communion [6].

5. Sur le statut du pénitent, cf. VOGEL, *La discipline pénitentielle en Gaule,* p. 102-138, et plus spécialement p. 111.

6. Le c. 11 figure dans : *Vetus Gallica* 45 et 64, 18 ; *Hispana* systématique II, 23, 3 ; 2nde coll. de Freising (c. 76) ; ms. de Bonneval 19, 16.

12. Si diaconus aut presbyter pro reatu suo se ab altaris communione sub paenitentis professione submouerit, sic quoque, si alii defuerint et causa certae necessitatis exoritur, poscentem baptismum liceat baptizari.

13. Si se cuicumque quaecumque mulier duplici coniugio presbyteri uel diaconi relicta coniunxerit, aut castigati separentur aut certe, si in criminum intentione perstiterint, pari excommunicatione plectantur.

14. Antiquos canones relegentes priora statuta credidimus renouanda, ut de his, quae in altario oblatione fidei conferentur, medietatem sibi episcopus uindicet et medietatem dispensandam sibi secundum gradus clerus accipiat, praediis de omni commoditate in episcoporum potestate durantibus.

15. De his, quae parrochiis in terris, uineis, mancipiis atque peculiis quicumque fidelis obtulerint, antiquorum canonum statuta seruentur, ut omnia in episcopi potestate consistant ; de his tamen, quae in altario accesserint, tertia fideliter episcopis deferatur.

1. Le c. 12 figure dans : *Vetus Gallica* 17, 8 et 64, 19 ; 2nde coll. de Freising (c. 3) ; *Hispana* systématique I, 53, 2 ; Yves de Chartres, Décret VI, 368 et XV, 18, et Tripartite P. II, 29, 6, 8 ; Décret de Gratien, Dist. 81, c. 14.

2. Le c. 13 figure dans : *Vetus Gallica* 39, 2 ; *Hispana* systématique I, 7, 1 ; Yves de Chartres, Tripartite II, 29, 9 ; Décret de Gratien, Dist. 28, c. 11.

3. Il s'agit des offrandes faites à l'église cathédrale, puisque le c. 15 règle le sort de celles faites aux autres églises.

4. Le c. 14 figure dans : *Vetus Gallica* 32, 3 ; *Hispana* systématique III, 37, 4 ; ms. de Bonneval 10, 9 ; Yves de Chartres, Tripartite II, 29, 10 ; Décret de Gratien, Causa 10, q. 1, c. 8.

12. Si un diacre ou un prêtre, pour une faute personnelle, s'est soustrait à la communion de l'autel en faisant
profession de pénitence, qu'il lui soit permis, si d'autres
font défaut et que se présente un cas de nécessité certaine,
de baptiser celui qui le demande [1].

13. Si une femme, veuve d'un prêtre ou d'un diacre,
se marie à quelqu'un en secondes noces, qu'ils soient
punis et séparés ; ou bien, s'ils persistent dans leur obstination criminelle, qu'ils soient frappés d'une égale
excommunication [2].

14. Relisant les anciens canons, nous avons cru devoir
renouveler les statuts antérieurs, à savoir que, des biens
déposés sur l'autel comme offrande des fidèles [3], l'évêque
retienne pour lui la moitié, et que le clergé perçoive
l'autre moitié, à se répartir selon le rang, les terres
demeurant, pour les besoins généraux, sous l'autorité des
évêques [4].

15. Au sujet des biens que chaque fidèle apporte aux
paroisses en fait de terres, vignes, esclaves et bétail, que
l'on observe les statuts des anciens canons, à savoir que
tout demeure sous l'autorité de l'évêque ; cependant, que,
des biens déposés sur l'autel, le tiers soit remis fidèlement
aux évêques [5].

---

5. Le c. 15 figure dans : *Vetus Gallica* 32, 4 ; *Hispana* systématique
III, 37, 5 ; 2nde coll. de Freising (c. 61) ; ms. de Bonneval 10, 10 ;
Burchard de Worms II, 136 ; Yves de Chartres, Décret III, 202, Panor-
mie II, 61, Tripartite II, 29, 11 ; *Polycarpus* III, 11, 7 ; Décret de
Gratien, Causa 10, q. 1, c. 7.

16. Episcopus pauperibus uel infirmis, qui debilitate
faciente non possunt suis manibus laborare, uictum et
uestitum, in quantum possibilitas habuerit, largiatur.

17. Omnes autem basilicae, quae per diuersa construc-
tae sunt uel cotidie construuntur, placuit secundum priorum canonum regulam, ut in eius episcopi, in cuius
territorio sitae sunt, potestate consistant.

18. Ne superstes frater torum defuncti fratris ascen-
dat ; ne sibi quisque amissae uxoris sororem audeat
sociare. Quod si fecerint, ecclesiastica districtione feriantur.

19. Abbates pro humilitate religionis in episcoporum
potestate consistant et, si quid extra regulam fecerint, ab
episcopis conrigantur ; qui semel in anno, in loco ubi
episcopus elegerit, accepta uocatione conueniant. Mona-
chi autem abbatibus omni se obedientiae deuotione su-
biciant. Quod si quis per contumaciam extiterit indeuotus
aut per loca aliqua euagari aut peculiare aliquid habere
praesumserit, omnia quae adquisierit, ab abbatibus au-
ferantur secundum regulam monasterio profutura. Ipsi
autem qui fuerint peruagati, ubi inuenti fuerint, cum
auxilio episcopi tanquam fugaces sub custodia reuocentur ; et reum se ille abbas futurum esse cognoscat, qui

---

1. Le c. 16 figure dans : *Vetus Gallica* 31, 6 et 32, 4 ; *Hispana*
systématique I, 48, 8 ; 2nde coll. de Freising (c. 60) ; Yves de Chartres,
Tripartite P. II, 29, 11 ; Décret de Gratien, Dist. 82, c. 1.
2. Le c. 17 figure dans : *Vetus Gallica* 32, 5 ; *Hispana* systématique
III, 33, 3 ; ms. de Bonneval 10, 11 ; Réginon de Prüm I, 15 ; Burchard
de Worms III, 8 ; Yves de Chartres, Décret III, 10, Tripartite II, 29,
13 ; Décret de Gratien, Causa 16, q. 7, c. 10.

16. Que l'évêque, dans la mesure de ses possibilités, dispense vivres et vêtements aux pauvres et aux infirmes qui, en raison de leur faiblesse, ne peuvent pas travailler de leurs mains [1].

17. Quant à toutes les basiliques qui ont été construites en divers lieux et se construisent chaque jour, il a paru bon, conformément à la règle des canons antérieurs, qu'elles demeurent sous l'autorité de l'évêque sur le territoire duquel elles sont situées [2].

18. Que le frère survivant n'épouse pas la femme de son frère défunt [3] ; que nul n'ose épouser la sœur de sa femme défunte. S'ils le font, qu'ils soient frappés de sanctions ecclésiastiques [4].

19. Que les abbés, en vertu de l'humilité religieuse, soient soumis à l'autorité des évêques, et, s'ils agissent en quelque chose contre la règle, qu'ils soient corrigés par les évêques ; qu'une fois par an ils se réunissent, sur convocation, au lieu choisi par l'évêque. Quant aux moines, qu'ils soient soumis à leurs abbés, leur obéissant avec respect. Si l'un d'eux se montre insoumis avec opiniâtreté, ou se permet de vagabonder ici et là ou de posséder un pécule, que tout ce qu'il a acquis soit confisqué par l'abbé, selon la règle, au profit du monastère. Pour ceux qui vagabondent, qu'ils soient, où qu'on les trouve, avec le concours de l'évêque, ramenés sous bonne garde comme des fugitifs. Et que l'abbé qui ne punit pas de telles personnes du châtiment de règle, ou

---

3. Voir le c. 61 du concile d'Agde (506). — La législation se précisera progressivement (voir *infra,* le c. 30 du concile d'Épaone).

4. Le c. 18 figure dans : *Hispana* systématique V, 12, 5 ; ms. de Bonneval 14, 17.

in huiusmudi personas non regulari animaduersione distrinxerit uel qui monachum susceperit alienum.

20. Monacho uti orarium in monasterio uel cyanchas habere non liceat.

21. Monachus si in monasterio conuersus uel pallium conprobatus fuerit accepisse, et postea uxori fuerit sociatus, tantae praeuaricationis reus numquam ecclesiastici gradus officium sortiatur.

22. Nullus monachus congregatione monasterii derelicta ambitionis et uanitatis inpulsu cellam construere sine episcopi permissione uel abbatis sui uoluntate praesumat.

23. Si episcopus humanitatis intuitu uineolas et terrulas clericis uel monachis praestiterit excolendas uel pro tempore tenendas, etiam si longa transisse annorum spatia conprobentur, nullum ecclesia praeiudicium patiatur nec saeculari lege praescriptio, quae ecclesiae aliquid inpediat, opponatur.

---

1. Le c. 19 figure dans : *Vetus Gallica* 45, 3 ; *Hispana* systématique II, 1, 9 ; 2nde coll. de Freising (c. 77) ; ms. de Bonneval 12, 9 ; Benoît le Lévite II, 139 ; Réginon de Prüm, Appendix II, 4 ; Burchard de Worms VIII, 67 ; Yves de Chartres, Décret 7, 85, Tripartite II, 29, 15 ; Coll. en treize livres III, 102 ; Décret de Gratien, Causa 18, q. 2, c. 16.

2. Pour le mot *cyancha,* voir NIERMEYER, à la forme *zancha. Orarium,* qui désigne le plus souvent l'étole liturgique, est ici un vêtement de voyage.

3. Le c. 20 figure dans : *Vetus Gallica* 46, 4 ; *Hispana* systématique II, 1, 11 ; Yves de Chartres, Tripartite II, 29, 16 ; Décret de Gratien, Causa 27, q. 1, c. 32.

4. NIERMEYER traduit *pallium :* « le froc du moine ».

5. Le c. 21 figure dans : *Hispana* systématique II, 1, 12 ; Yves de Chartres, Tripartite II, 29, 16 ; Décret de Gratien, Causa 27, q. 1, c. 32.

celui qui reçoit un moine étranger, sache qu'il sera considéré comme coupable [1].

20. Qu'il ne soit pas permis au moine d'user d'écharpe ni de chaussures montantes [2] à l'intérieur du monastère [3].

21. S'il est prouvé qu'un moine a été reçu *conuersus* au monastère et y a pris l'habit [4] et qu'ensuite il vient à se marier, que jamais, coupable qu'il est d'une si grande trahison, il n'obtienne une dignité dans l'Église [5].

22. Qu'aucun moine [6] ne se permette d'abandonner la communauté du monastère, poussé par l'ambition et la vanité, et de construire une celle [7] sans la permission de l'évêque et l'accord de son abbé [8].

23. Si un évêque [9], dans une intention généreuse, a concédé à des clercs ou à des moines des parcelles de vigne et de terre à cultiver et à exploiter pour un temps, et même s'il est prouvé qu'une longue suite d'années a passé, que l'église n'en subisse aucun préjudice, et qu'on n'objecte pas la prescription prévue par la loi séculière [10] pour créer un empêchement à l'église [11].

---

6. Voir le c. 38 du concile d'Agde (506).

7. Le vieux mot « celle » convient seul au sens de « petit monastère ».

8. Le c. 22 figure dans : *Hispana* systématique XII, 1, 13 ; ms. de Bonneval, 12, 10 ; Benoît le Lévite II, 140 ; Yves de Chartres, Tripartite II, 29, 17 ; Décret de Gratien, Causa 18, q. 2, c. 14.

9. Voir le c. 59 du concile d'Agde (506).

10. Prescription trentenaire du droit romain.

11. Le c. 23 figure dans : *Hispana* systématique III, 38, 23 ; Anselme de Lucques V, 87 ; Yves de Chartres, Tripartite II, 29, 18 ; Décret de Gratien, Causa 16, q. 3, c. 12.

24. Id a sacerdotibus omnibus est decretum, ut ante pascae sollemnitate non quinquaginsima sed quadraginsima teneatur.

25. Vt nulli ciuium pascae, natalis Domini uel quinquaginsimae sollemnitatem in uilla liceat celebrare, nisi quem infirmitas probabitur tenuisse.

26. Cum ad celebrandas missas in Dei nomine conuenitur, populus non ante discedat, quam missae sollemnitas conpleatur, et ubi episcopus fuerit, benedictionem accipiat sacerdotis.

27. Rogationes, id est laetanias, ante ascensionem Domini ab omnibus ecclesiis placuit celebrari, ita ut praemissum triduanum ieiunium in dominicae ascensionis festiuitate soluatur ; per quod triduum serui et ancillae ab omni opere relaxentur, quo magis plebs uniuersa conueniat. Quo triduo omnis abstineant et quadraginsimalibus cibis utantur.

28. Clerici uero qui ad hoc opus sanctum adesse contemserint, secundum arbitrium episcopi ecclesiae suscipiant disciplinam.

1. Le c. 24 figure dans : *Vetus Gallica* 24, 1 ; *Hispana* systématique IV, 19, 4 ; 2nde coll. de Freising (c. 43) ; ms. de Bonneval 29, 16 ; Yves de Chartres, Tripartite II, 29, 19 ; Décret de Gratien, Dist. 3 *de consecratione*, c. 6.

2. Voir le c. 21 du concile d'Agde (506).

3. Le c. 25 figure dans : *Vetus Gallica* 23, 2 ; *Hispana* systématique VI, 2, 3 ; ms. de Bonneval 29, 9 ; Réginon de Prüm II, 392 ; Burchard de Worms II, 75 ; Yves de Chartres, Décret IV, 12, Tripartie II, 29, 20 ; Décret de Gratien, Dist. 3 *de consecratione*, c. 5.

4. Voir le c. 47 du concile d'Agde (506).

5. Le c. 26 figure dans : *Vetus Gallica* 23, 6 ; *Hispana* systématique IV, 16, 4 ; ms. de Bonneval 29, 13 ; Réginon de Prüm I, 198 ; Burchard de Worms III, 29 ; Yves de Chartres, Décret III, 34, Tripartite II, 29, 21 ; Décret de Gratien, Dist. 1 *de consecratione*, c. 65.

24. Il a été décidé par tous les évêques qu'avant la solennité de Pâques on observe, non une cinquantaine, mais une quarantaine [1].

25. Qu'il ne soit permis à aucun des habitants de la cité [2] de célébrer dans son domaine les solennités de Pâques, de la Nativité du Seigneur et de la Pentecôte (*quinquagesima*), sauf lorsqu'il sera établi que la maladie l'y a retenu [3].

26. Lorsqu'on se réunit [4] au nom de Dieu pour célébrer la messe, que le peuple ne s'en aille pas avant que la solennité de la messe ne soit terminée et qu'il ait reçu, lorsque l'évêque est présent, la bénédiction pontificale [5].

27. Il a paru bon que les Rogations [6], c'est-à-dire les litanies, soient célébrées par toutes les églises avant l'Ascension du Seigneur, de telle façon que le jeûne de trois jours qui précède se termine à la fête de l'Ascension du Seigneur ; que durant ces trois jours les esclaves, hommes et femmes, soient dispensés de tout travail, afin que le peuple se réunisse plus au complet. Pendant ces trois jours, que tous fassent abstinence et usent des aliments de Carême [7].

28. Quant aux clercs qui négligeraient d'être présents à cette sainte cérémonie, qu'ils subissent une peine ecclésiastique au libre choix de l'évêque [8].

6. Pour la première fois l'Église range au nombre des observances religieuses les Rogations, avec abstinence, jeûne et abstention de travail. Probablement sous l'influence de saint Mamert de Vienne.

7. Le c. 27 figure dans : *Vetus Gallica* 24, 4 ; *Hispana* systématique IV, 17, 5 ; 2nde coll. de Freising (c. 46) ; Yves de Chartres, Décret IV, 11, Tripartite II, 29, 22 ; Décret de Gratien, Dist. 3 *de consecratione*, c. 3.

8. Le c. 28 figure dans : *Vetus Gallica* 24, 5 ; *Hispana* systématique I, 13, 30 ; Yves de Chartres, Tripartite P. II, 29, 23 ; Décret de Gratien, Dist. 91, c. 5.

29. De familiaritate extranearum mulierum tam episcopi quam presbyteri uel diaconi praeteritorum canonum statuta custodiant.

30. Si quis clericus, monachus, saecularis diuinationem uel auguria crediderit obseruanda uel sortes, quas mentiuntur esse sanctorum, quibuscumque putauerint intimandas, cum his, qui iis crediderint, ab ecclesiae conmunione pellantur.

31. Episcopus si infirmitate non fuerit inpeditus, ecclesiae, cui proximus fuerit, die dominico deesse non liceat.

Subscriptiones
ex codice C

Cyprianus episcopus de Burdigala suscribsi in die VI. idus mensis quinti, Felice u. c. consule.
Tytradius episcopus de Betorigis suscripsi.
Licinius episcopus de Turnisi suscripsi.
Geldaredus episcopus de Rotomao suscripsi.
Eufrasius episcopus de Aruernus suscripsi.
Camillianus episcopus de Trecassis suscripsi.
Hyraclius episcopus de Parisius suscripsi.
Quintianus episcopus de Rotenus suscripsi.
Petrus episcopus de Santonas suscripsi.
Boetius episcopus de Cadurco suscripsi.

1. Voir le c. 3 du concile de Nicée.
2. Le c. 29 figure dans l'*Hispana* systématique I, 56, 12.
3. Voir le c. 16 du concile de Vannes (552) et le c. 42 du concile d'Agde (506).
4. Le c. 30 figure dans : *Vetus Gallica* 44, 4 ; *Hispana* systématique V, 152 ; 2nde coll. de Freising (c. 14) ; ms. de Bonneval 20, 9 et 26, 32 ; Yves de Chartres, Tripartite II, 29, 25 ; Décret de Gratien, Causa 26, q. 5, c. 9.

29. Au sujet de la fréquentation des femmes du dehors [1], que les évêques, les prêtres et les diacres respectent les statuts des anciens canons [2].

30. Si un clerc ou un moine ou un séculier croient qu'on peut pratiquer la divination et les augures [3], ou s'ils pensent pouvoir révéler à d'autres les sorts qu'on attribue faussement aux saints, qu'ils soient rejetés de la communion de l'Église avec ceux qui les auront crus [4].

31. A moins que l'évêque ne soit empêché par la maladie, qu'il ne lui soit pas permis d'être absent, le dimanche, de l'église dont il est le plus proche [5].

Souscriptions
d'après le manuscrit de Paris (lat. 12097) [6]

Cyprien, évêque de Bordeaux, j'ai souscrit le 6e jour des ides du 5e mois, Felix, clarissime, étant consul.

    Tytradius, évêque de Bourges, j'ai souscrit.

Licinius, évêque de Tours, j'ai souscrit.

Geldaredus, évêque de Rouen, j'ai souscrit.

Eufrasius, évêque d'*Arverna* [7], j'ai souscrit.

Camillianus, évêque de Troyes, j'ai souscrit.

Heraclius, évêque de Paris, j'ai souscrit.

Quintianus, évêque de Rodez, j'ai souscrit.

Pierre, évêque de Saintes, j'ai souscrit.

Boetius, évêque de Cahors, j'ai souscrit.

---

5. Le c. 31 figure dans : *Vetus Gallica* 23, 7 ; *Hispana* systématique I, 48, 16 ; ms. de Bonneval 29, 14 ; Yves de Chartres, Tripartite II, 29, 26 ; *Caesaraugustana* IV, 62 ; Coll. en treize livres I, 150 ; Décret de Gratien, Dist. 3 *de consecratione,* c. 4.

6. De Clercq (p. 13-19) donne la liste des signatures sous 8 formes différentes. Certains des mss n'indiquent pas les sièges des signataires ; certains omettent les évêques de Périgueux et d'Auch.

7. Clermont-Ferrand.

Cronopius episcopus de Petrocoricus suscripsi.
Nicetius episcopus de Auscis suscripsi.
Leontius episcopus de Elosa suscripsi.
Sextilius episcopus de Vasate suscripsi.
Adelfius episcopus de Ratiate suscripsi.
Lupicinus episcopus de Equilesima suscripsi.
Principius episcopus de Celemannis suscripsi.
Eustochius episcopus de Andecauis suscripsi.
Epyfanius episcopus de Namnitis suscripsi.
Melanius episcopus de Redonis suscripsi.
Eusebius episcopus de Aurilianis suscripsi.
Modestus episcopus de Venitus suscripsi.
Litardus episcopus de Vxuma suscripsi.
Lupus episcopus de Sessionis suscripsi.
Nepus episcopus de Abrincates suscripsi.
Edebius episcopus de Ambianis suscripsi.
Suffronius episcopus de Veromandis suscripsi.
Libanius episcopus de Siluinectis suscripsi.
Leontianus episcopus de Constantia suscripsi.
Maurusus episcopus de Ebroicas suscripsi.
Teudosius episcopus de Altasiodero suscripsi.
Auentius episcopus de Carnotas suscripsi.

Explicit.

1. Poitiers.

Cronopius, évêque de Périgueux, j'ai souscrit.
Nicet, évêque d'Auch, j'ai souscrit.
Léonce, évêque d'Eauze, j'ai souscrit.
Sextilius, évêque de Bazas, j'ai souscrit.
Adelfius, évêque de Retz [1], j'ai souscrit.
Lupicin, évêque d'Angoulême, j'ai souscrit.
Principius, évêque du Mans, j'ai souscrit.
Eustochius, évêque d'Angers, j'ai souscrit.
Epyfanius, évêque de Nantes, j'ai souscrit.
Melanius, évêque de Rennes, j'ai souscrit.
Eusebius, évêque d'Orléans, j'ai souscrit.
Modestus, évêque de Vannes, j'ai souscrit.
Litardus, évêque d'*Oxoma* [2], j'ai souscrit.
Loup, évêque de Soissons, j'ai souscrit.
Nepus, évêque d'Avranches, j'ai souscrit.
Edebius, évêque d'Amiens, j'ai souscrit.
Suffronius, évêque de Vermandois [3], j'ai souscrit.
Libanius, évêque de Senlis, j'ai souscrit.
Leontianus, évêque de Coutances, j'ai souscrit.
Maurusus, évêque d'Évreux, j'ai souscrit.
Teudosius, évêque d'Auxerre, j'ai souscrit.
Aventius, évêque de Chartres, j'ai souscrit.

Fin.

2. Saint-Pol-de-Léon.
3. Noyon.

CONCILE D'ÉPAONE [1]
(15 septembre 517)

Avec les conciles d'Agde en 506, pour le royaume wisigothique, et d'Orléans en 511, pour le royaume franc, le concile d'Épaone (localité non identifiée avec certitude, sans doute Albon entre Vienne et Valence) compte parmi les plus importantes réunions conciliaires du VIe siècle. Il se propose de fixer l'organisation de l'Église du royaume burgonde, peu après l'accession au pouvoir d'un prince catholique, Sigismond (516). Convoqué en avril 517 par le métropolitain de Viennoise pour le 6 septembre 517, le concile s'est achevé le 15 septembre. Le métropolitain de Lyonnaise, Viventiole, s'associe à l'initiative d'Avit. La réunion doit renouer avec le principe, mal observé, de la tenue bi-annuelle de conciles provinciaux. Elle permettra de rappeler la discipline, et d'enquêter sur les pratiques répréhensibles. Trois métropolitains, vingt-et-un évêques et un prêtre représentant son évêque souscrivent les actes du concile. Ils appartiennent à un vaste territoire [2] allant du plateau de Langres à la Durance, qui fait frontière [3], du Nivernais aux vallées alpines [4]. Le territoire dépasse largement celui soumis à la juridiction

---

1. Cf. HEFELE-LECLERCQ, II[2], p. 1031-1042 ; GAUDEMET, « Épaone », col. 524-545.
2. Voir la carte des diocèses participants dans CHAMPAGNE et SZRAMKIEWICZ, p. 9.
3. Riez, Aix, Arles ne sont pas représentés.
4. Genève, Lausanne, Sion figurent dans les souscriptions.

du métropolitain de Vienne, mais correspond aux frontières du royaume burgonde [1].

Si quelques canons d'Épaone rappellent des dispositions du concile d'Orléans I en 511 :

Orléans I	Épaone
c. 11	c. 23
13	32
19	19
22	10
23	18
29	20

d'autres marquent des différences :

Orléans I	Épaone
c. 3	c. 39
10	33
25	35

Aucun des prélats présents à Épaone n'avait siégé à
Orléans.

Faits pour un royaume qui devait se révéler très
précaire (poussée gothique au nord de la Durance dès
avant 524 ; disparition du royaume burgonde en 534),
concurrencés par des dispositions analogues des conciles
francs contemporains, les canons d'Épaone ne connurent
pas une grande diffusion.

TRANSMISSION : Les canons d'Épaone sont transmis par une
dizaine de collections gauloises peu répandues qui ont recueilli
essentiellement les conciles gaulois (cf. GAUDEMET, « Épaone »,
col. 539-545). Ce sont les collections de Corbie, Lyon, Lorsch,
Saint-Maur, Albi, Reims, Pithou, Cologne, Diessen, Saint-
Amand.

---

1. Les historiens fixent les limites du royaume en se référant à la
liste conciliaire d'Épaone : cf. LONGNON, p. 73.

DESTINÉE ULTÉRIEURE : 24 canons d'Épaone ont été utilisés, soit dans leur intégralité, soit partiellement, par l'auteur de la *Vetus Gallica* ; 22 canons figurent dans la collection du ms. de Bonneval. Mais la fortune des canons d'Épaone fut surtout assurée par un recueil de 23 *sententiae*, composé en Gaule au VIe s., qui reproduit dans ses canons 3 à 16, treize de ces canons dans l'ordre : 22, 17, 6, 7, 8, 4, 9, 10, 18, 29, 30, 34, 35 (cf. MAASSEN, *Quellen,* p. 202-203). Cette série de 23 canons fut reprise au milieu du VIIe siècle par l'*Hispana* sous la rubrique du concile d'Agde (c. 50-63). Dans certains mss de l'*Hispana*, la collection des 23 canons reparaît une seconde fois à la fin de la série conciliaire (MAASSEN, *Quellen,* p. 681). Mais dans ses formes augmentées, compilées à la fin du VIIe siècle, l'*Hispana* fait une place aux canons d'Épaone, cette fois sous leur véritable titre. C'est ainsi que l'*Hispana Toletana* d'abord, puis l'*Hispana Vulgata* donnent une trentaine de canons d'Épaone (voir l'éd. de l'*Hispana, PL* 84, col. 287-290), réapparition du concile d'Épaone d'autant plus remarquable qu'il était resté ignoré des collections espagnoles antérieures : *Liber Complutensis*, collection de Novare, *Epitome Hispanico*. Par l'*Hispana,* les 13 canons d'Épaone présentés comme les c. 50 à 63 du concile d'Agde, se retrouvent dans les Fausses Décrétales, alors que celles-ci ne font pas mention des canons correctement attribués au concile d'Épaone qu'avaient accueillis les formes tardives de l'*Hispana*.

Indépendamment de cette tradition, quelques canons du concile d'Épaone ont été utilisés par la seconde collection de Freising, qui cite les c. 4, 8, 9, 22, 25, 26, 27, 28, 30 et 32, la collection de Bourgogne, qui cite les c. 4, 9, 12, 13, 22. Ils figurent également dans la collection de Beauvais, dans une série conciliaire gauloise analogue à celle de la collection de Bonneval.

Ce médiocre succès, la fausse attribution au concile d'Agde, expliquent le peu de place qu'occupent les canons d'Épaone dans les grandes collections du IXe au milieu du XIIe siècle : *Libri II de synodalibus causis* de Réginon de Prüm, Décret de Burchard de Worms ou d'Yves de Chartres. Le Décret de Gratien ne reprendra que 12 des 40 canons d'Épaone, dont 9 sont attribués au concile d'Agde (sur cette question, cf. notre article « Épaone).

CONCILIVM EPAONENSE
517. Sept. 15.

INCIPIT SYNODVS EPAONENSIS
TEMPORE SIGISMVNDI REGIS

*Epistola Auiti episcopi Viennensis, qua episcopos
prouinciae suae inuitat, ut ad concilium ueniant*

Diu est, quod rem ualde necessariam et non sine diuina
inspiratione a patribus institutam aut obliuione aut oc-
cupatione differimus. Sed rumpenda sunt interdum uin-
cula necessitatum, ut aliquando impleri possint debita
praeceptorum. Conuentus ergo, quos bis per annum a
sacerdotibus fieri cura seniorum decreuerat, si bene per-
penditis, assiduitate uel singulos post biennia faceremus.
Nam et uenerabilis papae Vrbis nobis ob hanc neglegen-
tiam succensentis mordacia mihi nonnunquam scripta
perlata sunt. Vnde supplicat per me, si dignamini, ecclesia
Viennensis, poscit intermissae consuetudinis rediuiua sa-
lubritas, quod hactenus infrequentatum torpuit, excitari.
Iustum est, quantum reor, ut constitutis prioribus sub
communis praesentiae oportunitate tractatis nostris simul
nobisque, prout ordo collocutionis inuenerit, uel insinue-
mus uetera uel, si necesse est, etiam nostra iungamus.
Idcirco cunctos simul poscimus fratres, ut Deo fauente
octauo iduum Septembrium die in parochia Eponensi
adesse dignemini, qui omnium fatigatione perpensa
conuentui medius atque oportunus locus electus est, sicut
et tempus, in quantum fieri potest, ab instantia ruralis

---

1. Voir aussi les éditions d'U. CHEVALIER, *Œuvres complètes de
saint Avit*, Lyon 1890, p. 117-120 ; R. PEIPER, *Alcimi Ecdicii Aviti Opera*
(*MGH, AA* 6, 2, p. 98). Jugement sur cette lettre dans A. COVILLE,
Recherches sur l'histoire de Lyon du Vᵉ au IXᵉ s., Paris 1928, p. 314.

CONCILE D'ÉPAONE
15 septembre 517

ICI COMMENCE LE CONCILE D'ÉPAONE
AU TEMPS DU ROI SIGISMOND

Lettre d'Avit, évêque de Vienne,
par laquelle il invite les évêques de sa province
à venir au concile [1]

Voici longtemps que nous différons, soit par oubli, soit par empêchement, une démarche grandement nécessaire instituée, non sans une inspiration divine, par les Pères. Mais nous avons à rompre pour un temps les liens des obligations pour que puissent être acquittées enfin les dettes des prescriptions. Ainsi, les assemblées que le zèle des anciens avait décidé que tiendraient les évêques deux fois par an — si vous y réfléchissez bien —, puissions-nous avec assiduité en tenir au moins une après deux ans ! D'autant plus que j'ai reçu plus d'une fois des lettres acerbes du pape de Rome, nous stigmatisant pour cette négligence. Par ma voix, si vous le voulez bien, c'est donc l'église de Vienne qui supplie, c'est la vitalité retrouvée de la coutume interrompue qui réclame que soit ranimé ce qui jusqu'ici s'est engourdi dans l'abandon. C'est justice, à mon avis, qu'après avoir, à la faveur d'une commune présence, discuté des statuts antérieurs, pour nos fidèles aussi bien que pour nous, suivant que cela se présentera au cours du colloque, nous ayons, soit à en promulguer d'anciens, soit à y joindre aussi les nôtres. C'est pourquoi nous demandons à tous nos frères à la fois que vous veuillez bien, Dieu aidant, vous trouver le 8e jour des ides de septembre dans la paroisse d'Épaone, lieu qui a été choisi, compte tenu de la fatigue de tous, comme central et commode, en même temps que la période, libre autant que possible de l'urgence des

operis uacuum liberiorem cunctis permittit excursum,
quamquam ecclesiae potior causa intermitti quaslibet ter-
rarum posceret actiones. Supplicamus ergo et quaesumus,
testamur obtestamurque, ne quem a dispositione tam
sancta obex ullius excusationis abducat ; ne quem a tali
caritatis uinculo nexus temporaneae necessitatis impediat.
Sed si forte, quod Deus auertat, tanta cuicumque acer-
bitas corporeae infirmitatis ingruerit, ut spiritale deside-
rium carnali uincatur incommodo, duos presbiteros
magnae ac probabilis uitae mandati instructione firmatos
fratribus pro se praesentare procuret. Et tales dignetur
eligere, quos episcoporum concilio non minus scientia
quam reuerentia iure faciat interesse ; cum quibus delectet
summos pontifices conferre sermonem ; quos ad definitiones pro episcopo suo consentiendas subscribendasque
cum fuerit sollertia elegisse, sit auctoritas legi. Sed istud
non extorqueat nisi summa necessitas. Ceterum dilectio-
nis fraternae ac pastoralis diligentiae magnitudo nisi la-
boris magnitudine non probatur. Conicit enim sanctitas
uestra, post hoc longum abusionis nostrae silentium qualiter aut definiri debeant, quae praestante Deo tractanda
sunt, aut, quae definita fuerint, uniuersis ecclesiarum
prouinciae nostrae ministris debeant intimari.

Epistola Viuentioli episcopi

Dominis deuotissimis fratribus ac filiis, uniuersis clericis honoratis ac possessoribus territorii nostri, Viuentiolus episcopus Lugdunensis salutem.

Disciplinam fratrum filiorumque nostrorum aeque a
cunctis sacerdotibus oportet optari ; sed si quid forte ab

---

1. Voir la présentation de A. COVILLE, *op. cit.,* p. 313-314.
2. Il faut lire *deuinctissimis* et non *deuotissimis* (cf. *deuictissimis,* mss
T et I). Cf. *TLL* V, 1, col. 861, 4-11 (cf. AVIT, *Ep.* 36, *MGH, AA* 6, 2,
p. 66, 2).

travaux agricoles, permet à tous un déplacement plus facile — quoique l'intérêt majeur de l'Église puisse demander d'interrompre n'importe quelles activités terrestres. Nous supplions donc et requérons, nous adjurons et conjurons que personne ne soit détourné d'une si sainte démarche par l'obstacle d'aucune excuse, que personne ne soit frustré d'un tel lien de charité par l'attache d'une nécessité temporelle. Mais si par hasard — Dieu nous en préserve — quelqu'un était atteint d'une infirmité corporelle si grave que le désir de l'esprit soit vaincu par l'incommodité du corps, que celui-là pourvoie à ce que se présentent aux frères deux prêtres de vie digne et éprouvée, munis de l'attestation d'un mandat. Et qu'il veuille bien les choisir tels que leur science non moins que leur dignité leur permette de participer à bon droit au concile des évêques : que les suprêmes pontifes trouvent plaisir à converser avec eux ; autant sera mis de discernement à les choisir pour ratifier et souscrire les décrets au nom de leur évêque, autant ils seront lus avec autorité. Mais que seule une extrême nécessité y contraigne. D'autre part, la grandeur de l'amour fraternel et de la sollicitude pastorale ne se prouve que par la grandeur du labeur. Votre Sainteté soupçonne en effet dans quelles conditions, après ce long silence dû à notre négligence, doivent, soit être définis les points à traiter avec l'aide de Dieu, soit être signifiés à tous les ministres des églises de notre province ceux qui auront été définis.

Lettre de l'évêque Viventiole [1]

A nos très attachés [2] seigneurs, nos frères et nos fils, à tous, clercs, dignitaires et propriétaires de notre territoire, Viventiole, évêque de Lyon, le salut !

Il faut que la discipline de nos frères et fils puisse être enviée également par tous les autres évêques : et si vient

honoratioribus clericis tale conmittitur, quod dignum
increpatione publica censeatur, rectius castigationis ar-
guatur, quam silentio nutriatur. Sicut autem istud simplex
atque rectum est, sic commentorum obloquiis et uoto
trepide murmurationis offendimur. Itaque ne quis nos
putet nostrae facilitati aut neglegentiae in aliquo praebere
consensum, praesenti protestatione denuntio conuentum
episcoporum omnium sortis nostrae circa Septembris
mensis initium in Eponensi parrocia mox futurum, ubi
clericos prout expedit conuenire conpellimus, laicos permittimus interesse, ut, quae a solis pontificibus ordinanda
sunt, et populus possit agnoscere. Et quia iustum est, ut
omnes catholici bonae uitae clericos habere desiderent,
repraehendendi, quod quisque nouerit, aditum omnibus
aperimus. Pateat cunctis, contra quem uoluerit, licentia
proponendi ; iurgandi potestate laxata desinat in uotorum
nequitia murmur occultum. Studebit tamen probare,
quod detulerit, accusator, ne putet quisquis forsitan recte
uiuentes tuto inanibus mendaciis infamandos. Nemo nisi
quod docere possit, obiciat ; uerecundiam, quam uictus
timere debebit, confictor excipiet ; utrique scilicet parti et
audiendi patientia et iudicandi aequitate praemissa. Dominus uos custodire dignetur, in Christo suscipiendi
fratres et filii.

Proposita sub die IIII. idus mensis IIII, Acapeto
consule.

---

1. 10 juin 517 (et non 10 avril).

à être commise par des clercs plus honorés une faute qui
mérite une réprimande publique, mieux vaut qu'elle soit
frappée par la correction plutôt que favorisée par le
silence. Mais si c'est là chose simple et juste, nous
sommes choqués par les insinuations mensongères et les
visées des murmures incertains. Pour cette raison, afin
que personne n'aille croire que nous obéissons en quoi
que ce soit à notre faiblesse ou négligence, je promulgue
par la présente déclaration la prochaine tenue d'une
assemblée de tous les évêques de notre ressort, vers le
début du mois de septembre, dans la paroisse d'Épaone.
Nous faisons, comme il convient, une obligation aux
clercs d'y venir ; nous autorisons les laïques à s'y trouver,
afin que le peuple lui aussi puisse avoir connaissance de
ce qui sera statué par les seuls pontifes. Et comme il est
juste que tous les catholiques désirent avoir des clercs de
bonne vie, nous admettons tout le monde à formuler ce
que chacun connaîtra de répréhensible. Liberté soit donnée à tous de déposer contre qui l'on voudra ; que la
possibilité ainsi laissée d'accuser mette fin au murmure
secret avec ses intentions malveillantes. Seulement, l'ac-
cusateur veillera à prouver ce qu'il avance, afin que l'on
n'aille pas penser que des gens de bien peuvent être
impunément diffamés par des mensonges sans fondement.
Que personne ne dénonce rien qu'il ne puisse démontrer :
le calomniateur subira la honte que le coupable, une fois
convaincu, aurait dû craindre ; à chacune des parties
seront assurées patience dans l'audience et équité dans le
jugement. Que le Seigneur daigne vous garder, frères et
fils dans le Christ !

   Donné le 4e jour des ides du 4e mois, Agapet étant
consul [1].

Canones

Deo propitio ad Epaunensem ecclesiam congregati, quid uel de antiquis regulis uel de nouis ambiguitatibus senserimus, expressis singillatimque discretis constitutionibus praesentibus titulis credidimus adnotandum.

1. Prima et inmutabili constitutione decretum est, ut cum metropolitanus fratres uel conprouinciales suos ad concilium aut ad ordinationem cuiuscumque consacerdotis crediderit euocandos, nisi causa taedii euidentis exteterit, nullus excuset.

2. De ordinationibus clericorum. Ne secundae uxoris aut renuptae maritus presbyter aut diaconus ordinetur, abunde sufficeret ab apostolo constitutum. Sed quia praeceptum huiusmodi excidi quorundam fratrum simplicitate cognouimus, speciali obseruantia renouamus, sciente eo, qui contra interdictum ordinauerit, reum fratribus se futurum ; illo autem, qui contra fas honorem prohibitae benedictionis ambierit, nihil se clericalis ministerii praesumturum.

3. Paenitentiam professi ad clericatum penitus non uocentur.

4. Episcopis, presbyteris atque diaconibus canes ad uenandum et acepitres habere non liceat. Quod si quis talium personarum in hac fuerit uoluptate detectus, si

1. Une disposition analogue avait été prise par le c. 35 du concile d'Agde (506) ; voir aussi le c. 6 du concile de Tarragone (516).

2. Interprétation de *I Tim.* 3, 2 et *Tite* 1, 6. Sur la législation contemporaine formulant une règle identique, cf. GAUDEMET, « Épaone », col. 527.

3. Voir le c. 84 des *Statuta ecclesiae antiqua* (MUNIER, p. 179) et le c. 43 du concile d'Agde (506). — Ce canon figure dans : *Vetus Gallica* 4, 7, et 64, 14.27 ; ms. de Bonneval 3, 8 ; 19, 22.30 ; 27, 7. Sur l'entrée

Canons

Réunis par la faveur divine en l'église d'Épaone, nous avons cru bon de consigner notre sentiment touchant soit des règles anciennes soit des questions nouvelles en des constitutions explicites et détaillées avec précision, sous les titres que voici.

1. Par une première et immuable constitution, il est décidé que, lorsqu'un métropolitain estime devoir convoquer ses frères et comprovinciaux à un concile ou à l'ordination d'un frère dans l'épiscopat, personne ne doit s'excuser, sinon pour cause de maladie évidente[1].

2. De l'ordination des clercs. Qu'il ne faille pas ordonner prêtre ou diacre celui qui a épousé une seconde femme ou une femme remariée[2], il suffirait amplement que ce soit statué par l'Apôtre. Mais puisque nous avons appris qu'un tel précepte est tombé dans l'oubli par la naïveté de certains frères, nous le renouvelons par une spéciale disposition. Sache celui qui procédera à une ordination contraire à cette interdiction qu'il sera tenu par ses frères pour coupable. Quant à celui qui en violation de la loi aura brigué l'honneur d'une bénédiction interdite, il ne pourra escompter aucun ministère clérical.

3. Que ceux qui ont fait profession de pénitence ne soient en aucun cas appelés à la cléricature[3].

4. Qu'il ne soit pas permis aux évêques, aux prêtres et aux diacres d'avoir des chiens de chasse ni des faucons[4]. Si l'un d'eux est surpris s'adonnant à ce

dans l'« ordre » des pénitents, cf. C. VOGEL, *Le pécheur et la pénitence dans l'Église ancienne,* Paris 1966, p. 34-36.
    4. Voir le c. 55 du concile d'Agde (506).

episcopus est, tribus mensibus se a communione suspendat, duobus presbyter abstineatur, uno diaconus ab omni
officio et communione cessabit.

5. Ne presbyter territorii alieni sine conscientia sui
episcopi in alterius ciuitatis territorio praesumat basilicis
aut oratoriis obseruare, nisi forte episcopus suus illum
cedat episcopo illi, in cuius territorio habitare disposuit.
Quod si excessum fuerit, episcopus, cuius presbyter fuerit,
fratri suo nouerit culpabilem se futurum, qui clericum
iuris sui illicita facientem sciens ab scandali admissione
non reuocat.

6. Presbytero uel diacono sine antistitis sui epistolis
ambulanti communionem nullus inpendat.

7. Quicquid parrochiarum presbyteri de ecclesiastici
iuris possessione distraxerint, inane habeatur et uacuum,
in uenditorem conparantis actione uertenda.

8. Presbyter dum diocesim tenet, de his quae emerit
aut ecclesiae nomine scripturam faciat aut ab eius quam

1. Première apparition de dispositions contre un goût trop prononcé
pour la chasse, que l'on retrouve bien souvent dans les textes canoniques
ultérieurs.
2. Le c. 4 figure dans : *Vetus Gallica* 42, 2 ; 2ⁿᵈᵉ coll. de Freising
(c. 73) ; ms. de Bonneval 3, 7 ; 26, 29 ; coll. de Bourgogne ; Réginon de
Prüm I, 178 ; Burchard de Worms II, 216 ; Yves de Chartres, Décret
VI, 288 (tous trois attribuent le texte à un concile de Meaux) ; Yves de
Chartres, Décret XIII, 30 (canon attribué au concile d'Agde), Panormie
III, 167 (canon attribué à un concile d'Orléans), Tripartite II, 44, 1 ;
Décret de Gratien, Dist. 34, c. 2.
3. La difficulté de faire respecter les limites du cadre diocésain était
grande. Les conciles reviennent souvent sur cette prescription : Arles
(314), c. 17 ; Antioche (v. 330 ou 341), c. 13 et 22 ; Sardique (343) ;
Lyon I (518), c. 4. Cf. *supra*, p. 50.
4. Voir les c. 38 et 52 du concile d'Agde (506). — Le c. 6 figure

plaisir [1], si c'est un évêque, qu'il s'abstienne de la communion durant trois mois ; un prêtre, qu'il en soit privé deux mois ; le diacre interrompra un mois tout office et la communion [2].

5. Qu'aucun prêtre ne se permette de desservir des basiliques ou des oratoires d'une autre cité sans l'aveu de son évêque, à moins peut-être que son évêque ne le cède à l'évêque du territoire où il a décidé de s'installer. En cas de transgression, que l'évêque dont relevait le prêtre se sache coupable envers son frère, puisque sciemment il ne retire pas d'une situation scandaleuse un clerc de sa juridiction commettant un délit [3].

6. Que personne n'admette à la communion un prêtre ou un diacre qui voyage sans lettres de son évêque [4].

7. Que tout ce que des prêtres des paroisses auront détourné des biens relevant de l'Église soit tenu pour nul et de nul effet, l'action de l'acheteur devant se retourner contre le vendeur [5].

8. Que le prêtre, quand il dessert une paroisse [6], tienne un écrit de ce qu'il a acheté au nom de son église, ou

dans : *Vetus Gallica* 15, 6, et ms. de Bonneval 28, 7. Sur l'exclusion de la communion, ici comme au c. 4, voir *supra,* Introd. p. 44-45.

5. Voir le c. 53 du concile d'Agde (506). — Ce c. 7 figure dans le Décret d'Yves de Chartres (III, 162) et dans celui de Gratien (Causa 12, q. 2, c. 36). — La fin du canon, dont la signification reste incertaine, a déjà gêné les auteurs des collections anciennes qui lui donnent des formes aussi variées que peu satisfaisantes : MAASSEN propose dans son édition une interprétation qui dépasse les éléments du texte (p. 21, n. 1). Les mots qui figurent à la fin du canon inciteraient à penser que les auteurs du texte ont voulu donner un recours judiciaire (*actio*) à l'acheteur dépossédé contre son vendeur.

6. *Dioecesis,* au sens général de « circonscription », s'applique ici à la paroisse.

tenuit ecclesiae ordinatione discedat. Similis quoque de
uenditionibus, quas abbates facere praesumserint, forma
seruabitur, ut quidquid sine episcoporum notitia uendi-
tum fuerit, ad potestatem episcopi reuocetur. Mancipia
uero monachis donata ab abbate non liceat manumitti ;
iniustum enim putamus, ut monachis cotidianum rurale
opus facientibus serui eorum libertatis otio potiantur.

9. Vnum abbatem duobus monasteriis interdicimus
praesidere.

10. Cellas nouas aut congregatiunculas monachorum
absque episcopi notitia prohibemus instrui.

11. Clerici sine ordinatione episcopi sui adire uel in-
terpellare publicum non praesumant ; sed si pulsati fuerint, sequi ad saeculare iudicium non morentur.

12. Nullus episcopus de rebus ecclesiae suae sine
conscientia metropolitani sui uendendi aliquid habeat
potestatem, utili tamen omnibus commutatione permissa.

---

1. Pour la 1re partie de ce canon, voir le c. 54 du concile d'Agde
(506), pour la 2nde partie, qui concerne les interdictions faites à l'abbé,
le c. 56. — La *Vetus Gallica* coupe et mutile le canon en séparant la
disposition concernant le prêtre de la paroisse (35, 8) et celle relative
aux esclaves des moines (53, 3) ; cette dernière se retrouve dans la 2nde
coll. de Freising (c. 86) et dans le ms. de Bonneval (20, 16). Le Décret
de Gratien reproduit le début du canon (Causa 12, q. 4, c. 3), en
l'attribuant comme la *Vetus Gallica* au concile d'Agde, et la partie
concernant l'abbé (Causa 17, q. 4, c. 40), qui figure déjà chez Yves de
Chartres (Décret III, 163, et Tripartite II, 28, 55).
2. Voir les c. 38 et 57 du concile d'Agde (506). — Le c. 9 figure
dans : *Vetus Gallica* 12, 3 ; 2nde coll. de Freising (c. 27) ; ms. de Bonneval
12, 7 ; coll. de Bourgogne ; Burchard de Worms VIII, 81 ; Yves de
Chartres, Décret III, 164, et VII, 99, Tripartite II, 28, 56 ; Décret de
Gratien, Causa 21, q. 1, c. 4.
3. Voir *supra*, p. 85, n. 7.

alors, qu'il quitte l'administration de l'église qu'il dessert. La même forme devra être observée pour les ventes que les abbés se seraient permises, en sorte que ce qui aura été vendu sans l'aveu des évêques retourne au pouvoir de l'évêque. Qu'il ne soit pas permis à un abbé d'affranchir des esclaves donnés aux moines, car nous estimons injuste que, tandis que les moines s'adonnent aux travaux agricoles quotidiens, leurs esclaves jouissent du loisir de la liberté [1].

9. Nous interdisons qu'un seul abbé soit à la tête de deux monastères [2].

10. Nous interdisons l'érection de nouvelles celles [3] ou petites communautés de moines sans l'aveu de l'évêque [4].

11. Que les clercs ne se permettent pas de recourir ou d'en appeler au tribunal civil sans autorisation de l'évêque. Mais s'ils sont poursuivis, qu'ils n'hésitent pas à comparaître devant le tribunal séculier [5].

12. Qu'aucun évêque n'ait pouvoir de vendre des biens de son église sans l'aveu de son métropolitain [6], un échange utile à tous étant toutefois permis [7].

---

4. Voir le c. 58 du concile d'Agde (506). — Le c. 10 figure dans : *Vetus Gallica* 12, 4 ; ms. de Bonneval 12, 8 ; Burchard de Worms VIII, 74 ; Yves de Chartres, Décret VII, 32.

5. Voir le c. 32 du concile d'Agde (506), plus nuancé ; voir aussi le c. 6 du concile d'Orléans I et le c. 32 du concile d'Orléans III. — Ce canon 11 figure dans le ms. de Bonneval 18, 9. — Sur le privilège du for à cette époque, cf. GAUDEMET, « Épaone », col. 529-530.

6. Le c. 7 du concile d'Agde exigeait l'assentiment des évêques voisins ; Avit fit prévaloir à Épaone le contrôle du métropolitain. Par la suite les conciles mérovingiens écartèrent toute possibilité de dérogation.

7. Le c. 12 figure dans la coll. de Bourgogne.

13. Si quis clericus in falso testimonio conuictus fuerit, reus capitalis criminis censeatur.

14. Quisque clericus aliquid de munificentia ecclesiae, cui seruiebat, adeptus et ad summum sacerdotium alterius ciuitatis est aut fuerit ordinatus, quod dono accepit uel acceperit, reddat, quod usu uel proprietate secundum instrumenti seriem probatur emisse, possideat.

15. Si superioris loci clericus heretici cuiuscumque clerici conuiuio interfuerit, anni spatio pacem ecclesiae non habebit. Quod iuniores clerici si praesumserint, uapulabunt. A iudeorum uero conuiuiis etiam laicus constitutio nostra prohibuit, nec cum ullo clerico nostro panem comedat, quisquis iudeorum conuiuio fuerit inquinatus.

16. Presbyteros propter salutem animarum, quam in cunctis optamus, desperatis et decumbentibus hereticis, si conuersionem subitam petant, crismate permittimus subuenire. Quod omnes conuersuri, si sani sunt, ab episcopo nouerint expetendum.

17. Si episcopus condito testamento aliquid de ecclesiastici iuris proprietate legauerit, aliter non ualebit, nisi uel tantum de iuris proprii facultate suppleuerit.

---

1. Le c. 13 figure dans : coll. de Bourgogne ; ms. de Bonneval 18, 9. — Un « crime capital » n'est pas nécessairement celui que sanctionne la peine capitale (mort). C'est une faute grave, que le c. 9 du concile d'Orléans I punit de la perte des fonctions et de l'exclusion de la communion.

2. *Vetus Gallica* 34, 3.

3. C'est-à-dire : il sera mis à l'écart.

4. Les peines corporelles frappant les clercs, inconnues des conciles antérieurs (sauf Vannes 465, c. 6 et 13), témoignent du changement de mœurs dû aux invasions germaniques.

5. Le c. 15 figure dans le ms. de Bonneval 21, 8.

13. Si un clerc a été convaincu de faux témoignage, qu'il soit tenu pour coupable d'un crime capital[1].

14. Que tout clerc qui a reçu quelque chose de la générosité de l'église qu'il servait, et qui est ou aura été ordonné au suprême sacerdoce d'une autre cité, restitue ce qu'il a ou aura reçu en don ; qu'il garde ce dont il est prouvé par un acte écrit qu'il l'a acquis par prescription ou en propriété[2].

15. Si un clerc majeur a participé au repas de quelque clerc hérétique, il n'aura pas la paix de l'Église[3] durant un an. Si de jeunes clercs se le permettent, ils seront fouettés[4]. Quant aux repas des juifs, notre constitution les interdit même aux laïques ; et que celui qui se sera souillé à un repas des juifs ne mange plus le pain avec un de nos clercs[5].

16. Nous permettons aux prêtres, en vue du salut des âmes, que nous souhaitons pour tous, de secourir par le chrême les hérétiques alités sans espoir, si ceux-ci demandent à faire une conversion immédiate. Que tous ceux qui veulent se convertir, s'ils sont en bonne santé, sachent qu'il faut le solliciter de l'évêque[6].

17. Si un évêque, en rédigeant son testament, lègue un bien qui relève de la propriété de l'Église, le legs sera nul, à moins qu'il ne le compense par une valeur au moins égale prise sur ses propres biens[7].

6. Voir le c. 41 du concile d'Orange de 441 et le c. 26 de la collection dite « deuxième concile d'Arles ».

7. Voir le c. 51 du concile d'Agde (506). — Le c. 17 figure dans : *Vetus Gallica* 35, 9 ; Réginon de Prüm I, 366 ; Burchard de Worms I, 212 ; Yves de Chartres, Décret V, 326, Tripartite II, 28, 50 ; Décret de Gratien, Causa 12, q. 5, c. 5.

18. Clerici quod etiam sine praecatoriis qualibet diuturnitate temporis de ecclesiae remuneratione possederint, cum auctoritate domni gloriossimi principis nostri in ius proprietarium praescriptione temporis non uocetur, dummodo pateat ecclesiae rem fuisse, ne uideantur etiam episcopi administrationis prolixae aut praecatorias, cum ordinati sunt, facere debuisse aut diu tentas ecclesiae facultates proprietati suae posse transcribere.

19. Abbas si in culpa repperiatur aut fraude et innocentem se adserens ab episcopo suo accipere noluerit successorem, ad metropolitani iudicium deducatur.

20. Episcopo, presbytero et diacono uel ceteris clericis horis praeteritis, id est meridianis aut uespertinis, ad feminas prohibemus accessum ; quae tamen, si causa fuerit, cum presbyterorum aut clericorum testimonio uideantur.

21. Viduarum consecrationem, quas diaconas uocitant, ab omni regione nostra penitus abrogamus, sola eis paenitentiae benedictione, si conuerti ambiunt, inponenda.

1. Voir le c. 23 du concile d'Orléans I ; GÉLASE, *Ep.* 17.

2. Le c. 18 figure dans : *Vetus Gallica* 35, 10 (qui donne seulement le début, jusqu'à *eccl. rem fuisse*) ; *Hispana* (qui le considère comme le c. 59 du concile d'Agde) ; Yves de Chartres (qui reprend la forme de l'*Hispana*), Décret III, 166, Tripartite II, 28, 58 ; Décret de Gratien, Causa 16, q. 3, c. 11. Les collections qui ont reçu ce texte le présentent d'ailleurs avec d'importantes variantes. — Texte repris par le c. 2 du concile de Clichy.

3. Le c. 19 figure dans : *Vetus Gallica* 16, 3 b ; ms. de Bonneval 12, 14. — Le concile d'Orléans I (c. 19), conformément à la discipline du concile de Chalcédoine (c. 4), soumettait également l'abbé à la juridiction épiscopale.

4. Le c. 20 figure dans : *Vetus Gallica* 47, 4 ; ms. de Bonneval 14, 30. — On trouve des dispositions analogues dans de nombreux conciles : Elvire (300), c. 18 et 27 ; Néocésarée (314-325), c. 1 ; Nicée (325), c. 3 ; Tours (460), c. 3 ; etc.

18. Des biens que des clercs auront possédés comme rétribution de la part de l'Église, même sans charte de précaire, aussi longtemps que ce soit, ne pourront être, par l'autorité du seigneur, notre très glorieux prince, revendiqués comme propriété privée en vertu de la prescription, pourvu qu'il soit clair que ce sont des biens d'Église[1]. On n'estimera pas non plus que des évêques dont l'administration s'est prolongée, ou bien auraient dû rédiger des chartes de précaire, lorsqu'ils ont été ordonnés, ou bien pourraient faire passer à leur propriété personnelle des biens d'Église longuement détenus[2].

19. Que l'abbé qui a commis une faute ou une fraude et qui, se déclarant innocent, refuse d'accepter le successeur que lui donne son évêque, soit traduit devant la justice du métropolitain[3].

20. Nous interdisons à l'évêque, au prêtre, au diacre et aux autres clercs de rendre visite aux femmes aux heures non prévues, c'est-à-dire à celles de l'après-midi et du soir. Si toutefois il y avait un juste motif, qu'on les visite devant témoins, prêtres ou clercs[4].

21. Nous abrogeons totalement sur tout notre territoire[5] la consécration des veuves que l'on appelle diaconesses. Seule leur sera donnée la bénédiction pénitentielle si elles désirent la conversion[6].

5. Voir le c. 21 (20) du concile de Tours II et la note *ad loc*.
6. Le c. 21 figure dans le ms. de Bonneval 14, 15. On notera l'identification faite ici entre veuves consacrées et diaconesses, alors que les diaconesses n'étaient pas nécessairement des veuves. La *benedictio poenitentiae* dont parle le texte est le rite, réservé en principe à l'évêque, d'imposition des mains aux pénitents (cf. C. VOGEL, *Le pécheur et la pénitence dans l'Église ancienne*, Paris 1966, p. 36 et 41). Quant à la *conversio*, c'est le changement de vie qui fait passer de la vie laïque à un état de pénitence et de perfection.

22. Si diaconus aut presbyter crimen capitale conmiserit, ab officii honore depositus in monasterio retrudatur, ibi tantummodo quamdiu uixerit communione sumenda.

23. Si quis accepta professaque paenitentia boni inmemor ad saecularia relabatur, prorsus conmunicare non poterit, nisi professioni, quam inlicito praetermiserat, reformetur.

24. Laicis contra cuiuslibet gradus clericum, si quid criminale parant obicere, dummodo uera suggerant, proponendi permittimus potestatem.

25. Sanctorum reliquiae in oratoriis uillaribus non ponantur, nisi forsitan clericos cuiuscumque parrochiae uicinos esse contingat, qui sacris cineribus psallendi frequentia famulentur. Quod si illi defuerint, non ante proprie ordinentur, quam eis conpetens uictus et uestitus substantia deputetur.

26. Altaria nisi lapidea crismatis unctione non sacrentur.

1. Le c. 22 figure dans : *Vetus Gallica* 16, 4 ; *Hispana* (forme reprise du c. 50 du concile d'Agde, où il est fait mention de l'évêque parmi les clercs coupables) ; 2nde coll. de Freising (c. 21) ; ms. de Bonneval 9, 22 ; coll. de Bourgogne. — Voir *supra*, p. 108, n. 1, au sujet du « crime capital ».

2. Voir ci-dessus, le c. 3.

3. Disposition analogue au c. 11 du concile d'Orléans I. — Le canon d'Épaone figure dans : *Vetus Gallica* 64, 15 ; ms. de Bonneval 19, 23. Une lettre d'Avit (*Ep.* 15, *MGH, AA* 6, 2, p. 49) montre comment l'évêque s'efforçait de tempérer une discipline pénitentielle difficilement tolérée (cf. Vogel, *La discipline pénitentielle en Gaule*, p. 123 s.).

4. Le c. 32 du concile d'Agde (506) punissait d'excommunication l'accusation calomnieuse.

5. *Oratoriis uillaribus :* sur les oratoires des *uillae* (domaines) par opposition aux églises des communautés rurales, cf. J.-F. Lemarignier, « Quelques remarques sur l'organisation ecclésiastique de la Gaule »,

22. Si un diacre ou un prêtre vient à commettre un crime capital, qu'il soit déposé de l'honneur de son office et enfermé dans un monastère, y recevant seulement, sa vie durant, la communion [1].

23. Si quelqu'un, après avoir reçu la pénitence et fait profession de pénitent [2], retourne, oublieux du bien, à la vie du siècle, il ne pourra aucunement communier, à moins qu'il ne revienne à l'observance de l'engagement qu'il avait indûment transgressé [3].

24. Nous reconnaissons aux laïques la faculté de poursuivre un clerc de n'importe quel rang contre qui ils sont prêts à porter une accusation criminelle, pourvu qu'ils avancent des faits vrais [4].

25. Que les reliques des saints ne soient pas déposées dans les oratoires des *uillae* [5], à moins peut-être qu'il ne se trouve dans le voisinage des clercs de quelque paroisse qui puissent entourer ces cendres sacrées d'une fréquente psalmodie. S'il n'y en avait pas, on n'en ordonnera pas à cet effet avant de leur avoir assuré nourriture et vêtement en suffisance [6].

26. Qu'on ne consacre pas d'autels autres que ceux de pierre [7], par l'onction du chrême [8].

Settimane di Studio del Centro italiano di studi sull'alto medioevo XIII (1965), Spolète 1966, p. 452-454 ; sur les prêtres de ces oratoires, voir le c. 15 du concile de Clermont.

6. Le c. 25 figure dans : *Vetus Gallica* 19 ; 2nde coll. de Freising (c. 33) ; ms. de Bonneval 29, 1 ; Décret de Burchard III, 88 ; Yves de Chartres, Décret III, 78.

7. Les autels en bois étaient encore d'usage courant : cf. E. MANGENOT, art. « Autel », *DTC* I[2] (1923), col. 2579.

8. Le c. 26 figure dans : *Vetus Gallica* 20, 1 ; 2nde coll. de Freising (c. 34) ; *Hispana ;* Burchard de Worms III, 25 ; Yves de Chartres, Décret III, 30, Panormie II, 32 ; Décret de Gratien, Dist. 1 *de consecratione,* c. 31.

27. Ad celebranda diuina officia ordinem, quem metropolitani tenent, prouinciales eorum obseruare debebunt.

28. Si episcopus ante damnati absolutionem obitu rapiatur, correctum aut paenitentem successori licebit absoluere.

29. Lapsis, id est qui in catholica baptizati praeuaricatione damnabili post in heresim transierunt, grandem redeundi difficultatem sancxit antiquitas. Quibus nos annorum multitudine breuiata paenitentiam biennii conditione infra scriptae obseruationis inponimus, ut praescripto biennio tertia die sine relaxatione ieiunent, ecclesiam studeant frequentare, in paenitentum loco standi et orandi humilitatem nouerint obseruandam, etiam ipsi, cum catecumeni procedere commonentur, abscedant. Hoc si obseruare uoluerint, constituto tempore admittendis ad altarium obseruatio relaxetur ; quam si arduam uel duram forte putauerint, statuta praeteritorum canonum conplere debebunt.

30. Incestis coniunctionibus nihil prorsus ueniae reseruamus, nisi cum adulterium separatione sanauerint. Incestus uero nec ullo coniugii nomine praeualendus praeter

---

1. Même disposition au c. 1 du concile de Gérone, célébré 3 mois plus tôt dans la province de Tarragone. — Le c. 27 figure dans : *Vetus Gallica* 18, 1 ; *Hispana* ; 2ⁿᵈᵉ coll. de Freising (c. 8 et 32) ; ms. de Bonneval 28, 21 ; Burchard de Worms III, 25 ; Yves de Chartres, Décret III, 30, Panormie II, 32 ; Décret de Gratien, Dist. 1 *de consecratione,* c. 31.

2. La discipline ancienne interdisait la réconciliation par un autre évêque que celui qui avait prononcé la sanction : cf. le c. 53 du concile d'Elvire (300), et le c. 32 des *Canons* des apôtres (version *Dionysiana*) qui prévoyait déjà l'exception en cas de décès de ce prélat. — Le c. 28 figure dans : *Vetus Gallica* 17, 10 ; 2ⁿᵈᵉ coll. de Freising (c. 5) ; Burchard

27. Pour la célébration des offices divins, les évêques des provinces devront observer l'*ordo* que suivent leurs métropolitains [1].

28. Si un évêque est surpris par la mort avant d'avoir absous un condamné, il sera loisible à son successeur de l'absoudre, une fois corrigé et pénitent [2].

29. Pour les *lapsi,* c'est-à-dire ceux qui, baptisés dans l'Église catholique, sont ensuite, par une dépravation condamnable, passés à l'hérésie, la discipline ancienne mettait de graves difficultés à leur réadmission [3]. Nous leur imposons une pénitence réduite à deux ans, sous les conditions suivantes : que pendant ces deux ans ils jeûnent strictement tous les trois jours ; qu'ils fréquentent assidûment l'église ; qu'ils sachent pratiquer l'humilité dans l'attitude et la prière au rang des pénitents, et qu'ils se retirent, eux aussi, lorsque les catéchumènes sont invités à sortir. S'ils veulent bien observer cette obligation, que la pénitence soit levée au temps fixé et qu'ils soient admis à l'autel ; s'il arrive qu'ils la trouvent rude et dure, ils devront se soumettre aux règles des anciens canons [4].

30. Nous n'accordons aucune sorte de pardon aux conjoints incestueux tant qu'ils ne remédient pas à l'adultère par la séparation. Et nous considérons comme incestes, qui ne peuvent nullement se prévaloir du nom de

de Worms XI, 50 ; Yves de Chartres, Décret XIV, 114, Panormie V, 121 ; Décret de Gratien, Causa 11, q. 3, c. 40.

3. Le c. 11 du concile de Nicée imposait à ceux qui avaient abjuré pendant la persécution de Licinius une longue pénitence, graduée sur 12 années, tout en entendant les traiter « avec ménagement ». La collection gauloise dite « deuxième concile d'Arles » (c. 10 et 11) avait déjà réduit à 10 ou 7 ans le temps de pénitence.

4. Voir VOGEL, *La discipline pénitentielle en Gaule,* p. 107-110. — Ce canon figure comme c. 60 ajouté au concile d'Agde (506).

illos, quos uel nominare funestum est, hos esse censemus :
si quis relictam fratris, que paene prius soror extiterat,
carnali coniunctione uiolauerit ; si quis frater germanam
uxoris suae accipiat ; si quis nouercam duxerit ; si quis
consobrinae sobrinaeque se societ. Quod ut a presenti
tempore prohibemus, ita ea, quae sunt anterius instituta,
non soluimus : si quis relictae auunculi misceatur aut
patrui uel priuignae concubitu polluatur. Sane quibus
coniunctio inlicita interdicitur, habebunt ineundi melioris
coniugii libertatem.

31. De paenitentia homicidarum, qui saeculi leges eua-
serint, hoc summa reuerentia de eis inter nos placuit
obseruari, quod Anquiritani canones decreuerunt.

32. Relicta presbyteri siue diaconi si cuicumque renup-
serit, eatenus ab ecclesia pellatur, donec a coniunctione
inlicita separetur ; marito quoque eius simili usque ad
correctionem seueritate plectendo.

33. Basilicas hereticorum, quas tanta execratione ha-
bemus exosas, ut pollutionem earum purgabilem non

---

1. Sur le scandale qu'une telle union conclue par un fonctionnaire
de Sigismond venait de susciter, cf. GAUDEMET, « Épaone », col. 534 s.
Et voir le concile de Lyon I (*infra*, p. 127 s.).

2. Voir le c. 61 du concile d'Agde (506). La prohibition de certaines
unions incestueuses avait déjà été formulée par le c. 18 du concile
d'Orléans I ; les interventions des conciles mérovingiens en ce domaine
furent nombreuses (cf. Index, *ad* Inceste). Sur cette question, cf.
J. FLEURY, *Recherches historiques sur les empêchements de parenté dans
le mariage canonique des origines aux Fausses Décrétales,* Paris 1933,
p. 84-112. — Le c. 30 figure dans : *Vetus Gallica* 49, 7 ; 2nde coll. de
Freising (c. 83) ; ms. de Bonneval 14, 42 ; et, sous l'attribution au concile
d'Agde, dans Réginon de Prüm II, 186 ; Burchard de Worms VII, 4 ;
Anselme de Lucques XI, 88 ; Yves de Chartres, Décret IX, 40, Tripartite
II, 28, 60.

mariage — sans parler de ceux qu'il est funeste même de nommer —, les cas suivants : si quelqu'un abuse, par une relation charnelle, de la veuve de son frère, qui auparavant était presque sa sœur ; si quelqu'un prend la propre sœur de sa femme [1] ; si quelqu'un épouse sa belle-mère (*nouerca*) ; si quelqu'un s'unit à sa cousine germaine ou issue de germaine — cela nous l'interdisons à partir de maintenant, mais nous ne rompons pas les unions conclues dans le passé — ; si quelqu'un s'unit à la veuve de son oncle maternel ou paternel, ou se souille en couchant avec sa belle-fille (*priuigna*). Certes, ceux à qui une union illicite est interdite auront la liberté de contracter un meilleur mariage [2].

31. Pour la pénitence des homicides qui auront échappé aux lois séculières, il a été décidé que soit observé avec le plus grand respect parmi nous ce qu'ont statué les canons d'Ancyre [3].

32. Que la veuve d'un prêtre ou d'un diacre qui se remarie soit exclue de l'Église jusqu'à ce qu'elle rompe cette union illicite ; le mari aussi sera frappé avec la même sévérité jusqu'à ce qu'il se corrige [4].

33. Nous détestons avec tant d'horreur les basiliques des hérétiques que nous n'estimons pas que l'on puisse laver leur souillure et que nous désapprouvons leur uti-

3. Les c. 22 et 23 du concile d'Ancyre (314) distinguent à cet égard le meurtrier volontaire, qui n'est réadmis à la communion qu'à l'article de la mort, et le meurtrier involontaire, pour lequel la pénitence de 7 ans est ramenée à 5 par le concile.

4. Même disposition dans le c. 13 du concile d'Orléans I, dont le texte passe dans : *Hispana ;* 2nde coll. de Freising (c. 69) ; Décret de Gratien, Dist. 28, c. 11.

putemus, sanctis usibus adplicare despicimus. Sane quas
per uiolentiam nostris tulerant, possumus reuocare.

34. Si quis seruum proprium sine conscientia iudicis
occiderit, excommunicatione biennii effusionem sanguinis
expiabit.

35. Vt ciues superiorum natalium nocte paschae ac
natiuitatis Domini sollemnitate episcopos, nec interest in
quibus ciuitatibus positos, accipiendae benedictionis desiderio nouerint expetendos.

36. Ne ullus sine remedio aut spe ueniae ab ecclesia
repellatur neue ulli, si aut paenituerit aut correxerit, ad
ueniam redeundi aditus obstruatur. Sed si cui forsitan
discrimen mortis inmineat, damnationis constituta tempora relaxentur. Quod si aegrotum accepto uiatico reua-
lescere fortasse contingit, statuti temporis spatia
obseruare conueniet.

37. Ne laicus nisi religione praemissa clericus ordinetur.

38. In monasteria puellarum non nisi probatae uitae
et aetatis prouectae ad quascumque eorum necessitates

---

1. Le c. 10 du concile d'Orléans I admettait au contraire l'utilisation
des églises des hérétiques. La rigueur apparente du concile d'Épaone est
dictée par des considérations très politiques d'Avit : cf. GAUDEMET,
« Épaone », col. 535-536.

2. Le c. 34 figure dans le ms. de Bonneval 13, 6. La comparaison
de cette sanction avec celle du concile d'Ancyre concernant le meurtre
en général — reprise par le c. 31 *(supra)* — montre le peu de cas que
les Pères d'Épaone faisaient de la vie de l'esclave. Le c. 5 du concile
d'Elvire (300) exigeait une plus longue pénitence de la maîtresse d'un
esclave qui l'avait battu à mort dans un accès de colère.

lisation à de saints usages. Toutefois nous pouvons ré-
concilier celles que les hérétiques avaient enlevées par
violence aux nôtres [1].

34. Si quelqu'un tue son esclave sans l'aveu du juge,
il expiera l'effusion du sang par une excommunication
de deux ans [2].

35. Que les habitants de la cité qui sont de plus haute
naissance sachent qu'ils doivent se rendre auprès des
évêques pour la nuit de Pâques et la solennité de Noël
en vue de recevoir leur bénédiction, quelle que soit la
cité où ceux-ci se trouvent.

36. Que personne ne soit exclu de l'Église sans recours
ni espoir de pardon, et que personne ne se voie refuser
l'accès au pardon qui le réintroduit, s'il fait pénitence ou
s'il se corrige. Mais si quelqu'un se trouve en péril de
mort, que les délais prescrits pour la peine soient assou-
plis. S'il arrive que le malade, après avoir reçu le viatique,
vienne à guérir, il conviendra de respecter les durées
fixées [3].

37. Qu'aucun laïque ne soit ordonné clerc sans engagement préalable (*religio*) [4].

38. Que l'on n'autorise l'entrée des monastères de filles
pour leur assurer les divers services et besoins, qu'à des

3. Le c. 36 figure dans : *Vetus Gallica* 64, 16 et ms. de Bonneval
19, 24. Dispositions analogues dans le c. 13 du concile de Nicée et le
c. 20 des *Statuta ecclesiae antiqua* (MUNIER, p. 170).
4. Le c. 37 figure dans la *Vetus Gallica* 4, 9. — *Religione praemissa*
est obscur : DE CLERCQ l'entend d'un temps de préparation, HEFELE-
LECLERCQ d'une profession d'ascétisme dans le monde. Sur le sens de
ce canon qu'éclairent d'autres textes contemporains, voir nos observations dans l'art. « Épaone », col. 528.

uel ministrationes permittantur intrare. Ad faciendas uero missas qui ingressi fuerint, statim exacto ministerio regredi festinabunt ; alias autem nec clericus nec monachus iuuenis ullum ad puellarum congregationem habebit accessum, nisi hoc aut paterna aut germana necessitudo probetur admittere.

39. Seruus reatu atrociore culpabilis si ad ecclesiam confugerit, a corporalibus tantum suppliciis excusetur. De capillis uero uel quocumque opere placuit dominis iuramenta non exegi.

40. Quocirca haec, quae superna inspiratione communi consensui placuerunt, si quis sanctorum antistitum, qui statuta praesentia suscriptionibus propriis firmauerunt nec non et quos eorum Deus esse uoluerit successores, relicta integritate obseruationis excesserit, reum se Diuinitatis pariter et fraternitatis iudicio futurum esse cognoscat.

Auitus episcopus constitutiones nostras, id est sacerdotum prouinciae Viennensis, relegi et subscripsi die XVII. kal. mensis octaui, Agapito consule, Epaone.

Viuentiolus episcopus ecclesiae Lugdunensis cum prouincialibus meis constitutiones nostras relegi et subscripsi.

Siluester episcopus ciuitatis Cabalonensis relegi et subscripsi die et consule supra scripto.

---

1. Le c. 38 figure dans : *Vetus Gallica* 47, 5 et ms. de Bonneval 14, 31.

2. Le c. 39 figure dans : *Vetus Gallica* 54, 3 et ms. de Bonneval 13, 19. — Voir le concile d'Orléans I, c. 1 et 3. Le c. 22 du concile d'Orléans V reconnaît au contraire à l'asile un effet totalement absolutoire. La *lex Romana Burgundionum* (II, 3), tout en accordant la vie sauve à l'esclave meurtrier qui aurait trouvé asile à l'église, l'oblige à réparation de son crime. Sur l'asile des esclaves, cf. TIMBAL, p. 99-104.

personnes d'une moralité éprouvée et d'âge avancé.
Quant à ceux qui y entrent pour célébrer les messes, ils
se hâteront de repartir, aussitôt accompli leur ministère ;
en dehors de ce cas, aucun clerc ni moine jeune n'aura
accès à une communauté de filles, à moins que des liens
paternels ou fraternels ne justifient cette admission [1].

39. Que l'esclave coupable d'une faute très grave, s'il
se réfugie dans l'église, ne soit garanti que contre les
sévices corporels. Il a été décidé de ne pas exiger des
maîtres le serment de ne pas lui tondre les cheveux ou
de ne pas l'astreindre à tel ou tel travail [2].

40. Par conséquent, ces décisions prises d'un commun
accord sous l'inspiration divine, si l'un des saints évêques
qui ont confirmé par leur souscription personnelle les
présents statuts — et cela vaut pour ceux que Dieu
voudra leur donner comme successeurs — s'en écarte en
négligeant leur observance intégrale, qu'il sache qu'il sera
tenu pour coupable au jugement de Dieu et de ses frères [3].

Avit, évêque, j'ai relu et souscrit nos constitutions,
c'est-à-dire celles des évêques de la province de Viennoise,
le 17e jour des calendes du 8e mois, Agapet étant consul [4],
à Épaone.
Viventiole, évêque de l'église de Lyon, avec mes
comprovinciaux, j'ai relu et souscrit nos constitutions.
Silvestre, évêque de la cité de Chalon, j'ai relu et
souscrit au jour et consulat ci-dessus.

3. Le c. 40 figure dans : *Vetus Gallica* 62, 3 et ms. de Bonneval 31,
3. — On trouve une disposition juridique textuellement identique au
c. 36 du concile d'Orléans III.
    4. 15 septembre 517.

Gemellus episcopus ciuitatis Vasensis relegi et subscripsi die et consule supra scripto.

Apollenaris epsicopus ciuitatis Valentinae relegi et subscripsi.

Valerius episcopus ciuitatis Segistericae relegi et subscripsi.

Victorius episcopus in Christi nomine ciuitatis Gratianopolitanae relegi et subscripsi.

Claudius in Christi nomine episcopus ciuitatis Visensionensis relegi et subscripsi.

Graegorius in Christi nomine episcopus ciuitatis Lingonicae relegi et subscripsi.

Praumatius in Christi nomine episcopus ciuitatis Agustae relegi et subscripsi.

Constantius in Christi nomine episcopus ciuitatis Octodorensis relegi et subscripsi.

Catolinus in Christi nomine episcopus ciuitatis Ebreduninsis relegi et subscripsi.

Sanctus in Christi nomine episcopus ciuitatis Darandasiensis relegi et subscripsi.

Maxemus in Christi nomine episcopus ciuitatis Genuensis relegi et subscripsi.

Bubulcus in Christi nomine episcopus ciuitatis Vindoninsis relegi et subscripsi.

Saeculatius in Christi nomine episcopus ciuitatis Deensis relegi et subscripsi.

Iulianus in Christi nomine episcopus ciuitatis Carpentoratinsis relegi et subscripsi.

Constantius in Christi nomine episcopus ciuitatis Vappincensis relegi et subscripsi.

Florentius in Christi nomine episcopus ciuitatis Arausicae relegi et subscripsi.

---

1. Comme dans d'autres conciles antérieurs à 614, l'évêque de Besançon ne fait pas état de sa qualité de métropolitain.

Gemellus, évêque de la cité de Vaison, j'ai relu et souscrit au jour et consulat ci-dessus.

Apollinaire, évêque de la cité de Valence, j'ai relu et souscrit.

Valère, évêque de la cité de Sisteron, j'ai relu et souscrit.

Victorius au nom du Christ évêque de la cité de Grenoble, j'ai relu et souscrit.

Claude, au nom du Christ évêque de la cité de Besançon [1], j'ai relu et souscrit.

Grégoire, au nom du Christ évêque de la cité de Langres, j'ai relu et souscrit.

Praumatius, au nom du Christ évêque de la cité d'Autun, j'ai relu et souscrit.

Constance, au nom du Christ évêque de la cité d'*Octodurum* [2], j'ai relu et souscrit.

Catolinus, au nom du Christ évêque de la cité d'Embrun, j'ai relu et souscrit.

Sanctus, au nom du Christ évêque de la cité de Tarentaise, j'ai relu et souscrit.

Maxime, au nom du Christ évêque de la cité de Genève, j'ai relu et souscrit.

Bubulcus, au nom du Christ évêque de la cité de Windisch, j'ai relu et souscrit.

Saeculatius, au nom du Christ évêque de la cité de Die, j'ai relu et souscrit.

Julien, au nom du Christ évêque de la cité de Carpentras, j'ai relu et souscrit.

Constance, au nom du Christ évêque de la cité de Gap, j'ai relu et souscrit.

Florent, au nom du Christ évêque de la cité d'Orange, j'ai relu et souscrit.

2. Martigny.

Item Florentius in Christi nomine episcopus ciuitatis Trecastininsis relegi et subscripsi.

Fylagrius in Christi nomine episcopus ciuitatis Cauellicae relegi et subscripsi.

Venantius in Christi nomine episcopus ciuitatis Viuarensis relegi et subscripsi.

Praetextatus in Christi nomine episcopus ciuitatis Aptinsis relegi et subscripsi.

Tauricianus in Christi nomine episcopus ciuitatis Niuerninsium relegi et subscripsi.

[Peladius presbyter iussu domni mei Salutaris episcopi, qui huic definitioni interfui et subscripsi.]

Expliciunt canones Epaoninsis episcoporum numero XXIIII.

1. Évêque d'Avignon plutôt que d'Avenches : *Avennicae* et non *Aventicae* pour LONGNON, p. 150.

Florent, également, au nom du Christ évêque de la cité de Saint-Paul-Trois-Châteaux, j'ai relu et souscrit.

Fylagrius, au nom du Christ évêque de la cité de Cavaillon, j'ai relu et souscrit.

Venance, au nom du Christ évêque de la cité de Viviers, j'ai relu et souscrit.

Prétextat, au nom du Christ évêque de la cité d'Apt, j'ai relu et souscrit.

Tauricianus, au nom du Christ évêque de la cité de Nevers, j'ai relu et souscrit.

Peladius, prêtre, qui, sur l'ordre de mon seigneur l'évêque Salutaris [1], ai assisté à ce concile, j'ai souscrit.

Ici finissent les canons d'Épaone, le nombre des évêques étant de 24.

CONCILE DE LYON I[1]
(518-523)

Ce concile s'est tenu après la mort d'Avit, le 5 février 518, et avant que les Ostrogoths ne se soient emparés, en 523, du territoire entre Drôme et Durance[2]. Il eut à se prononcer sur l'union incestueuse du préposé au fisc royal, Étienne, qui, après la mort de sa femme, avait épousé sa belle-sœur[3].

Le concile réunit les deux métropolitains de Lyon et de Vienne et neuf évêques. Parmi eux, celui de Besançon figure dans la liste des souscripteurs au milieu des simples évêques.

TRANSMISSION : Les canons du concile de Lyon ont été conservés dans les collections de Reims et de Cologne. Le c. 4 (6) est le seul du concile à être repris par la *Vetus Gallica* (62,7) et la collection de Bonneval (31,6).

SIRMOND (col. 202-204) et les éditeurs qui l'ont suivi distinguent 6 canons. MAASSEN (p. 31-34) regroupe en un seul c. 1 les trois premiers canons, et DE CLERCQ l'a suivi dans cette répartition.

---

1. Cf. HEFELE-LECLERCQ, II[2], p. 1042-1046.
2. Ce qui entraîna le passage des diocèses de Die et de Viviers de la métropole d'Arles à celle de Vienne.
3. L'excommunication d'Étienne fut-elle prononcée au concile d'Épaone ou à celui de Lyon ? La question reste discutée (cf. HEFELE-LECLERCQ, II[2], p. 1043-1044).

CONCILIVM LVGDVNENSE
518-523.

INCIPIVNT CANONES LVGDVNENSES
EPISCOPORVM XI
TEMPORE SIGISMVNDI REGIS

1. In nomine Trinitatis congregati iterato in unum in causa Stephani incesti crimine polluti atque in Leudunensi urbe degentes decreuimus, ut hoc factum nostrum, quod in dammatione eius uel illius, quam sibi inlicite sociauit, uno consensu suscripsimus, inuiolabiliter seruaremus. Quod non solum de praefatis eisdem personis placuit custodiri, sed in omnibus, qui quolibet loco uel tempore in hac fuerint peruersitate detecti. (2.) Id quoque adiecimus, ut si quicumque nostrum tribulationem quamcumque uel amaritudinem aut commotionem fortasse potestatis necesse habuerit tolerare, omnes uno cum eodem animo conpatiantur et, quidquid aerumnarum uel dispendiorum obtentu causae huius unus susceperit, consolatio fraternae ancxietates releuet tribulantis. (3.) Quod si se rex praecellentissimus ab ecclesiae uel sacerdotum comunione ultra suspenderit, locum ei dantes ad sanctae matris gremium ueniendi, sancti antistites se in monasteriis absque ulla dilatione, prout cuique fuerit oportunum, recipiant, donec pacem dominus integram ad caritatis plenitudinem conseruandam sanctorum flexus praecibus restituere pro sua potentia uel pietate dignetur, ita ut non unus quicunque prius de monasterio, in quo elegerit habitare, discedat, quam cunctis generaliter fratribus fuerit pax promissa uel reddita.

---

1. Référence au concile d'Épaone ou plutôt à une réunion qui, en 517, aurait déjà condamné Étienne ?

CONCILE DE LYON
518-523

ICI COMMENCENT LES CANONS DE LYON
DE 11 ÉVÊQUES
AU TEMPS DU ROI SIGISMOND

1. Réunis à nouveau au nom de la Trinité pour l'affaire d'Étienne, souillé du crime d'inceste, et nous trouvant dans la ville de Lyon, nous avons décidé de nous en tenir inviolablement à l'acte que nous avons unanimement souscrit[1] pour sa condamnation et celle de la femme à laquelle il s'est illégalement uni. Et il a été entendu que ceci doit s'appliquer non seulement à ces dites personnes, mais à celles qui seraient trouvées coupables de pareille perversion, en quelque lieu et temps que ce soit. (2.) Nous avons ajouté ceci encore : si l'un d'entre nous se voyait contraint de subir quelque tribulation, tourment ou vexation de la part du pouvoir, tous compatiront d'un même cœur avec lui, et quels que soient les désagréments et les préjudices que celui-là seul subira à cause de cette affaire, que la consolation fraternelle soulage les affres de ses tribulations. (3.) Et si le très excellent roi rompait plus longtemps avec la communion de l'Église et des évêques, que, tout en lui offrant la possibilité de revenir dans le sein de la Sainte Mère, les saints prélats se retirent sans aucun délai dans des monastères, selon la commodité de chacun, et cela jusqu'à ce que ce seigneur, touché par les prières de ces saints, veuille bien, dans sa puissance et sa piété, rétablir une paix complète qui assure la plénitude de la charité ; aussi, qu'aucun ne quitte le monatère où il a choisi de résider avant que la paix n'ait été promise et rendue à tous les frères sans exception.

2 (4). Illud etiam iuxta statuta antiquorum canonum specialiter renouamus omnino, ut nullus frater uanitatis uel cupiditatis stimulis incitatus eclesiae alterius agredi uel parrocias praesumere absque eius, ad quem pertinere noscuntur, cessione uel permissione praesumat nec quisquam sub hac necessitate absentante episcopo in eius qui afuerit loco aut sacrificiorum aut ordinationum audeat ministeria caelebrare. Quod si in hac temeritate uel audacia quisque proruperit, non solum se in concilio redarguendum, uerum etiam comunioni fratrum futurum nouerit alienum.

3 (5). Id quoque, licet iam antiquissima uel celeberrima obseruatione decretum sit, nihilominus iteramus, ut nullus in locum uiuentis ad ambiendum sacerdotii gradum audeat adspirare. Quod si quilibet impia uel temeraria uoluntate praesumpserit, simul et ipse, qui fuerit ordinatus, et hi fratres, quos ordinationi eius interfuisse constiterit, perpetuae excomunicationis sententia feriantur.

4 (6). Haec uero, quae a nobis inspiratione diuina tractata uel difinita sunt, quisquis excesserit aut implere, quod absit, aduersa persuasione neglexerit, quasi diui-

---

1. Il fut difficile d'empêcher les évêques de dépasser les limites de leur compétence territoriale. Les exemples de cet abus sont fréquents comme les rappels de la règle par les conciles : cf. Arles (314), c. 17 ; Antioche (v. 330 ou 341), c. 9, 13 et 22 ; Sardique (343), c. 11 et 15 (grec), et c. 14, 18 et 19 (latin) ; Constantinople (381), c. 2 ; Nîmes (396), c. 4 ; Chalcédoine (451), c. 20. Le Décret de Gratien réunit encore de nombreux textes sur la question (Dist. 71 et Causa 9, q. 2). Cf. *supra*, p. 50.

2. Aucune disposition formulant cette interdiction ne nous est connue dans les canons conciliaires antérieurs à 518 qui nous sont parvenus. Mais la référence à d'anciens canons avait déjà été alléguée par Augustin, lorsque Valérius, en 395, l'appela à côté de lui au siège d'Hippone : cf. POSSIDIUS, *Vita Augustini* 8, et AUGUSTIN, *Ep.* 213, 4.

2 (4). De plus, conformément aux anciens canons, nous renouvelons spécialement et absolument cette prescription : qu'aucun frère, poussé par l'aiguillon de la vanité ou de la cupidité, ne se permette d'empiéter sur l'église d'un autre ou ne s'empare des paroisses d'un autre, à moins de cession ou de permission de la part de celui à qui elles appartiennent ; et que personne, sous prétexte de nécessité, n'ose, en l'absence d'un évêque, célébrer à la place de l'absent les mystère des sacrifices ou des ordinations. Si quelqu'un se porte à une telle témérité et audace, qu'il sache qu'il sera, non seulement dénoncé au concile, mais encore exclu de la communion de ses frères [1].

3 (5). De plus, bien que le point suivant ait déjà été fixé par une disposition très ancienne et très connue [2], nous ne l'en renouvelons pas moins : que personne n'ait l'audace de briguer la dignité épiscopale de quelqu'un qui vit encore. Et si qui que ce soit a eu cette présomption impie et téméraire, que lui-même, qui a été ordonné, et avec lui ceux des frères qui seront convaincus d'avoir participé à son ordination, soient frappés d'une sentence d'excommunication perpétuelle.

4 (6). Ces mesures que nous avons discutées et décidées sous l'inspiration divine, quiconque les transgressera ou, par la persuasion de l'ennemi, ce qu'à Dieu ne plaise, négligera de les observer, doit savoir qu'il sera coupable

Augustin allègue le concile de Nicée, qui ne dit rien de tel. Il s'agissait probablement du c. 23 du concile d'Ancyre (314), qui interdisait à l'évêque de désigner son successeur. On sait en effet que la collection de canons conciliaires en usage dans l'Église d'Afrique au début du Ve s. commençait par les canons de Nicée. Les canons des conciles qui figuraient à la suite ont souvent été, par erreur, attribués à Nicée. — On retrouve la défense formulée par le c. 3 (5) de Lyon dans le c. 12 du concile d'Orléans V.

norum mandatorum transgressor reum fraternitati futurum se esse cognoscat.

Viuentiolus in Christi nomine consensi subscripsi.
Iulianus in Christi nomine consensi subscripsi.
Siluester in Christi nomine consensi subscripsi.
Apollinaris in Christi nomine consensi subscripsi.
Victorius in Christi nomine consensi subscripsi.
Claudius in Christi nomine consensi subscripsi.
Gregorius in Christi nomine consensi subscripsi.
Maximus in Christi nomine consensi subscripsi.
Saeculatius in Christi nomine consensi subscripsi.
Florentius in Christi nomine consensi subscripsi.
Fylagrius in Christi nomine consensi subscripsi.

aux yeux de ses frères, en tant que transgresseur des commandements divins.

Viventiole [de Lyon] au nom du Christ, j'ai consenti et souscrit.

Julien [de Vienne] au nom du Christ, j'ai consenti et souscrit.

Silvestre [de Chalon] au nom du Christ, j'ai consenti et souscrit.

Apollinaire [de Valence] au nom du Christ, j'ai consenti et souscrit.

Victorius [de Grenoble] au nom du Christ, j'ai consenti et souscrit.

Claude [de Besançon] au nom du Christ, j'ai consenti et souscrit.

Grégoire [de Langres] au nom du Christ, j'ai consenti et souscrit.

Maxime [de Genève] au nom du Christ, j'ai consenti et souscrit.

Saeculatius [de Die] au nom du Christ, j'ai consenti et souscrit.

Florent [d'Orange ? de Saint-Paul-Trois-Châteaux ?] au nom du Christ, j'ai consenti et souscrit.

Fylagrius [de Cavaillon] au nom du Christ, j'ai consenti et souscrit.

Domni quoque gloriosissimi regis sententia secuti id temperamenti praestitimus, ut Stephano praedicto uel Palladiae usque ad orationem plebis, quae post euangelia legitur, orandi in locis sanctis spatium praestaremus.

Iulianus subscripsi.
Siluester subscripsi.
Apollinaris subscripsi.
Victorius subscripsi.
Claudius subscripsi.
Gregorius subscripsi.
Maximus subscripsi.
Saeculatius subscripsi.
Fylagrius subscripsi.

1. Ces deux séries de souscriptions suggèrent plusieurs observations : 1°) en comparant la 1re liste (11 prélats) avec celle du concile d'Épaone où figurent 23 souscriptions, on constate l'absence des évêques de Vaison, Sisteron, Autun, *Octodurum,* Embrun, Tarentaise, Windisch, Carpentras, Gap, Viviers, Apt, Nevers, Avignon, c'est-à-dire surtout de l'épiscopat des régions alpines. Sont au contraire présents les 2 métropolitains de Vienne et de Lyon, des évêques de la province de Lyon (Chalon, Langres), de Vienne (Grenoble) ou relevant en fait de

De plus, suivant l'avis de notre seigneur le très glorieux roi, nous avons accordé cet adoucissement d'autoriser ledit Étienne et Palladia à continuer leur prière dans le saint lieu jusqu'à l'oraison sur le peuple qui se dit après l'évangile.

Julien, j'ai souscrit.
Silvestre, j'ai souscrit.
Apollinaire, j'ai souscrit.
Victorius, j'ai souscrit.
Claude, j'ai souscrit.
Grégoire, j'ai souscrit.
Maxime, j'ai souscrit.
Saeculatius, j'ai souscrit.
Fylagrius, j'ai souscrit [1].

Vienne (Valence, Genève, Die, Orange ou Saint-Paul-Trois-Châteaux, Cavaillon) ; 2°) l'ordre dans lequel les évêques souscrivent est le même dans les 2 listes, si ce n'est que le métropolitain de Viennoise signe le 1er à Épaone et que cette 1re place est passée, au concile de Lyon, au métropolitain de cette ville ; 3°) la mesure de clémence en faveur des 2 coupables d'inceste n'est souscrite que par 9 évêques. Le métropolitain de Lyon et l'évêque Florent se sont abstenus, peut-être parce qu'ils n'approuvaient pas cette mesure.

CONCILE D'ARLES IV
(6 juin 524)

Depuis 507, Arles et une partie de la Narbonnaise sont passés sous la maîtrise du roi des Ostrogoths, Théodoric, qui exerce en même temps une tutelle sur l'Espagne wisigothique, comme grand-père du jeune Amalric. Saint Césaire y réunit le concile provincial de 524 à l'occasion de la dédicace de l'église Sainte-Marie hors-les-murs. Treize évêques et quatre prêtres délégués ont souscrit avec lui les actes du concile [1].

Avec l'*Hispana*, des collections anciennes qualifient ce concile de IIIe concile d'Arles. Sirmond ayant donné un concile antérieur [2] en fait le IVe, numérotation conservée par les collections modernes. Mais ces numéros sont sans valeur au point de vue historique, puisque le soi-disant « IIe concile d'Arles » est en réalité une collection canonique [3].

TRANSMISSION : Les canons de ce concile sont connus par les collections suivantes : Lyon, Lorsch, Albi, Reims, Pithou, Cologne, Saint-Amand.

DESTINÉE ULTÉRIEURE : Les actes de ce concile furent peu utilisés. Les canons ne figurent ni dans la *Vetus Gallica*, ni dans la collection de Bonneval. Le *Liber Complutensis*, collection

---

1. Cf. édition MORIN, II, p. 60-62.
2. Col. 120.
3. Cf. HEFELE-LECLERCQ, II², p. 1061, n. 2.

hispano-gauloise, connu seulement par l'*Epitome Hispanico*, cite
les c. 1 et 2. L'*Hispana Isidoriana*, dans sa série conciliaire
gauloise, donne, après le concile d'Arles de 314, celui de 524.
On le retrouve dans l'*Hispana Toletana*, l'*Hispana Gallica*,
l'*Hispana Vulgata*. Les *Excerpta* de l'*Hispana* utilisent à plusieurs reprises les 4 canons du concile, ainsi que l'*Hispana*
systématique. Le Décret de Burchard de Worms reprend les
c. 1 et 3, que lui emprunte le Décret d'Yves de Chartres, tandis
que la collection A de la Tripartite a les c. 3 et 4 (B.N., *lat. 4828*,
f. 148ᵛ), que l'on retrouve, avec les mêmes amputations, dans
le Décret de Gratien.

CONCILIVM ARELATENSE
524. Iun. 6.

INCIPIT CONSTITVTIO
SANCTORVM EPISCOPORVM QVI IN
CIVITATE ARELATENSI
AD DEDICATIONEM BASILICAE SANCTAE MARIAE
CONVENERVNT

Cum in uoluntate Dei ad dedicationem basilicae sanctae Mariae in Arelatensi ciuitate sacerdotes Domini conuenissent, congruum eis et rationabile uisum est, ut primum de obseruandis canonibus attentissima sollicitudine pertractantes, qualiter ab ipsis ecclesiastica regula seruaretur, salubri consilio definirent.

1. Et quia in ordinandis clericis antiquorum patrum statuta non ad integrum, sicut expedit, obseruata esse cognoscitur, ne forte quorumcumque importunis et inordinatis praecibus sacerdotes Domini fatigentur et ea, quae toties sunt praecepta, transgredi compellantur, hoc inter se obseruandum esse definiunt, ut nullus episcoporum diaconum, antequam uiginti et quinque annos impleat, ordinare praesumat, episcopatus uero uel presbyterii honorem nullus laicus ante praemissam conuersationem uel ante triginta aetatis annos accipiat.

2. Et licet de laicis prolixiora tempora antiqui patres ordinauerint obseruanda, tamen quia crescente ecclesia-

---

1. Les défaillances auxquelles ce canon fait allusion tenaient pour partie à l'imprécision de la législation sur l'âge des ordinations et à des divergences locales. Parmi les prélats illustres de cette époque, beaucoup accédèrent à l'épiscopat à moins de trente ans. Cf. J. GAUDEMET, *L'Église dans l'Empire romain*, Paris 1958, p. 124-127.

CONCILE D'ARLES
6 juin 524

ICI COMMENCE LA CONSTITUTION
DES SAINTS ÉVÊQUES
QUI SE SONT RÉUNIS DANS LA CITÉ D'ARLES
POUR LA DÉDICACE DE LA BASILIQUE SAINTE-MARIE

Comme les évêques du Seigneur s'étaient réunis par la volonté de Dieu pour la dédicace de la basilique Sainte-Marie en la cité d'Arles, il leur a paru convenable et raisonnable de commencer par discuter, avec un soin très attentif, de l'observation des canons, et de définir par un avis salutaire comment ils devaient observer la règle ecclésiastique.

1. Et puisqu'il est clair que les statuts des anciens Pères touchant l'ordination des clercs ne sont pas pleinement observés comme il se doit, afin d'éviter que les évêques du Seigneur ne soient fatigués par des requêtes importunes et déplacées, et obligés de transgresser ce qui a été tant de fois prescrit [1], ils ont décidé d'observer entre eux la règle suivante : qu'aucun des évêques ne se permette d'ordonner un diacre avant que celui-ci n'atteigne vingt-cinq ans, et qu'aucun laïque n'accède à la dignité de l'épiscopat ou de la prêtrise avant un préalable changement de vie (*conuersatio*) [2] ni avant l'âge de trente ans [3].

2. Et bien que les anciens Pères aient prescrit de plus longs délais au sujet des laïques, puisque l'augmentation du nombre des églises nous oblige à ordonner un plus

2. Cf. GAUDEMET, « Épaone », col. 528.
3. Le c. 1 figure dans : Burchard de Worms I, 16 ; Yves de Chartres, Décret V, 70.

rum numero necesse est nobis plures clericos ordinare,
hoc inter nos sine praeiudicio dumtaxat canonum consti-
tit antiquorum, ut nullus metropolitanorum cuicumque
laico dignitatem episcopatus tribuat, sed nec reliqui pontifices presbyterii uel diaconatus honorem conferre praesumant, nisi anno integro fuerit ab eis praemissa
conuersio.

3. Nullus paenitentem, nullus digamum uel internup-
tarum maritus in praedictis honoribus audeat ordinare.
Et licet haec iam prope omnium canonum statuta conti-
neant, tamen, ne cuicumque sacerdotum supplicantum,
sicut iam dictum est, inportunitas uel suggestio iniqua
subripiat, necesse fuit, ut nunc seueriorem regulam sibi
uellent Domini sacerdotes inponere. Et ideo quicumque
ab hac die contra ea, quae superius sunt comprehensa,
clericum ordinare praesumpserit, ab ea die, qua hoc ei
potuerit adprobari, anno integro missas facere non praesumat. Quam rem si quis obseruare noluerit et contra
consensum fratrum faciens missas celebrare praesumpserit, ab omnium fratrum caritate se nouerit alienum, quia
dignum est, ut seueritatem ecclesiasticae disciplinae sen-
tiat, qui toties salubriter a sanctis patribus instituta obseruare contemnit.

4. Et si forte aliquis clericorum regula disciplinae ecclesiasticae subterfugiens fuerit euagatus, quicumque eum
susceperit et non solum pontifici suo non reconciliauerit,
sed magis defensare praesumpserit, ab ecclesiae communione priuetur.

1. Voir *supra,* p. 119, n. 4.
2. Sur les incapacités qui frappent les pénitents, cf. VOGEL, *La
discipline pénitentielle en Gaule,* p. 113-115.
3. Même disposition dans les c. 2 et 3 du concile d'Épaone et dans
le c. 10 du concile d'Orléans IV.
4. Le c. 3 figure dans : *Hispana ;* Réginon de Prüm, Appendix II,
8 ; Burchard de Worms II, 33 ; Yves de Chartres, Décret VI, 134,
Panormie III, 59, Tripartite II, 25, 1 ; Décret de Gratien, Dist. 55, c. 2.

grand nombre de clercs, qu'il soit admis entre nous, sans préjudice toutefois des anciens canons, qu'aucun métro-politain ne confère la dignité de l'épiscopat à un laïque, et que les autres pontifes ne se permettent pas de leur conférer l'honneur de la prêtrise ou du diaconat sans qu'auparavant ils aient observé durant une année entière un changement de vie (*conuersio*) [1].

3. Que personne n'ait l'audace d'ordonner auxdites dignités un pénitent [2], ni un homme marié deux fois ou époux d'une veuve [3]. Et bien que cela soit contenu dans les dispositions de presque tous les canons, il a cependant paru nécessaire, pour éviter, comme on l'a déjà dit, que l'insistance ou les insinuations des solliciteurs n'arrachent des mesures injustes à quelqu'un des évêques, que les évêques du Seigneur décident de s'imposer dorénavant une règle plus sévère. C'est pourquoi quiconque, à partir d'aujourd'hui, osera ordonner un clerc en violation des dispositions ci-dessus contenues, ne devra plus se per-mettre de célébrer la messe durant une année entière, à compter du jour où le fait pourra être établi contre lui. S'il refuse de respecter cette décision et que, allant contre la volonté commune des frères, il se permette de célébrer la messe, qu'il se sache exclu de la charité de tous les frères ; il est juste en effet que celui qui méprise des dispositions si souvent prises sainement par les Pères ressente la sévérité de la discipline ecclésiastique [4].

4. Et si l'un des clercs, pour se soustraire à la discipline ecclésiastique, se met à vagabonder, quiconque le recevra et, non seulement ne le réconciliera pas avec son évêque, mais osera prendre sa défense, sera privé de la commu-nion de l'Église [5].

---

5. Le c. 4 figure dans : *Hispana* ; Yves de Chartres, Tripartite II, 25, 2 ; Décret de Gratien, Causa 21, q. 5, c. 4.

Subscriptiones
ex codice K

Caesarius in Christi nomine episcopus difinitionem hanc sanctorum fratrum uel meam relegi et suscripsi. Notaui sub die VIII. id. Iunias, Opilione u. c. consule.

Contumeliosus episcopus suscripsi.

Cyprianus episcopus suscripsi.

Praetextatus episcopus suscripsi.

Iulianus episcopus suscripsi.

Fylagrius episcopus suscripsi.

Item Cyprianus episcopus suscripsi.

Maximus episcopus suscripsi.

Florentius episcopus suscripsi.

Euterius episcopus suscripsi.

Item Florentius episcopus suscripsi.

Montanus episcopus suscripsi.

Porcianus episcopus suscripsi.

Caelestius episcopus suscripsi.

Catafronius presbyter missus a domnis meis Agricio et Seuero episcopis consensi et suscripsi.

[Desiderius presbyter missus a domno meo Iohanne episcopo suscripsi.]

Leontius presbyter missus a domno meo Constantio episcopo suscripsi.

Emeterius directus a domno meo Gallecano episcopo suscripsi.

Explicit.

---

1. 6 juin 524.

2. Agricius était évêque d'Antibes. Il avait siégé au concile d'Agde en 506. Le siège de Sévère est inconnu.

Souscriptions
d'après le manuscrit de Cologne

Césaire, au nom du Christ, évêque, j'ai relu et souscrit ces décisions de mes saints frères, qui sont aussi les miennes. J'ai signé le 8e jour des ides de juin, sous le consulat d'Opilio, clarissime [1].

Contumeliosus, évêque [de Riez], j'ai souscrit.

Cyprien, évêque [de Toulon], j'ai souscrit.

Prétextat, évêque [d'Apt], j'ai souscrit.

Julien, évêque [de Carpentras], j'ai souscrit.

Fylagrius, évêque [de Cavaillon], j'ai souscrit.

Cyprien également, évêque [?], j'ai souscrit.

Maxime, évêque [d'Aix], j'ai souscrit.

Florent, évêque [d'Orange], j'ai souscrit.

Euterius, évêque [d'Avignon], j'ai souscrit.

Florent également, évêque [de Saint-Paul-Trois-Châteaux], j'ai souscrit.

Montanus, évêque [?], j'ai souscrit.

Porcianus, évêque [de Digne], j'ai souscrit.

Caelestius, évêque [?], j'ai souscrit.

Catafronius, prêtre, envoyé par mes seigneurs les évêques Agricius [d'Antibes] et Sévère [?] [2], j'ai consenti et souscrit.

Desiderius, prêtre, envoyé par mon seigneur l'évêque Jean [de Fréjus], j'ai souscrit.

Leontius, prêtre, envoyé par mon seigneur l'évêque Constance [de Gap], j'ai souscrit.

Emeterius, envoyé par mon seigneur l'évêque Gallicanus [d'Embrun], j'ai souscrit.

Fin.

CONCILE DE CARPENTRAS
(6 novembre 527)

Césaire, qui avait déjà présidé le concile d'Agde en 506, réunit en quelques années au moins trois conciles provinciaux, qui prirent d'importantes mesures disciplinaires (Arles en 524, Carpentras en 527, Vaison en 529), ainsi qu'un concile, tenu à Orange en 529, qui intervint en matière dogmatique. Nous retenons ces conciles, qui ont pris des mesures d'ordre général, mais nous omettons le concile de Marseille de 533, qui eut à juger l'évêque de Riez, Contumeliosus [1].

Le concile de Carpentras [2], réunit autour du métropolitain d'Arles, Césaire, quinze évêques de la province. L'évêque d'Antibes, Agricius, qui aurait eu à s'expliquer sur l'ordination d'un prêtre à laquelle il avait procédé sans observer l'année probatoire [3], bien que convoqué, ne vint pas et m'envoya pas de délégué. Une lettre synodale, souscrite par les seize prélats, et adressée au coupable, le condamnait et lui interdisait de célébrer la messe pendant un an, en application des canons 2 et 3 du concile d'Arles de 524. Le 3 février 528, le pape Félix IV écrivait à Césaire son approbation des actes du concile.

---

1. Cf. De Clercq, p. 84-95.
2. Cf. Hefele-Leclercq, II², p. 1074-1076 (en particulier sur la date de 527, et non 528 comme le voulait Mansi, VIII, col. 710) ; édition Morin, II, p. 63-66.
3. Ceci en violation des mesures arrêtées à Arles en 524, ou Agricius avait été représenté.

Le seul canon promulgué par le concile tend à protéger le patrimoine ecclésiastique contre les prétentions excessives de certains évêques. Question nouvelle, que posait le développement des églises rurales, à qui de généreux donateurs avaient attribué d'importantes ressources. Au nom du principe ancien, rappelé par le concile d'Agde, qui maintenait l'unité du patrimoine de l'Église, confié à la gestion de l'évêque, celui-ci prétendait parfois disposer de ces biens. Le canon 15 du premier concile d'Orléans en 511 avait déjà essayé de sauver partiellement le patrimoine des églises locales, en réservant au clergé local les deux tiers des offrandes. Mais le patrimoine foncier restait à la disposition de l'évêque. D'où la mesure, très modeste, prise à Carpentras.

TRANSMISSION : Le concile est connu par les collections de Lyon, Lorsch, Reims, Cologne, Saint-Amand, Beauvais.

L'unique canon du concile n'a pas été repris dans les collections systématiques.

CONCILIVM CARPENTORATENSE
527. Nou. 6.

INCIPIVNT CANONES CARPENTORATENSES
EPISCOPORVM XVI

Licet omnia, quae ecclesiastica regula praecipit obseruari, in multis canonibus contineantur inserta, nascuntur
tamen causae, pro quibus necesse habent sacerdotes Domini, quod ad iustitiam pertinet, secundum disciplinam
ecclesiasticam ordinare. Et ideo, quia Carpintorate conue-
nientes huiusmodi ad nos quaerella peruenit, quod ea,
quae a quibuscumque fidelibus parrociis conferuntur, ita
ab aliquibus episcopis praesumantur, ut aut parum aut
prope nil ecclesiis, quibus conlata fuerant, relinquatur,
hoc nobis iustum et rationabile uisum est, ut, si ecclesia
ciuitatis eius, cui episcopus praeest, ita est idonaea, ut
Christo propitio nihil indigeat, quidquid parrociis fuerit
derelictum, clericis, qui ipsis parrociis deseruiunt, uel
reparationibus basilicarum rationabiliter dispensetur. Si
uero episcopum multas expensas et minorem substantiam
habere constiterit, parrociis, quibus largior fuerit conlata
substantia, hoc tantum, quod clericis uel sarchetictis rationabiliter sufficiat, reseruetur ; quod autem amplius fuerit, propter maiores expensas episcopus ad se debeat
reuocare, ita tamen ut nihil de facultatula ipsa uel de
ministerio clerici loci ipsius licentiam habeant minuendi.

Hoc etiam placuit custodiri, ut sequenti anno in uico
Vasensi VIII. id. Nouembris debeat concilium congregari.

---

1. *Quod... sarchetictis... sufficiat :* pour *sartis tectis* ou *sartatectis* (cf.
BLAISE).

CONCILE DE CARPENTRAS
6 novembre 527

ICI COMMENCENT
LES CANONS DE CARPENTRAS
DE 16 ÉVÊQUES

Bien que tout ce que la règle ecclésiastique prescrit d'observer soit contenu dans de nombreux canons, il surgit pourtant des questions à propos desquelles les évêques du Seigneur sont obligés de fixer, conformément à la discipline ecclésiastique, ce que requiert la justice. Aussi, puisque dans notre réunion de Carpentras nous est parvenue une plainte de ce genre, à savoir que les offrandes faites par des fidèles aux paroisses sont si bien revendiquées par certains évêques qu'il ne reste que peu de chose ou presque rien aux églises auxquelles elles avaient été offertes, il nous a paru juste et raisonnable que, si l'église de la cité à laquelle préside l'évêque est si bien pourvue que, par la faveur du Christ, elle ne manque de rien, tout ce qui sera laissé aux paroisses soit attribué équitablement aux clercs qui desservent ces paroisses et aux réparations des basiliques. Si au contraire il apparaît que l'évêque a de grandes dépenses et peu de ressources, on ne réservera aux paroisses auxquelles seront faites de riches offrandes que ce qui paraîtra raisonnablement suffisant pour les clercs et l'entretien des églises[1] ; quant au surplus, l'évêque doit le réclamer à cause de ses grandes dépenses, étant bien entendu qu'il ne lui est pas permis pour autant de diminuer les modestes ressources ni les objets[2] des clercs du lieu.

Il a aussi été décidé qu'un concile devra se tenir l'année prochaine au bourg de Vaison le 8 des ides de novembre.

---

2. *Ministerium* : le mobilier du culte, spécialement les vases sacrés.

Subscriptiones
ex codicibus K et L

Caesarius in Christi nomine episcopus constitutionem nostram relegi et subscripsi. Notaui sub die VIII. id. Nouembris, Mauortio u. c. consule.

Contumeliosus episcopus subscripsi.

Iulianus episcopus subscripsi.

Cyprianus episcopus subscripsi.

Constantius episcopus subscripsi.

Fylagrius episcopus subscripsi.

Porcianus episcopus subscripsi.

Eucherius episcopus subscripsi.

Gallecanus episcopus subscripsi.

Prosper episcopus subscripsi.

Aletius episcopus subscripsi.

Vranius episcopus subscripsi.

Heraclius episcopus subscripsi.

Lupercianus episcopus subscripsi.

Principius episcopus subscripsi.

[Vindimialis episcopus subscripsi.]

Epistola synodalis ad Agricium episcopum

Domino sancto ac uenerabili frati Agroetio episcopo Cesarius episcopus et ceteri episcopi in Carpentoratensi synodo congregati.

Licet ad synodum aut per uos aut per personam uicariam debueritis adesse, ut ordinationis tuae, quam fecisse diceris, in synodali conuentu redderes rationem, ut, si recte feceras, absolutus cum caritate Deo propitio remeares, sin certe transgressorem te canonum esse constaret, praesenti denunciatione cognosceres, ut Deo medio prolata sententia aut percelleret reum aut absolueret supplicantem : quia, licet sacerdotibus canones

1. Évêque d'Antibes.

Souscriptions
d'après les manuscrits de Cologne
et de Berlin (Phill. 1745)

Césaire, au nom du Christ, évêque, j'ai relu et souscrit notre constitution. Je l'ai signée le 8e jour des ides de novembre, sous le consulat de Mavortius, clarissime.

Contumeliosus, évêque [de Riez], j'ai souscrit.

Julien, évêque [de Carpentras], j'ai souscrit.

Cyprien, évêque [de Toulon], j'ai souscrit.

Constance, évêque [de Gap], j'ai souscrit.

Fylagrius, évêque [de Cavaillon], j'ai souscrit.

Porcianus, évêque [de Digne], j'ai souscrit.

Eucherius, évêque [d'Avignon], j'ai souscrit.

Gallicanus, évêque [d'Embrun], j'ai souscrit.

Prosper, évêque [de Vence], j'ai souscrit.

Aletius, évêque [de Vaison], j'ai souscrit.

Uranius, évêque [?], j'ai souscrit.

Heraclius, évêque [de Saint-Paul-Trois-Châteaux], j'ai souscrit.

Lupercianus, évêque [de Fréjus], j'ai souscrit.

Principius, évêque [?], j'ai souscrit.

Vindimialis, évêque [d'Orange], j'ai souscrit.

Lettre synodale à l'évêque Agricius

Au saint seigneur et vénérable frère l'évêque Agricius[1], Césaire, évêque, et les autres évêques réunis au synode de Carpentras.

Vous auriez dû, certes, être présent au synode, ou en personne ou par un délégué, afin de vous expliquer devant l'assemblée synodale sur cette ordination que tu dis avoir faite. Si tu avais agi droitement, tu serais reparti absous, dans la charité, avec la faveur de Dieu. Si au contraire il était apparu que tu a transgressé les canons, tu aurais été convaincu par la présente dénonciation, pour être, soit frappé comme coupable, soit absous

ignorare non liceat, tamen paene leuior error fuerat, si
per ignorantiam deliquisses, quam ut eorum, quos tua
uel uicarii tui manus subscripserat, canonum transgressor
existeres. At nunc uero duplici reatu teneris adstrictus,
cum non solum contra uenerabilium patrum, sed etiam
contra tua uenisse decreta temere conprobaris. Quapropter hoc communi in Christo deliberatione sancimus, ut,
quia filium nostrum Protadium contra statuta ordinauisti,
canonibus sententia inserta uos constringat et usque
emenso anno missas facere non presumas, quia aequum
est, ut, quod apud antistites Deo medio statuitur, inuiolabiliter Deo propitio conseruetur. Quae enim obseruationis reuerentiam a posteris exhibebitur, si ab eis primum
lex, a quibus constituta est, uiolatur ?

> Cesarius episcopus subscripi.
> Cyprianus episcopus subscripsi.
> Constantius episcopus subscripsi.
> Porcianus episcopus subscripsi.
> Gallicanus episcopus subscripsi.
> Aletius episcopus subscripsi.
> Heraclius episcopus subscripsi.
> Principius episcopus subscripsi.
> Contumeliosus episcopus subscripsi.
> Iulianus episcopus subscripsi.
> Filagrius episcopus subscripsi.
> Euchirius episcopus subscripsi.
> Prosper episcopus subscripsi.
> Oranius episcopus subscripsi.
> Lopertianus episcopus subscripsi.
> Vindimialis episcopus subscripsi.

Explicit.

---

1. Cf. les souscriptions au concile d'Arles de 524.

comme suppliant par la sentence prononcée sous l'inspiration de Dieu. En effet, bien qu'il ne soit pas permis aux évêques d'ignorer les canons, la faute, si tu avais failli par ignorance, aurait été bien plus légère que celle de t'être montré transgresseur des canons que ta main ou celle de ton délégué avait signés[1]. Mais à présent tu te trouves ligoté par une double culpabilité, convaincu que tu es d'avoir enfreint témérairement, non seulement les décrets des vénérables Pères, mais encore les tiens propres. C'est pourquoi, par cette commune délibération dans le Christ, nous décrétons que, puisque tu a ordonné contrairement aux statuts notre fils Protade, la sanction inscrite dans les canons te lie, et que durant un an tu ne te permettes pas de célébrer la messe, car il est juste que ce qui est statué sous l'inspiration de Dieu entre les évêques soit inviolablement observé avec la faveur de Dieu. En effet, quel respect de l'observance montrera la postérité, si la loi est violée en premier lieu par ceux qui l'ont établie ?

Césaire, évêque [d'Arles], j'ai souscrit.

Cyprien, évêque [de Toulon], j'ai souscrit.

Constance, évêque [de Gap], j'ai souscrit.

Porcianus, évêque [de Digne], j'ai souscrit.

Gallicanus, évêque [d'Embrun], j'ai souscrit.

Aletius, évêque [de Vaison], j'ai souscrit.

Heraclius, évêque [de Saint-Paul-Trois-Châteaux], j'ai souscrit.

Principius, évêque [?], j'ai souscrit.

Contumeliosus, évêque [de Riez], j'ai souscrit.

Julien, évêque [de Carpentras], j'ai souscrit.

Fylagrius, évêque [de Cavaillon], j'ai souscrit.

Eucherius, évêque [d'Avignon], j'ai souscrit.

Prosper, évêque [de Vence], j'ai souscrit.

Uranius, évêque [?], j'ai souscrit.

Lupercianus, évêque [de Fréjus], j'ai souscrit.

Vindimialis, évêque [d'Orange], j'ai souscrit.

Fin.

CONCILE D'ORANGE II
(3 juillet 529)

Le concile de la province d'Arles se tint en juillet 529 à Orange à l'occasion de la dédicace de la basilique édifiée par le préfet du prétoire des Gaules, Liberius[1], qui, avec d'autres personnalités laïques, souscrivit les actes du concile.

Des vingt-cinq canons du concile, les huit premiers reproduisent des fragments des *Capitula S. Augustini*[2], les autres sont empruntés à Prosper d'Aquitaine. Césaire envoya les actes du concile à Félix IV. Celui-ci étant mort en septembre 530, ce fut son successeur, Boniface II, qui adressa au métropolitain d'Arles le 25 janvier 531 une lettre confirmant les dispositions conciliaires. Ayant reçu cette confirmation, Césaire composa un préambule pour les actes du concile et un florilège en dix-sept chapitres, empruntés à Ambroise, Jérôme et Augustin, relatif aux matières traitées dans les canons du concile.

Le concile réunit autour du métropolitain d'Arles treize évêques, dont dix avaient déjà participé au concile de Carpentras de 527[3]. C'est le premier concile de Gaule à s'être prononcé sur des questions de foi, en condamnant

1. Il s'agit d'un gouverneur de Narbonnaise nommé par Théodoric, qui venait de s'emparer de cette province. Liberius garda ses fonctions sous le règne d'Alaric, successeur de Théodoric.
2. Cf. M. CAPPUYNS, « L'origine des *capitula* d'Orange », *Recherches de Théol. Anc. et Méd.* 6 (1934), p. 121-142.
3. Ne siégeaient pas à Carpentras Maxime d'Aix, Prétextat d'Apt et un évêque Eucherius dont le siège n'est pas identifié.

les erreurs des semi-pélagiens sur la grâce et le libre arbitre. Ancien moine de Lérins, Césaire s'opposa en effet à cette doctrine soutenue en particulier par un autre moine de Lérins, Fauste de Riez[4].

L'importance de ce deuxième concile d'Orange est grande pour l'histoire du dogme. Le concile de Trente (Sessio VI - *De iustificatione*) se reportera encore à ses canons[5].

TRANSMISSION : Le concile est connu par les collections suivantes : Lyon, Lorsch, Cologne, Saint-Maur, Reims, Saint-Amand ; la collection d'Albi a repris les canons 1 à 8.

En raison de leur caractère non disciplinaire, les canons du deuxième concile d'Orange n'ont pas été recueillis par les collections systématiques. On les trouve dans la collection de Beauvais qui reprend celle de Saint-Amand.

4. Cf. A. MALNORY, *Saint Césaire, évêque d'Arles*, Paris 1804, réimpr. Genève-Paris 1978, p. 143-154.

5. Textes du concile d'Orange dans MORIN, II, p. 66-85. En plus des textes ici donnés et traduits, MORIN (p. 79-85) et DE CLERCQ (p. 69-75) éditent les *Sententiae sanctorum Patrum* jointes par Césaire au dossier.

CONCILIVM ARAVSICANVM
529. Iul. 3.

INCIPIVNT CANONES ARAVSICORVM
DE GRATIA ET LIBERO ARBITRIO

Cum ad dedicationem basilicae, quam inlustrissimus praefectus et patricius filius noster Liberius in Arausica ciuitate fidelissima deuotione construxit, Deo propitiante et ipso inuitante conuenissemus et de rebus, quae ad ecclesiasticam regulam pertinent, inter nos spiritalis fuisset oborta conlatio, peruenit ad nos esse aliquos, qui de gratia et libero arbitrio per simplicitatem minus caute et non secundum fidei catholicae regulam sentire uelint. Vnde id nobis secundum admonitionem et auctoritatem sedis apostolicae iustum ac rationabile uisum est, ut pauca capitula ab apostolica nobis sede transmissa, quae ab antiquis patribus de sanctarum scripturarum uoluminibus in hac praecipue causa collecta sunt, ad docendos eos, qui aliter quam oportet sentiunt, ab omnibus obseruanda proferre et manibus nostris suscribere deberemus. Quibus lectis, qui hucusque non sicut oportebat de gratia et libero arbitrio credidit, ad ea, quae fidei catholicae conueniunt, animum suum inclinare non differat.

1. Si quis per offensam praeuaricationis Adae non totum, id est secundum corpus et animam, in deterius dicit hominem commutatum, sed animae libertate inlaesa durante corpus tantummodo corruptioni credit ob-

---

1. Nous nous sommes aidés pour la présente traduction de celle du *DTC,* art. « Orange (Deuxième concile d') », 11 (1931), c. 1093-1101 (G. FRITZ), et de celle, partielle, de G. DUMEIGE, *La Foi catholique,* 2ᵉ éd. Paris 1969, p. 339-342.

CONCILE D'ORANGE
3 juillet 529

ICI COMMENCENT LES CANONS D'ORANGE
SUR LA GRÂCE ET LE LIBRE ARBITRE [1]

Comme nous nous étions réunis pour la dédicace de la basilique que le très illustre préfet et patrice, notre fils Liberius, a fait construire avec une dévotion pleine de foi en la cité d'Orange, ceci par la faveur de Dieu et sur son invitation personnelle, et qu'un colloque spirituel s'était engagé entre nous sur les sujets qui touchent à la règle ecclésiastique, il est venu à notre connaissance que certaines gens, par naïveté, sont enclins à des idées moins sûres et peu conformes à la règle de foi catholique au sujet de la grâce et du libre arbitre. Aussi nous a-t-il semblé juste et raisonnable, conformément à l'avertissement et à l'instruction du Siège apostolique, d'avoir à promulguer, pour être observés par tous, et à signer de notre main quelques chapitres à nous transmis par le Siège apostolique, qui ont été extraits des livres de l'Écriture sainte par les anciens Pères pour instruire ceux qui ne pensent pas comme il le faut. Les ayant lus, quiconque jusqu'ici n'a pas cru comme il le fallait au sujet de la grâce et du libre arbitre ne doit pas différer d'incliner son esprit à ce qui s'accorde avec la foi catholique.

1. Si quelqu'un dit que par la faute de la prévarication d'Adam, ce n'est pas l'homme tout entier, c'est-à-dire quant au corps et quant à l'âme, qui a été changé en pire, et s'il croit que, la liberté étant demeurée intacte, le corps seul a été soumis à la corruption, il est trompé

noxium, Pelagii errore deceptus aduersatur scripturae
dicenti : « Anima, quae peccauerit, ipsa morietur[a] », et :
« Nescitis quoniam cui exhibetis uos seruos ad oboedien-
dum, serui estis eius, cui oboeditis[b] ? », et : « A quo quis
superatur, eius et seruus addicitur[c]. »

2. Si quis soli Adae praeuaricationem suam, non et
eius propagini adserit nocuisse, aut certe mortem tantum
corporis, quae poena peccati est, non autem et peccatum,
quod mors est animae, per unum hominem in omne
genus humanum transisse testatur, iniustitiam Deo dabit,
contradicens apostolo dicenti : « Per unum hominem peccatum intrauit in mundo et per peccatum mors, et ita in
omnes homines pertransiit, in quo omnes peccauerunt[d]. »

3. Si quis inuocatione humana gratiam Dei dicit posse
conferri, non autem ipsam gratiam facere ut inuocetur a
nobis, contradicit Isaiae prophetae uel apostolo idem
dicenti : « Inuentus sum non quaerentibus me ; palam
apparui his, qui me non interrogabant[e]. »

4. Si quis, ut a peccato purgemur, uoluntatem nostram
Deum expectare contendit, non autem, ut etiam purgari
uelimus, per sancti Spiritus infusionem et operationem in
nos fieri confitetur, resistit ipsi Spiritui sancto per Salo-
monem dicenti : « Praeparatur uoluntas a Domino[f] », et
apostolo salubriter praedicanti : « Deus est, qui operatur
in uobis et uelle et perficere pro bona uoluntate[g]. »

a. Éz. 18, 20
b. Rom. 6, 16
c. II Pierre 2, 19
d. Rom. 5, 12
e. Is. 65, 1 ; Rom. 10, 20
f. Prov. 8, 35
g. Phil. 2, 13

par l'erreur de Pélage et va contre l'Écriture qui dit :
« L'âme qui a péché, elle mourra[a] », et : « Ne savez-vous
pas qu'en vous offrant à quelqu'un comme esclave pour
lui obéir, vous devenez esclaves de celui à qui vous
obéissez[b] ? », et : « Être vaincu par quelqu'un, c'est de-
venir son esclave[c]. »

2. Si quelqu'un affirme que la prévarication d'Adam
n'a nui qu'à lui-même et non à sa descendance, ou si du
moins il déclare que c'est seulement la mort du corps —
qui est la peine du péché —, et non aussi le péché —
qui est la mort de l'âme —, qui par un seul homme a
été transmise à tout le genre humain, il attribue une
injustice à Dieu, en contredisant l'Apôtre qui dit : « Par
un seul homme le péché est entré dans le monde, et par
le péché la mort, et ainsi la mort a été transmise à tous
les hommes, tous ayant péché en lui[d] [1]. »

3. Si quelqu'un dit que la grâce de Dieu peut être
conférée à la demande de l'homme, et que ce n'est pas
la grâce elle-même qui fait que nous demandions, il
contredit le prophète Isaïe, ou l'Apôtre qui dit comme
lui : « J'ai été trouvé par ceux qui ne me cherchaient pas,
je me suis manifesté à ceux qui ne m'interrogeaient pas[e]. »

4. Si quelqu'un prétend que Dieu attend notre vouloir
pour nous purifier du péché, et s'il ne reconnaît pas que
notre volonté d'être purifiés naît en nous, elle aussi, par
l'infusion et l'opération du Saint Esprit, il s'oppose au
Saint Esprit lui-même qui dit par Salomon : « La volonté
est préparée par le Seigneur[f] », et aussi à l'Apôtre qui
proclame salutairement : « C'est Dieu qui opère en vous
et le vouloir et le faire selon son bon plaisir[g]. »

---

1. Cf. AUGUSTIN, *Contra duas epist. Pelagianorum* 4, 4, 6. — *In
quo omnes peccauerunt* est ici traduit au sens d'Augustin.

5. Si quis sicut augmentum, ita etiam initium fidei ipsumque credulitatis affectum, quo in eum credimus qui iustificat impium, et ad regenerationem sacri baptismatis peruenimus, non per gratiae donum, id est per inspirationem Spiritus sancti corrigentem uoluntatem nostram ab infidelitate ad fidem, ab impietate ad pietatem, sed naturaliter nobis inesse dicit, apostolicis dogmatibus aduersarius adprobatur, beato Paulo dicente : « Confidimus quia, qui coepit in uobis bonum opus, perficiet usque in die Christi Iesu[h] », et illud : « Vobis datum est pro Christo, non solum ut in eum credatis, uerum etiam ut pro illo patiamini[i] », et : « Gratia salui facti estis per fidem, et hoc non ex uobis, Dei enim donum est[j]. » Qui enim fidem, qua in Deum credimus, dicunt esse naturalem, omnes eos, qui ab ecclesia Christi alieni sunt, quodammodo fideles esse definiunt.

6. Si quis sine gratia Dei credentibus, uolentibus, desiderantibus, conantibus, laborantibus, orantibus, uigilantibus, studentibus, petentibus, quaerentibus, pulsantibus nobis misericordiam dicit conferri diuinitus, non autem, ut credamus, uelimus uel haec omnia sicut oportet agere ualeamus, per infusionem et inspirationem sancti Spiritus in nobis fieri confitetur et aut humilitati aut oboedientiae humanae subiungit gratiae adiutorium nec, ut oboedientes et humiles simus, ipsius gratiae donum esse consentit, resistit apostolo dicenti : « Quid habes, quod non accepisti[k] ? » et : « Gratia Dei sum id, quod sum[l]. »

h. Phil. 1, 6
i. Phil. 1, 29
j. Éphés. 2, 8
k. I Cor. 4, 7
l. I Cor. 15, 10

1. La leçon de certains mss du concile, *domini nostri iesu christi,* paraît appuyée par la citation du même texte faite plus loin dans la *Définition de foi.*

5. Si quelqu'un dit que, tout comme l'accroissement de la foi, son commencement et l'attrait même pour la croyance — par quoi nous croyons en celui qui justifie l'impie et qui nous fait parvenir à la régénération du saint baptême — ne sont pas en nous par don de la grâce — c'est-à-dire ne viennent pas de l'inspiration du Saint Esprit, rectifiant notre volonté et l'amenant de l'infidélité à la foi, de l'impiété à la piété —, mais qu'ils y sont naturellement, il se montre l'adversaire des dogmes apostoliques, puisque le bienheureux Paul dit : « Nous avons confiance que celui qui a commencé en vous une œuvre bonne la mènera à sa perfection jusqu'au jour de notre Seigneur Jésus Christ[h 1] », et ceci : « Il vous a été donné, par égard au Christ, non seulement de croire en lui, mais encore de souffrir pour lui[i] », et : « C'est par grâce que vous avez été sauvés, moyennant la foi, et cela ne vient pas de vous, car c'est un don de Dieu[j]. » Donc, ceux qui disent que la foi par laquelle nous croyons en Dieu est naturelle affirment en quelque façon que tous ceux qui sont étrangers à l'Église du Christ sont des fidèles.

6. Si quelqu'un dit que la miséricorde nous est accordée par Dieu lorsque, sans la grâce de Dieu, nous croyons, voulons, désirons, faisons effort, travaillons, prions, veillons, étudions, demandons, cherchons, frappons, et non que c'est par l'action et l'inspiration du Saint Esprit en nous qu'il se fait que nous croyions, voulions et soyons capables de faire tout cela comme il faut ; et s'il subordonne l'aide de la grâce ou à l'humilité ou à l'obéissance de l'homme ; et s'il n'admet pas que, d'être obéissants et humbles, c'est en nous un don de la grâce elle-même, il s'oppose à l'Apôtre qui dit : « Qu'as-tu que tu n'aies reçu[k] ? », et : « C'est par la grâce de Dieu que je suis ce que je suis[l 2]. »

2. Cf. Augustin, *De dono perseuerantiae* 23, 64.

7. Si quis per naturae uigorem bonum aliquid, quod ad salutem pertinet uitae aeternae, cogitare, ut expedit, aut eligere siue salutari, id est euangelicae, praedicationi consentire posse confirmat absque inluminatione et inspiratione Spiritus sancti, qui dat omnibus suauitatem in consentiendo et credendo ueritati, heretico fallitur spiritu, non intellegens uocem Dei in euangelio dicentis : « Sine me nihil potestes facere[m] », et illud apostoli : « Non quod idonei sumus cogitare aliquid a nobis quasi ex nobis, sed sufficientia nostra ex Deo est[n]. »

8. Si quis alios misericordia, alios uero per liberum arbitrium, quod in omnibus, qui de praeuaricatione primi hominis nati sunt, constat esse uitiatum, ad gratiam baptismi posse uenire contendit, a recta fide probatur alienus. His enim non omnium liberum arbitrium per peccatum primi hominis adserit infirmatum aut certe ita laesum putat, ut tamen quidam ualeant sine reuelatione Dei mysterium salutis aeternae per semet ipsos posse conquirere. Quod quam sit contrarium, ipse Dominus probat, qui non aliquos, sed neminem ad se posse uenire testatur, nisi quem Pater adtraxerit, sicut et Petro dixit : « Beatus es, Simon Bariona, quia caro et sanguis non reuelauit tibi, sed Pater meus, qui in caelis est[o] » ; et apostolus : « Nemo potest dicere Dominum Iesum nisi in Spiritu sancto[p]. »

m. Jn 15, 5
n. II Cor. 3, 5
o. Matth. 16, 17
p. I Cor. 12, 3

7. Si quelqu'un affirme que par la seule force de la nature il peut concevoir comme il faut un bien qui se rapporte au salut de la vie éternelle, ou bien donner son assentiment à l'annonce du salut, c'est-à-dire à l'évangile, sans l'illumination et l'inspiration du Saint Esprit, qui donne à tous son onction lorsqu'ils adhèrent et croient à la vérité, il est trompé par un esprit d'hérésie, ne comprenant pas la voix de Dieu qui dit dans l'évangile : « Sans moi vous ne pouvez rien faire[m] », ni cette parole de l'Apôtre : « Ce n'est pas que nous soyons capables de concevoir quelque chose par nous-mêmes, comme venant de nous-mêmes, mais notre capacité vient de Dieu[n] [1]. »

8. Si quelqu'un prétend que certains peuvent venir à la grâce du baptême par la miséricorde, d'autres par le libre arbitre — dont on sait qu'il a été vicié chez tous ceux qui sont nés de la prévarication du premier homme —, il se montre étranger à la foi droite. Par là il affirme en effet que ce n'est pas en tous les hommes que le libre arbitre a été affaibli par le péché du premier homme, ou au moins il pense qu'il a été blessé de telle sorte que certains puissent pourtant, sans révélation de Dieu, conquérir par eux-mêmes le mystère du salut éternel. Combien cela est contradictoire, le Seigneur lui-même le montre, lui qui atteste, non que quelques-uns peuvent, mais que personne ne peut venir à lui si le Père ne l'attire, comme il le dit aussi à Pierre : « Heureux es-tu, Simon Bar-Iona, car ce ne sont pas la chair et le sang qui te l'ont révélé, mais mon Père qui est dans les cieux[o] » ; et l'Apôtre : « Personne ne peut dire " Seigneur Jésus " si ce n'est dans l'Esprit Saint[p] [2]. »

---

1. Cf. AUGUSTIN, *De gratia Dei* 1, 26.
2. Cf. PROSPER d'AQUITAINE, *Contra collatorem* 5, 13 ; 13, 38 ; 19, 55 (*PL* 45, col. 1807).

9. *De adiutorio Dei.* Diuini est muneris, cum et recte cogitamus et pedes nostros a falsitate et iniustitia continemus ; quotiens enim bona agimus, Deus in nobis atque nobiscum, ut operemur, operatur.

10. *De adiutorio Dei.* Adiutorium Dei etiam renatis ac sanatis semper est implorandum, ut ad finem bonum peruenire uel in bono possint opere perdurare.

11. *De obligatione uotorum.* Nemo quicquam Domino recte uoueret, nisi ab ipso acceperit, quod uoueret, sicut legitur : « Et quae de manu tua accepimus, damus tibi[p bis]. »

12. *Quales nos diligat Deus.* Tales nos amat Deus, quales futuri sumus ipsius dono, non quales sumus nostro merito.

13. *De reparatione liberi arbitrii.* Arbitrium uoluntatis in primo homine infirmatum nisi per gratiam baptismi non potest reparari ; quod amissum, nisi a quo potuit dari, non potest reddi ; unde Veritas ipsa dicit : « Si uos Filius liberauerit, tunc uere liberi eritis[q]. »

14. Nullus miser de quantacumque miseria liberatur, nisi qui Dei misericordia praeuenitur, sicut dicit psalmista : « Cito anticipet nos misericordia tua, Domine[r] », et illud : « Deus meus, misericordia eius praeueniet me[s]. »

p bis. I Chr. 29, 14
q. Jn 8, 36
r. Ps. 78, 8
s. Ps. 58, 11

---

1. Cf. PROSPER d'AQUITAINE, *Liber sententiarum* 32 (*CCL* 68A, p. 262).

2. AUGUSTIN, *Ciu. Dei* 17, 4, 7. Le texte était reproduit par PROSPER, *Liber sent.* 54 (p. 270).

9. *De l'aide de Dieu.* C'est un don de Dieu, aussi bien de penser droitement que de tenir ses pas à l'écart de l'erreur et de l'injustice ; chaque fois en effet que nous faisons le bien, Dieu agit en nous et avec nous pour que nous agissions [1].

10. *De l'aide de Dieu.* L'aide de Dieu doit toujours être implorée même par ceux-là qui sont renés et guéris, pour qu'ils puissent parvenir au bien final ou persévérer dans le bien.

11. *De l'obligation des vœux.* Personne ne peut vouer valablement quelque chose à Dieu s'il n'a reçu de lui ce qu'il voue, ainsi qu'on le dit : « Et ce que nous avons reçu de tes mains, nous te le donnons [p bis 2]. »

12. *Comment Dieu nous aime.* Dieu nous aime tels que nous deviendrons par son don à lui, non tels que nous sommes par notre propre mérite [3].

13. *De la restauration du libre arbitre.* Le libre arbitre de la volonté, affaibli dans le premier homme, ne peut être restauré que par la grâce du baptême ; s'il est perdu, il ne peut être rendu que par celui par qui il a pu être donné ; aussi la Vérité même dit-elle : « Si le Fils vous libère, alors vous serez vraiment libres[q 4]. »

14. Aucun malheureux n'est délivré de quelque misère que ce soit, sinon celui que la miséricorde de Dieu prévient, comme le dit le Psalmiste : « Ta miséricorde, Seigneur, nous a bientôt prévenus[r] », et ceci : « Mon Dieu, sa miséricorde me préviendra[s 5]. »

3. PROSPER, *Liber sent.* 56 (p. 271).
4. AUGUSTIN, *Ciu. Dei* 14, 11, 1 (= PROSPER, *Liber sent.* 152 [p. 292]).
5. PROSPER, *Liber sent.* 212 (p. 306).

15. Ab eo, quod formauit Deus, mutatus est Adam,
sed in peius per iniquitatem suam ; ab eo, quod operata
est iniquitas, mutatur fidelis, sed in melius per gratiam
Dei. Illa ergo mutatio fuit praeuaricatoris primi, « haec,
secundum psalmistam, mutatio est dexterae Excelsi[t] ».

16. Nemo ex eo, quod uidetur habere, glorietur, tamquam non acceperit[u], aut ideo se putet accepisse, quia
littera extrinsecus uel, ut legeretur, apparuit uel, ut au-
diretur, sonuit. Nam sicut apostolus dicit : « Si per legem
iustitia, ergo Christus gratis mortuus est[v]. » Porro autem
si non gratis mortuus est, « ascendens in altum captiuauit
captiuitatem, dedit dona hominibus[w] ». Inde habet quicumque habet ; quisquis autem inde se habere negat, aut
uere non habet aut id, quod habet, auferetur ab eo.

17. *De fortitudine christiana.* Fortitudinem gentilium
mundana cupiditas, fortitudinem autem christianorum
Dei caritas facit, quae diffusa est in cordibus nostris non
per uoluntatis arbitrium, quod est a nobis, sed « per
Spiritum sanctum, qui datus est nobis[w bis] ».

18. *Nullis meritis gratiam praeuenire.* Debetur merces
bonis operibus, si fiant ; sed gratia, quae non debetur,
praecedit, ut fiant.

19. *Neminem nisi Deo miserante saluari.* Natura humana, etiam si in illa integritate, in qua est condita,

t. Ps. 76, 11
u. Cf. I Cor. 4, 7
v. Gal. 2, 21
w. Éphés. 4, 8
w bis. Rom. 5, 5

---

1. Prosper, *Liber sent.* 226 (p. 310) ; voir aussi Augustin, *in ps.
58, sermo* 1, 2.

2. Les mots *porro autem si non gratis mortuus est,* omis par De
Clercq, sont rétablis ici d'après Morin.

15. L'état d'Adam, tel que Dieu l'avait façonné, a été changé, mais en pire, par son iniquité ; l'état du fidèle, tel que l'avait fait l'iniquité, est changé, mais en mieux, par la grâce de Dieu. Ce changement-là fut le fait du premier prévaricateur ; « ce changement-ci, selon le Psalmiste, est le fait de la droite du Très-Haut[t] »[1].

16. Que personne ne se glorifie de ce qu'il paraît posséder, comme s'il ne l'avait pas reçu[u], ou n'estime l'avoir reçu du seul fait que, du dehors, la lettre, soit a paru pour être lue, soit a retenti pour être entendue. Car, comme le dit l'Apôtre : « Si la justice vient de la Loi, le Christ est donc mort pour rien[v]. » Tout au contraire, s'il n'est pas mort pour rien[2], « montant dans les hauteurs, il a fait captive la captivité, il a donné des dons aux hommes[w] ». Voilà d'où possède quiconque possède ; et quiconque nie que c'est de là qu'il possède, ou bien ne possède pas vraiment, ou bien se verra enlever ce qu'il possède[3].

17. *De la force chrétienne.* La force des gentils est le fait de la cupidité mondaine ; la force des chrétiens, le fait de la charité de Dieu, qui a été répandue dans nos cœurs, non par le libre arbitre de la volonté qui vient de nous, mais « par l'Esprit Saint qui nous a été donné[w bis] »[4].

18. *Que la grâce nous prévient, en l'absence de tout mérite.* La récompense est due aux œuvres bonnes, s'il s'en fait, mais la grâce, qui n'est pas due, précède pour qu'elles se fassent[5].

19. *Que personne n'est sauvé, si ce n'est par la miséricorde de Dieu.* La nature humaine, même si elle persé-

---

3. PROSPER, *Liber sent.* 260 (p. 317).
4. PROSPER, *Liber sent.* 217 (p. 330).
5. PROSPER, *Liber sent.* 299 (p. 331).

permaneret, nullo modo se ipsam creatore suo non
adiuuante seruaret ; unde cum sine Dei gratia salutem
non possit custodire, quam accepit, quomodo sine Dei
gratia poterit reparare, quod perdidit ?

20. *Nihil boni hominem posse sine Deo.* Multa Deus
facit in homine bona, quae non facit homo ; nulla uero
facit homo bona, quae non Deus praestat, ut faciat
homo.

21. *De natura et gratia.* Sicut eis, qui uolentes in lege
iustificari et a gratia excederunt, uerissime dicit apostolus : « Si ex lege iustitia est, ergo Christus gratis mortuus
est[x] », sic eis, qui gratiam, quam commendat et percipit
fides Christi, putant esse naturam, uerissime dicitur : Si
per naturam iustitia est, ergo Christus gratis mortuus est.
Iam hic enim erat lex et non iustificabat ; iam hic erat
et natura et non iustificabat. Ideo Christus non gratis
mortuus est, ut et lex per illum impleretur, qui dixit :
« Non ueni legem soluere, sed adimplere[y] » ; et natura
per Adam perdita per illum repararetur, qui dixit uenisse
se « quaerere et saluare, quod perierat[y bis] ».

22. *De his quae hominum propria sunt.* Nemo habet de
suo nisi mendacium et peccatum ; si quid autem habet
homo ueritatis atque iustitiae, ab illo fonte est, quem
debemus sitire in hac heremo, ut ex eo quasi guttis
quibusdam inrorati non deficiamus in uia.

x. Gal. 2, 21
y. Matth. 5, 17
y bis. Lc 19, 10

1. PROSPER, *Liber sent.* 310 (p. 334).
2. PROSPER, *Liber sent.* 314 (p. 335).

vérait dans l'intégrité en laquelle elle a été créée, ne se sauverait nullement sans l'aide de son créateur ; si donc elle ne peut sans la grâce de Dieu conserver la santé qu'elle a reçue, comment pourra-t-elle sans la grâce de Dieu restaurer ce qu'elle a perdu[1] ?

20. *Que l'homme ne peut rien faire de bien sans Dieu.* Dieu fait en l'homme beaucoup de bien que ne fait pas l'homme ; et l'homme ne fait rien de bien que Dieu ne lui donne de faire[2].

21. *De la nature et de la grâce.* A ceux qui, voulant être justifiés par la Loi, se sont soustraits à la grâce, l'Apôtre dit en toute vérité : « Si la justice vient de la Loi, le Christ est donc mort pour rien[x] » ; de même, à ceux qui pensent que la grâce que recommande et reçoit la foi au Christ, c'est la nature, il est dit en toute vérité : Si la justice vient de la nature, le Christ est donc mort pour rien. Alors en effet, il y avait déjà la Loi, et elle ne justifiait pas ; alors aussi il y avait déjà la nature, et elle ne justifiait pas. Le Christ n'est donc pas mort pour rien : il est mort à la fois pour que la Loi fût accomplie par lui, qui dit : « Je ne suis pas venu abolir la Loi, mais l'accomplir[y] », et pour que la nature, perdue par Adam, fût restaurée par lui, qui a dit qu'il était venu « pour chercher et sauver ce qui était perdu[y bis] »[3].

22. *Ce qui est le propre de l'homme.* Personne n'a de son propre fonds que le mensonge et le péché ; si l'homme possède quelque chose de la vérité et de la justice, cela vient de cette source dont nous devons avoir soif en ce désert, pour qu'humectés comme par ses gouttes, nous ne défaillions pas en chemin[4].

3. PROSPER, *Liber sent.* 317 (p. 336).
4. PROSPER, *Liber sent.* 375 (p. 339).

23. *De uoluntate Dei et hominis.* Suam uoluntatem homines faciunt, non Dei, quando id agunt, quod Deo displicet ; quando autem ita faciunt, quod uolunt, ut diuinae seruiant uoluntati, quamuis uolentes agant, quod agunt, illius tamen uoluntas est, a quo et praeparatur et iubetur quod uolunt.

24. *De palmitibus uitis.* Ita sunt in uite palmites, ut uiti nihil conferant, sed inde accipiant unde uiuant ; sic quippe uitis est in palmitibus, ut uitale alymentum sub-ministret eis, non sumat ab eis. Ac per hoc et manentem in se habere Christum et manere in Christo discipulis prodest utrumque, non Christo. Nam praeciso palmite potest de uiua radice alius pullulare ; qui autem praecisus est, sine radice non potest uiuere.

25. *De dilectione, qua diligimus Deum.* Prorsus donum Dei est diligere Deum. Ipse ut diligeretur dedit, qui non dilectus diligit. Displicentes amati sumus, ut fieret in nobis unde placeremus. Diffundit enim caritatem in cor-dibus nostris Spiritus Patris et Filii[z], quem cum Patre amamus et Filio.

Definitio fidei

Ac sic secundum supra scriptas sanctarum scriptura-rum sententias uel antiquorum patrum definitiones hoc Deo propitiante et praedicare debemus et credere, quod per peccatum primi hominis ita inclinatum et adtenuatum

z. Cf. Rom. 5, 5

1. PROSPER, *Liber sent.* 340 (p. 334).
2. AUGUSTIN, *in euang. Ioh.* 81, 1 ; PROSPER, *Liber sent.* 368 (p. 353).

23. *De la volonté de Dieu et de l'homme.* Les hommes font leur volonté, non celle de Dieu, lorsqu'ils font ce qui déplaît à Dieu. Mais quand ils font ce qu'ils veulent dans l'intention de servir la volonté divine, bien que ce soit en le voulant qu'ils fassent ce qu'ils font, c'est pourtant là la volonté de celui par qui est préparé et ordonné ce qu'ils veulent[1].

24. *Des sarments de la vigne.* Les sarments sont ainsi unis au cep qu'ils n'apportent rien au cep, mais reçoivent de lui de quoi vivre ; le cep en effet est ainsi uni aux sarments qu'il leur fournit l'aliment vital, et non qu'il le reçoit d'eux. Par le fait, les deux choses : et d'avoir le Christ demeurant en soi, et de demeurer en lui, sont profitables aux disciples, non au Christ. Car un sarment une fois coupé, un autre peut pousser de la racine vivante, tandis que le sarment coupé ne peut vivre sans la racine[2].

25. *De l'amour dont nous aimons Dieu.* C'est bien sûr un don de Dieu que d'aimer Dieu. Il a donné qu'on l'aime, lui qui aime sans être aimé. Nous avons été aimés sans plaire, pour qu'il y ait en nous de quoi plaire. C'est en effet la charité que répand dans nos cœurs l'Esprit du Père et du Fils[z], que nous aimons avec le Père et le Fils[3].

Définition de foi

Ainsi, conformément aux sentences des saintes Écritures et aux définitions des anciens Pères transcrites ci-dessus, nous devons, avec la faveur de Dieu, prêcher et croire que par le péché du premier homme le libre arbitre

3. Augustin, *in euang. Ioh.* 202, 5 ; Prosper, *Liber sent.* 372 (p. 356).

fuerit liberum arbitrium, ut nullus postea aut diligere
Deum sicut oportuit aut credere in Deum aut operari
propter Deum quod bonum est possit, nisi eum gratia
misericordiae diuinae praeuenerit. Vnde et in Abel iustum
et Noe et Habraham et Isaac et Iacob et omnem antiquorum sanctorum multitudinem illam praeclaram fidem,
quam in ipsorum laude praedicat apostolus Paulus, non
per bonum naturae, quod prius in Adam datum fuerat,
sed per gratiam Dei credimus fuisse conlatam. Quam
gratiam etiam post aduentum Domini omnibus, qui baptizari desiderant, non in libero arbitrio habere, sed Christi
nouimus simul et credimus largitate conferri, secundum
illud, quod iam saepe dictum est et praedicat Paulus
apostolus : « Vobis donatum est pro Christo non solum,
ut in eum credatis, sed etiam, ut pro eo patiamini[a] », et
illud : « Deus, qui coepit in uobis bonum opus, perficiet
usque in diem Domini nostri[b] », et illud : « Gratia salui
facti estis per fidem et hoc non ex uobis ; Dei enim
donum est[c] », et quod de se ipso ait apostolus : « Misericordiam consecutus sum, ut fidelis essem[d] » — non
dixit : quia eram, sed : ut essem —, et illud : « Quid
habes, quod non accepisti[e] ? », et illud : « Omne datum
bonum et omne donum perfectum desursum est descendens a patre luminum[f] », et illud : « Nemo habet quicquam, nisi illi datum fuerit desuper[g]. » Innumerabilia sunt
sanctarum scripturarum testimonia, quae possint ad pro-
bandam gratiam proferri, sed breuitatis studio praeter-
missa sunt, quia et reuera, cui pauca non sufficiunt, plura
non proderunt.

a. Phil. 1, 29
b. Phil. 1, 6
c. Éphés. 2, 8
d. I Cor. 7, 25
e. I Cor. 4, 7

a été à ce point dévié et affaibli que personne depuis ne
pourrait ni aimer Dieu comme il faut, ni croire en Dieu,
ni accomplir le bien en vue de Dieu, à moins que la
grâce de la miséricorde divine ne le prévienne. Aussi
croyons-nous qu'au juste Abel, à Noë, Abraham, Isaac,
Jacob, et à toute la multitude des saints anciens, l'admirable foi que chante à leur louange l'apôtre Paul n'a
pas été accordée par la bonté de la nature donnée
primitivement à Adam, mais par la grâce de Dieu. Cette
grâce, nous savons et nous croyons que, même après la
venue du Seigneur, pour tous ceux qui désirent être
baptisés, elle ne réside pas dans le libre arbitre, mais
qu'elle est conférée par la libéralité du Christ, selon ce
qui a déjà été dit souvent et que prêche l'apôtre Paul :
« Il vous a été donné, par égard au Christ, non seulement
de croire en lui, mais encore de souffrir pour lui[a] », et
ceci : « Dieu qui a commencé en vous une œuvre bonne
la mènera à sa perfection jusqu'au jour de notre Seigneur[b] », et ceci : « C'est par la grâce que vous avez été
sauvés, moyennant la foi, et cela ne vient pas de vous,
car c'est un don de Dieu[c] », et ce que l'Apôtre dit de
lui-même : « J'ai obtenu miséricorde pour que je sois
fidèle[d] » — il ne dit pas : « parce que j'étais », mais :
« pour que je sois » —, et ceci : « Qu'as-tu que tu n'aies
reçu[e] ? », et ceci : « Tout don bon et tout don parfait est
d'en-haut, descendant du Père des lumières[f] », et ceci :
« Personne n'a rien qui ne lui soit donné d'en-haut[g]. »
Innombrables sont les témoignages des saintes Écritures
qui pourraient être produits pour prouver la grâce, mais
ils ont été omis par souci de brièveté, puisque, à vrai
dire, à qui un peu ne suffit pas, davantage ne sert de
rien.

f. Jac. 1, 17
g. Jn 3, 27

Hoc etiam secundum fidem catholicam credimus, quod post acceptam per baptismum gratiam omnes baptizati Christo auxiliante et cooperante, quae ad salutem animae pertinent, possint et debeant, si fideliter laborare uoluerint, adimplere. Aliquos uero ad malum diuina potestate praedestinatos esse non solum non credimus, sed etiam, si sunt, qui tantum mali credere uelint, cum omni detestatione illis anathema dicimus.

Hoc etiam salubriter profitemur et credimus, quod in omni opere bono non nos incipimus et postea per Dei misericordiam adiuuamur, sed ipse nobis nullis praecedentibus bonis meritis et fidem et amorem sui prius inspirat, ut et baptismi sacramenta fideliter requiramus et post baptismum cum ipsius adiutorio ea, quae sibi sunt placita, implere possimus. Vnde manifestissime credendum est, quod et illius latronis, quem Dominus ad paradysi patriam reuocauit et Cornelii centurionis, ad quem angelus Domini missus est, et Zacchei, qui ipsum Dominum suscipere meruit, illa tam admirabilis fides non fuerit de natura, sed diuinae gratiae largitate donata.

Et quia definitionem nostram, quae supra scripta est, non solum religiosis, sed etiam laicis medicamentum esse et desideramus et cupimus, placuit, ut eam etiam inlustres ac magnifici uiri, qui nobiscum ad praefatam festiuitatem conuenerant, propria manu suscriberent.

Caesarius in Christi nomine episcopus exemplar constitutionis nostrae edidi et autenticum in arciuo ecclesiae reseruaui. Item suscriptiones.

Nous croyons encore, selon la foi catholique, qu'après la grâce reçue par le baptême, tous les baptisés, avec l'aide et la coopération du Christ, peuvent et doivent accomplir ce qui regarde le salut de leur âme, s'ils veulent fidèlement y travailler. Non seulement nous ne croyons pas que certains soient prédestinés au mal par la puissance divine, mais même, s'il se trouvait des gens disposés à croire à pareille malédiction, nous leur jetons avec toute réprobation l'anathème.

Nous professons et croyons aussi, salutairement, qu'en toute œuvre bonne, ce n'est pas nous qui commençons et ensuite sommes aidés par la miséricorde de Dieu, mais que c'est lui qui d'abord nous inspire, sans aucun bon mérite préalable, et la foi et l'amour pour lui, afin que nous demandions avec foi le sacrement du baptême, et qu'après le baptême nous puissions accomplir avec son aide ce qui lui plaît. Il faut donc croire de toute évidence que la foi si admirable du larron que le Seigneur rappela à la patrie du paradis, du centurion Corneille à qui fut envoyé l'ange du Seigneur, de Zachée qui mérita de recevoir le Seigneur en personne, ne vint pas de la nature, mais fut donnée par la libéralité de la grâce divine.

Et comme nous désirons et souhaitons que notre définition, écrite ci-dessus, soit un remède non seulement pour les hommes d'Église (*religiosi*), mais aussi pour les laïques, il nous a plu qu'y souscrivent de leur propre main les illustres et magnifiques personnages qui s'étaient réunis avec nous pour la dite solennité.

Césaire, au nom du Christ, évêque, j'ai rendu public un exemplaire de notre constitution et j'en ai conservé l'authentique dans les archives de l'église. Suivent les souscriptions.

Subscriptiones
ex codicibus KL et N

Caesarius in Christi nomine episcopus constitutionem nostram relegi et suscripsi. Notaui sub die V. non. Iulias, Decio iuniore u. c. consule.

Iulianus peccator suscripsi.

In Christi nomine Constantius episcopus consensi et suscripsi.

[Cyprianus in Christi nomine episcopus consensi et suscripsi.]

Fylagrius in Christi nomine episcopus consensi et suscripsi.

In Christi nomine Maximus episcopus consensi et suscripsi.

Praetextatus in Christi nomine episcopus consensi et suscripsi.

Eucherius in Christi nomine episcopus consensi et suscripsi.

[Item Eucherius in Christi nomine episcopus consensi et suscripsi.]

Alethius in Christi nomine episcopus consensi et suscripsi.

Heraclius in Christi nomine episcopus consensi et suscripsi.

Lupercianus in Christi nomine episcopus consensi et suscripsi.

In Christi nomine Principius episcopus consensi et suscripsi.

Vindimialis in Christi nomine episcopus consensi et suscripsi.

Petrus Marcellinus Felix Liberius uir clarissimus et inlustris praefectus praetorii Galliarum atque patricius consentiens suscripsi.

1. Souscription omise par le ms. de Cologne.

Souscriptions
d'après les manuscrits de Cologne, de Berlin (Phill.
1745) et du Vatican (Pal. lat. 574)

Césaire, au nom du Christ, évêque, j'ai relu et souscrit
notre constitution. Je l'ai signée le 5ᵉ jour des nones de
juillet, Decius le Jeune, clarissime, étant consul.

Julien, pécheur [évêque de Carpentras], j'ai souscrit.

Au nom du Christ, Constance, évêque [de Gap], j'ai
consenti et souscrit.

Cyprien, au nom du Christ, évêque [de Toulon], j'ai
consenti et souscrit [1].

Fylagrius, au nom du Christ, évêque [de Cavaillon],
j'ai consenti et souscrit.

Au nom du Christ, Maxime, évêque [d'Aix], j'ai
consenti et souscrit.

Prétextat, au nom du Christ, évêque [d'Apt], j'ai
consenti et souscrit.

Eucherius, au nom du Christ, évêque [d'Avignon], j'ai
consenti et souscrit [1].

Eucherius également, au nom du Christ, évêque [?],
j'ai consenti et souscrit.

Aletius, au nom du Christ, évêque [de Vaison], j'ai
consenti et souscrit.

Heraclius, au nom du christ, évêque [de Saint-Paul-
Trois-Châteaux], j'ai consenti et souscrit.

Lupercianus, au nom du Christ, évêque [de Fréjus],
j'ai consenti et souscrit.

Au nom du Christ, Principius, évêque [?], j'ai consenti
et souscrit.

Vindimialis, au nom du Christ, évêque [d'Orange], j'ai
consenti et souscrit.

Petrus Marcellinus Felix Liberius, clarissime et illustre, préfet du prétoire des Gaules, patrice, j'ai consenti
et souscrit.

Syagrius uir inlustris consensi et suscripsi.
Cariattho uir inlustris consensi et suscripsi.
Opilio uir inlustris consensi et suscripsi.
Marcellus uir inlustris consensi et suscripsi.
Pantagatus uir inlustris consensi et suscripsi.
Namatius uir inlustris consensi et suscripsi.
Deudatus uir inlustris consensi et suscripsi.

Epistola Bonifatii II papae ad Caesarium

AVCTORITAS SANCTI PAPAE BONIFATI, PER QVAM
INFRA SCRIPTA SYNODVS CONFIRMATA EST

Dilectissimo fratri Caesario Bonefatius.

1. Per filium nostrum Arminium presbyterum et abbatem litteras tuae fraternitatis accepimus, quas ad nos, ut apparet, inscius adhuc sacerdotii mihi conmissi sub ea, qua in Deo tenemur, caritate direxeras ; quibus credideras postulandum, ut id, quod beatae recordationis decessore nostro papa Felice pro catholicae fidei posceras firmitate, mea explicaretur instantia. Sed quia id uoluntas superna disposuit, ut, quod per nos ab illo speraueras, a nobis potius impetrares, petitioni tuae, quam laudabili fidei sollicitudine concepisti, catholicum non distulimus dare responsum.

Indicas enim, quod aliqui episcopi Galliarum, cum cetera iam bona ex Dei acquieuerint gratia prouenire, fidem tantum, qua in Christo credimus, naturae esse uelint, non gratiae ; et hominibus ex Adam, quod dici nefas est, in libero arbitrio remansisse, non etiam nunc

1. *Auctoritas.*
2. Boniface II fut élu le 17 septembre 530, peu après la mort de Félix IV.

Syagrius, illustre, j'ai consenti et souscrit.
Cariattho, illustre, j'ai consenti et souscrit.
Opilio, illustre, j'ai consenti et souscrit.
Marcellus, illustre, j'ai consenti et souscrit.
Pantagatus, illustre, j'ai consenti et souscrit.
Namatius, illustre, j'ai consenti et souscrit.
Deodatus, illustre, j'ai consenti et souscrit.

Lettre du pape Boniface II à Césaire

RESCRIT [1] DU SAINT PAPE BONIFACE PAR LEQUEL
A ÉTÉ CONFIRMÉ LE SYNODE TRANSCRIT CI-DESSOUS

A Césaire, son frère très cher, Boniface.

1. Nous avons reçu par notre fils Arminius, prêtre et
abbé, la lettre de ta Fraternité, que tu nous as adressée,
dans la charité qui nous lie en Dieu, encore ignorant, on
le voit, du pontificat qui m'a été confié. Tu as cru bon
de me demander par cette lettre que soit formulé grâce
à mon intervention ce que tu avais sollicité de notre
prédécesseur le pape Félix, d'heureuse mémoire, pour la
confirmation de la foi catholique [2]. Or la volonté d'en-
haut a disposé que la réponse que tu avais espérée de
lui par notre intervention, tu l'obtiennes plutôt de nous-
même. Aussi nous n'avons pas remis à plus tard de
donner à ta demande, inspirée par un louable souci de
la foi, une réponse catholique.

Tu me signales que des évêques des Gaules, tout en
accordant que les autres biens proviennent de la grâce
de Dieu, prétendent que seule la foi par laquelle nous
croyons au Christ relève de la nature, non de la grâce ;
que pour les hommes, depuis Adam — affirmation impie
—, elle est demeurée au pouvoir du libre arbitre, et non
qu'elle est accordée maintenant à chacun par une largesse

in singulis misericordiae diuinae largitate conferri, postulans, ut pro ambiguitate tollenda confessionem uestram, qua uos e diuerso fidem rectam in Christo totiusque bonae uoluntatis initium iuxta catholicam ueritatem per praeuenientem Dei gratiam singulorum definitis sensibus inspirari, auctoritate sedis apostolicae firmaremus.

2. Atque ideo, cum de hac re multi patres, et prae ceteris beatae recordationis Augustinus episcopus, sed et maiores nostri apostolicae sedis antistites, ita ratione probentur disseruisse latissima, ut nulli ulterius deberet esse ambiguum, fidem quoque nobis ipsam uenire de gratia, supersedendum duximus responsione multiplici, maxime cum secundum eas, quas ex apostolo direxisti sententias, quibus dicit : « Misericordiam consecutus sum, ut fidelis essem[a] », et alibi : « Vobis datum est pro Christo, non solum ut in eo credatis, uerum etiam ut pro eo patiamini[b] », euidenter appareat fidem, qua in Christo credimus, sicut et omnia bona, singulis hominibus ex dono supernae uenire gratiae, non ex humanae potestate naturae.

Quod etiam fraternitatem tuam, habita conlatione cum quibusdam sacerdotibus Galliarum, iuxta fidem gaudemus sensisse catholicam, in his scilicet, in quibus uno, sicut indicasti, consensu definierunt fidem, qua in Christo credimus, gratia diuinitatis praeueniente conferri, adicientes etiam nihil esse prorsus secundum Deum boni, quod sine Dei quis gratia aut uelle aut incipere aut operari aut perficere possit, dicente ipso Saluatore nostro : « Sine me nihil potestis facere[c]. »

a. I Cor. 7, 25
b. Phil. 1, 29
c. Jn 15, 5

---

1. Les évêques présents à Orange.

de la miséricorde divine. Tu demandes donc que pour lever toute ambiguïté nous confirmions par l'autorité du Siège apostolique votre déclaration, par laquelle vous définissez tout au contraire que la vraie foi au Christ et que le commencement de toute volonté bonne, selon la vérité catholique, sont inspirés à la conscience de chacun par la grâce prévenante de Dieu.

2. Étant donné que sur ce sujet de nombreux Pères, et plus que tous l'évêque Augustin, de bienheureuse mémoire, comme aussi nos prédécesseurs les pontifes du Siège apostolique, se sont expliqués, on le sait, avec des arguments si étendus qu'il ne devrait faire de doute pour personne, après cela, que la foi elle-même nous vient aussi de la grâce, nous avons préféré nous abstenir d'une réponse détaillée, d'autant que, d'après les sentences tirées de l'Apôtre que vous nous avez adressées — où il dit : « La miséricorde m'a été accordée pour que je sois fidèle[a] », et ailleurs : « Il vous a été donné, par égard au Christ, non seulement de croire en lui, mais encore de souffrir pour lui[b] » —, il apparaît manifestement que la foi par laquelle nous croyons au Christ, comme tous les biens, vient à chacun du don de la grâce d'en-haut, non du pouvoir de la nature humaine.

Que ta Fraternité également, au cours d'un colloque avec certains évêques des Gaules[1], ait ainsi pensé suivant la foi catholique, nous nous en réjouissons : nous voulons parler des termes dans lesquels ils ont d'un consentement unanime, comme tu l'indiques, défini que la foi par laquelle nous croyons au Christ est conférée par la grâce prévenante de la Divinité, en ajoutant de plus qu'il n'est absolument rien de bien selon Dieu que personne puisse, sans la grâce de Dieu, soit vouloir, soit commencer, soit accomplir, soit achever, puisque notre Sauveur lui-même a dit : « Sans moi, vous ne pouvez rien faire[c]. »

Certum est enim atque catholicum, quia in omnibus bonis, quorum caput est fides, nolentes nos adhuc misericordia diuina praeueniat ut uelimus, insit nobis cum uolumus, sequatur etiam ut in fide duremus, sicut Dauid propheta dicit : « Deus meus, misericordia eius praeueniet me[d] », et iterum : « Misericordia mea cum ipso est[e] », et alibi : « Misericordia eius subsequetur me[f]. » Similiter et beatus Paulus dicit : « Aut quis prior dedit ei, et retribuetur illi ? Quoniam ex ipso, et per ipsum, et in ipso sunt omnia[g]. »

Vnde nimis eos, qui contra sentiunt, admiramur, usque eo uetusti erroris adhuc reliquiis praegrauari, ut ad Christum non credant Dei beneficio sed naturae ueniri ; et ipsius naturae bonum, quod Adae peccato noscitur deprauatum, auctorem nostrae fidei dicant magis esse quam Christum, nec intellegant se dominicae reclamare sententiae dicenti : « Nemo uenit ad me, nisi datum fuerit illi a patre meo[h] », sed et beato Paulo simul obsistere clamanti ad Hebraeos : « Curramus ad propositum nobis certamen, aspicientes in auctorem fidei et consummatorem Iesum Christum[i]. » Quae cum ita sint, inuenire non possumus, quid ad credendum in Christo sine Dei gratia humanae deputent uoluntati, cum Christus auctor consummatorque sit fidei.

(3.) Quapropter affectu congruo salutantes, suprascriptam confessionem uestram consentaneam catholicis patrum regulis adprobamus.

3. Illos autem, qui praecedente fide secundo loco cetera, sicut indicas, bona uolunt gratiae deputare, sua

d. Ps. 58, 11
e. Ps. 88, 25
f. Ps. 22, 6
g. Rom. 11, 35-36
h. Jn 6, 66
i. Hébr. 12, 1-2

C'est en effet une proposition certaine et catholique qu'en tous les biens, à la tête desquels est la foi, la miséricorde divine nous prévient, avant que nous ne voulions, pour que nous voulions, nous est présente lorsque nous voulons, nous accompagne encore pour que nous persévérions dans la foi, comme le dit le prophète David : « Mon Dieu, sa miséricorde me préviendra[d] », et encore : « Ma miséricorde est avec lui[e] », et ailleurs : « Sa miséricorde me poursuivra[f]. » Semblablement le bienheureux Paul dit aussi : « Ou bien qui lui a donné le premier, et ce lui sera rendu ? Car tout est de lui, et par lui, et en lui[g]. »

Nous sommes donc grandement étonnés que ceux qui pensent le contraire demeurent encombrés des restes de l'ancienne erreur au point de croire que l'on vient au Christ par le bienfait non de Dieu mais de la nature ; de dire que la bonté même de la nature — dont on sait qu'elle a été pervertie par le péché d'Adam — soit, plus que le Christ, l'auteur de notre foi ; de ne pas comprendre qu'ils s'inscrivent en faux contre la sentence du Seigneur : « Personne ne vient à moi, si cela ne lui a été donné par mon Père[h] », et qu'ils contredisent de même le bienheureux Paul exhortant les Hébreux : « Courons au combat qui nous est proposé, les yeux fixés sur l'auteur de la foi et son réalisateur, Jésus Christ[i]. » Dans ces conditions, nous n'arrivons pas à découvrir quel pouvoir ils attribuent à la volonté humaine pour qu'elle soit capable de faire croire au Christ sans la grâce de Dieu, puisque le Christ est l'auteur et le réalisateur de la foi.

(3.) Ainsi, vous saluant avec un cordial assentiment, nous approuvons votre susdite déclaration, qui concorde avec les règles catholiques des Pères.

3. Ceux qui veulent faire passer en premier lieu la foi, et en second lieu attribuer à la grâce, comme tu l'in-

professione constringimus, ut multo magis dono gratiae
etiam fidem cogantur ascribere, praeter quam nihil est
boni, quod secundum Deum quilibet ualeat operari, sicut
beatus apostolus dicit : « Omne quod ex fide non est,
peccatum est[j]. » Quod cum ita sit, aut nullum bonum
gratiae deputabunt, si ei fidem subtrahere moliuntur ; aut
si quod bonum esse dicunt de gratia, ipsa necessario
fides erit gratiae deputanda. Si enim nihil boni est sine
fide, fides autem ipsa uenire negetur ex gratia, nullum,
quod absit, bonum erit gratiae deputandum. Etenim
omne bonum donum constat esse diuinum, sicut scriptum
est : « Omne donum bonum et omne donum perfectum
desursum est, descendens a patre luminum[k]. » Sed et ipsi
fatentur, ut dicis, dona cetera donari per gratiam ; ipsa
autem bona fide subsistere non ambigunt uniuersa. Ergo
necessario fides erit gratiae deputanda, a qua bonum,
quod gratiae tribuunt, separare non possunt.

4. His itaque breuiter assignatis, contra reliquas Pela-
giani erroris ineptias, quas illa uidetur epistola continere,
quam a quodam tibi mandasti sacerdote transmissam,
respondendum non duximus ; quia speramus de misericordia diuina, quod ita per ministerium tuae fraternitatis
atque doctrinam in omnium, quos dissentire mandasti,
dignabitur cordibus operari, ut ex hoc omnem bonam
uoluntatem non ex se, sed ex diuina credant gratia
proficisci, cum se senserint id iam uelle defendere, quod
nitebantur pertinaciter inpugnare. Scriptum est enim :
« Praeparatur uoluntas a Domino[l] », et alibi : « Scio quia

j. Rom. 14, 23
k. Jac. 1, 17
l. Prov. 8, 35 (LXX)

1. Peut-être l'un des nombreux écrits subsistant dans le *Corpus
pelagianum* (*Clavis Patrum Latinorum,* n. 732 et suivants).

diques, les autres biens, nous les emprisonnons dans leur
propre déclaration, en les forçant d'attribuer à plus forte
raison à un don de la grâce la foi elle-même, hors de
laquelle on ne peut rien accomplir de bien selon Dieu,
comme le dit le bienheureux Apôtre : « Tout ce qui ne
vient pas de la foi est péché[j]. » Cela étant, ou bien ils
n'attribueront aucun bien à la grâce, puisqu'ils tentent
de lui soustraire la foi ; ou bien, s'ils disent que quelque
bien provient de la grâce, la foi elle-même devra nécessairement être attribuée à la grâce. Si en effet il n'est
rien de bien sans la foi, et que l'on nie que la foi elle-
même vient de la grâce, aucun bien, ce qu'à Dieu ne
plaise, ne devra être attribué à la grâce. Or il est clair
que tout bien donné est divin, comme il est écrit : « Tout
don bon et tout don parfait est d'en-haut, descendant
du Père des lumières[k]. » D'ailleurs eux-mêmes avouent,
dis-tu, que les autres dons sont donnés moyennant la
grâce ; et ils ne doutent pas que ces biens subsistent tous
par la foi. Donc la foi devra nécessairement être attribuée
à la grâce, puisqu'ils ne peuvent séparer d'elle un bien
qu'ils attribuent à la grâce.

4. Ceci brièvement noté, nous n'avons pas jugé à
propos de répondre aux autres sottises de l'erreur de
Pélage qui figurent dans la lettre qui t'a été, nous dis-tu,
transmise par un certain prêtre [1]. Nous espérons en effet
de la miséricorde divine qu'elle daignera, par le ministère
de ta Fraternité et son enseignement, agir de telle sorte
dans le cœur de tous ceux que tu nous as dit être en
désaccord : qu'ils croient par ce moyen que toute volonté
bonne part, non d'eux-mêmes, mais de la grâce divine,
le jour où ils s'apercevront qu'ils sont maintenant prêts
à défendre ce qu'ils s'efforçaient d'attaquer obstinément.
Car il est écrit : « La volonté est préparée par le Seigneur[l] », et ailleurs : « Je sais que je ne puis être chaste

non possum esse continens, nisi Deus dederit ; et hod
ipsud erat sapientiae, scire cuius esset hoc donum[m]. »

Deus te incolumen custodiat, frater carissime.

Data VIII. Kalendas Februarias, Lampadio et Oreste
uiris clarissimis consulibus.

Praefatio Caesarii Arelatensis
confirmationi pontificiae et actis concilii addita

In hoc loco continetur sinodus Arausica, quam per
auctoritatem sanctus papa Bonefatius confirmauit. Et
ideo quicumque aliter de gratia et libero arbitrio crediderit, quam uel ista auctoritas continet, uel in illa synodo
constitutum est, contrarium se sedi apostolicae et uniuer-
sae per totum mundum ecclesiae esse cognoscat. Conti-
nentur etiam in hoc codice sanctorum antiquorum
patrum sententiae. Et quam < uis > sinodus Aurausica
prius sit facta quam auctoritas ista, tamen pro reuerentia
sedis apostolicae hoc mihi iustum uisum est, ut prius
domini papae auctoritas scriberetur.

m. Sag. 8, 21.

---

1. 25 janvier 531. Il faut comprendre, avec MORIN : *post consulatum
Lampadii et Orestis.*
2. *Auctoritas.* Cf. le titre ancien de la lettre de Boniface *(supra).*

à moins que Dieu ne me le donne ; et cela même était
de la sagesse : savoir de qui était ce don[m]. »

Dieu te garde sain et sauf, frère très cher !

Donné le 8 des calendes de février, après le consulat
des clarissimes Lampadius et Orestes [1].

Préface de Césaire d'Arles
ajoutée à la confirmation pontificale
et aux actes du concile

Ici est contenu le synode d'Orange, que le saint pape
Boniface a confirmé par son rescrit [2]. Si donc quelqu'un,
au sujet de la grâce et du libre arbitre, croyait autrement
que ne l'énonce ce rescrit ou qu'il a été défini dans ce
synode, qu'il sache qu'il s'oppose au Siège apostolique
et à l'Église universelle répartie dans le monde entier.
Sont contenus également dans ce volume les sentences
des saints Pères anciens [3]. Et bien que le synode d'Orange
ait eu lieu antérieurement à ce rescrit, il m'a paru juste,
par révérence pour le Siège apostolique, que soit transcrit
en tête le rescrit du seigneur pape [4].

3. Cf. ci-dessus, p. 153, n. 5.
4. Cet ordre dans lequel Césaire avait groupé les documents a été
conservé par MORIN, non par DE CLERCQ.

CONCILE DE VAISON II
(5 novembre 529)

Le concile d'Orange de juillet 529 ne s'était pas occupé de questions disciplinaires. Césaire réunit le 5 novembre un nouveau concile, qui devait leur être consacré. La réunion eut lieu à Vaison, ville qu'avait retenue le concile de Carpentras pour un concile prévu pour 528, mais qui ne semble pas avoir eu lieu.

Le concile promulgua cinq canons, dont trois (c. 1, 3, 5) déclarent vouloir reprendre des usages étrangers, italiens, africains et orientaux. Dans le préambule des actes du concile, les Pères eux-mêmes semblent en reconnaître le peu de portée disciplinaire. Les deux premiers canons sont relatifs à la formation de jeunes lecteurs et aux conditions de la prédication. Les trois autres concernent la liturgie.

Le concile réunit autour du métropolitain d'Arles, Césaire, onze évêques, parmi lesquels ne figurent pas celui de Vaison, Aletius. En dehors du métropolitain, on n'y retrouve que cinq évêques qui avaient siégé à Orange quelques mois plus tôt. Il s'agit des évêques de Toulon, Aix, Avignon, Saint-Paul-Trois-Châteaux et Orange.

TRANSMISSION : Le concile figure dans les collections de Corbie, Lyon, Lorsch, Reims, Cologne, Diessen et Saint-Amand.

DESTINÉE ULTÉRIEURE : Le concile est repris dans l'*Hispana Toletana*[1] et dans l'*Hispana Vulgata*[2]. Le c. 2 figure dans la *Vetus Gallica* et, partiellement, dans la 2ᵉ collection de Freising.

Le concile de Vaison est repris dans la collection de Beauvais. Les Décrets de Burchard de Worms et d'Yves de Chartres lui ont emprunté ses c. 2 et 4. Mais Gratien n'a pas repris ces textes.

1. G.M. MARTÍNEZ-DÍEZ, *La colección canónica Hispana,* I, Madrid 1966, p. 115 et 236.
2. *Ibid.*, p. 245.

CONCILIVM VASENSE
529. Nou. 5.

SYNODVS VASENSIS INCIPIT

Cum secundum statuta canonum in Vasensi uico sanctorum pontificum fuisset concilium congregatum, iuxta consuetudinem antiquorum patrum regulas relegentes, propitiante Domino nullum de praesentibus Domini sacerdotibus aliquid contra decreta spiritalia aut praeterisse aut praesumpsisse cognouimus. De qua re uberes Deo gratias egimus, quia seruis suis secundum pietatis suae consuetudinem praestare dignatus est, ut pro solo perfectae caritatis affectu et tantum pro desiderio se uidendi ad synodum conuenirent. Et quamuis omnia, quae a sanctis sacerdotibus uel clericis obseruari debeant, et antiqui et nouelli canones continere probentur, tamen, ne congregratio sancta sine aliqua definitione discederet, uel parum aliquid, quod ad aedificationem ecclesiarum pertinere possit, inspirante Domino decreuerunt.

1. Hoc placuit, ut omnes presbyteri, qui sunt in parrociis constituti, secundum consuetudinem, quam per totam Italiam satis salubriter teneri cognouimus, iuniores lectores, quantoscumque sine uxoribus habuerint, secum in domo, ubi ipsi habitare uidentur, recipiant et eos quomodo boni patres spiritaliter nutrientes psalmis parare, diuinis lectionibus insistere et in lege Domini erudire contendant, ut et sibi dignos successores prouideant et a Domino proemia aeterna recipiant. Cum uero ad aetatem perfectam peruenerint, si aliquis eorum pro carnis fragi-

---

1. Morin choisit la leçon *parare psalmos* et cite en parallèle : *eas docete symbolum parare* (*Sermo* 130 : I, p. 115, 11) et : *compulit ut laicorum popularitos psalmos et hymnos pararet* (*Vita Caesarii* 1, 19 : II, p. 303, 17-18).

CONCILE DE VAISON
5 novembre 529

ICI COMMENCE LE SYNODE DE VAISON

Comme, suivant les statuts des canons, un concile des saints pontifes s'était réuni dans le bourg de Vaison, nous avons constaté, en relisant les règles, suivant la coutume des anciens Pères, que, grâce à Dieu, aucun des évêques du Seigneur présents n'avait rien omis ni ne s'était rien permis à l'encontre des décrets spirituels. Nous en avons rendu d'amples grâces à Dieu, puisqu'il a bien voulu accorder à ses serviteurs, selon son habituelle miséricorde, de se réunir en synode par le seul attrait d'une parfaite charité et par l'unique désir de se voir. Et bien que tout ce qui doit être observé par les saints évêques et les clercs soit clairement contenu dans les anciens canons comme dans les nouveaux, afin pourtant que la sainte assemblée ne se séparât pas sans avoir rien décidé, nous avons, sous l'inspiration de Dieu, décrété au moins un petit nombre de mesures qui puisse contribuer au progrès des églises.

1. Il a été trouvé bon que tous les prêtres établis dans les paroisses, conformément à la coutume observée, nous le savons, de façon très salutaire, dans toute l'Italie, accueillent auprès d'eux, dans les maisons où ils résident, des lecteurs encore jeunes, pour autant qu'il s'en trouvera de non mariés, et qu'ils s'emploient, en les éduquant comme de bons pères spirituels, à ce qu'ils apprennent par cœur les psaumes [1], s'appliquent aux divines lectures et s'instruisent dans la loi du Seigneur, à la fois pour se préparer de dignes successeurs et pour recevoir du Seigneur d'éternelles récompenses. Une fois qu'ils auront atteint l'âge adulte, si l'un d'entre eux, en raison de la

litate uxorem habere uoluerit, potestas ei ducendi coniugium non negetur.

2. Hoc etiam pro aedificatione omnium ecclesiarum et
pro utilitate totius populi nobis placuit, ut non solum in
ciuitatibus, sed etiam in omnibus parrociis uerbum
faciendi daremus presbyteris potestatem, ita ut, si presbyter aliqua infirmitate prohibente per se ipsum non
potuerit praedicare, sanctorum patrum homiliae a diaconibus recitentur ; si enim digni sunt diaconi, quod
Christus in euangelio locutus est, legere, quare indigni
iudicentur sanctorum patrum expositiones publice reci-
tare ?

3. Et quia tam in sede apostolica, quam etiam per
totas Orientales atque Italiae prouincias dulcis et nimium
salubris consuetudo est intromissa, ut Quirieleison frequentius cum grandi affectu et conpunctione dicatur,
placuit etiam nobis, ut in ombibus ecclesiis nostris ista
tam sancta consuetudo et ad matutinos et ad missas et
ad uesperam Deo propitio intromittatur. Et in omnibus
missis seu in matutinis seu in quadragensimalibus seu in
illis, quae pro defunctorum commemorationibus fiunt,
semper : *Sanctus, Sanctus, Sanctus* eo ordine, quomodo
ad missas publicas dicitur, dici debeat, quia tam sancta,
tam dulcis et desiderabilis uox, etiam si die noctuque
possit dici, fastidium non poterit generare.

4. Et hoc nobis iustum uisum est, ut nomen domni
papae, quicumque sedi apostolicae praefuerit, in nostris
ecclesiis recitetur.

---

1. Ce canon figure dans la *Vetus Gallica* (28, 1), avec une attribution
erronée à un concile d'Arles.

faiblesse de la chair, veut prendre femme, qu'on ne lui refuse pas de contracter mariage.

2. Nous avons trouvé bon aussi, pour le progrès de toutes les églises et pour l'utilité de tout le peuple, que non seulement dans les cités, mais aussi dans toutes les paroisses, nous permettions aux prêtres de prendre la parole, avec cette précision que si le prêtre, empêché par quelque infirmité, ne pouvait pas prêcher lui-même, les homélies des saints Pères soient lues par les diacres ; si en effet les diacres sont dignes de lire ce que le Christ a dit dans l'évangile, pourquoi les jugerait-on indignes de lire en public les commentaires des saints Pères[1] ?

3. Et puisque, au Siège apostolique aussi bien que par toutes les provinces d'Orient et d'Italie, s'est introduit l'usage agréable et très salutaire de dire à plusieurs reprises, avec beaucoup de ferveur et de componction, le *Kyrie eleison,* il nous a paru bon à nous aussi que dans toutes nos églises un usage si saint soit introduit, avec l'aide de Dieu, à l'office du matin, à la messe et à vêpres. Et qu'à toutes les messes, que ce soit celles du matin, ou celles du Carême, ou celles qui se disent aux mémoires des défunts, on doive dire : *Sanctus, Sanctus, Sanctus,* de la même façon qu'on le dit aux messes solennelles[2], car une parole si sainte, si agréable et désirable, même si on pouvait la dire jour et nuit, ne pourra jamais engendrer la lassitude.

4. Il nous a paru juste aussi que le nom du Seigneur pape qui présidera pour lors au Siège apostolique soit mentionné dans nos églises.

2. Sur la distinction entre ces « messes », cf. É. Griffe, *La Gaule chrétienne à l'époque romaine,* t. III : *La cité chrétienne,* Paris 1965, p. 183-184.

5. Et quia non solum in sede apostolica, sed etiam per totum Orientem et totam Africam uel Italiam propter hereticorum astutiam, qui Dei filium non semper cum patre fuisse, sed a tempore coepisse blasphemant, in omnibus clausulis post *Gloriam : Sicut erat in principio* dicatur, etiam et nos in uniuersis ecclesiis nostris hoc ita dicendum esse decreuimus.

Subscriptiones
ex codicibus CK et L

Caesarius in Christi nomine episcopus cartulam hanc definitionis nostrae relegi et subscripsi. Notaui sub die non. Nouembres, Decio iuniore uiro clarissimo consule.

Contumeliosus ita consensi in omnibus, ut, cum sanctus papa Vrbis suam oblatam dederit, recitemus ante altarium Domini.

Constantius in Christi nomine episcopus relegi consensi et subscripsi.

Cyprianus peccator consensi et subscripsi.

Maximus peccator consensi et subscripsi.

Portianus peccator consensi et subscripsi.

Eocyrius peccator relegi et subscripsi.

Gallicanus peccator relegi et subscripsi.

Prusper peccator consensi et subscripsi.

Heraclius peccator consensi et subscripsi.

Vindimialis peccator consensi et subscripsi.

Aquitanus episcopus subscripsi.

1. On notera la triple mention du « Siège apostolique » : mention au canon du « Seigneur pape » (c. 4), conformité à certains usages liturgiques romains, rejoignant ceux d'Orient (c. 3 et 5).

2. Voir également les anathèmes du IIIe concile de Tolède (mai 589), c. 2 et 8 (HEFELE-LECLERCQ, III[1], p. 223-224).

3. MORIN note (II, p. 87, n. 22) : « Que faut-il comprendre ici par le mot *oblata,* offrande ? Je ne saurais le préciser. Peut-être s'agit-il de l'*eulogie* envoyée par le pontife, suivant l'usage ancien, en signe de communion ecclésiale. »

5. Et puisque non seulement au Siège apostolique[1], mais aussi dans tout l'Orient et toute l'Afrique et l'Italie, en raison de l'artifice des hérétiques qui blasphèment en soutenant que le Fils de Dieu n'a pas été toujours avec le Père, mais qu'il a eu un commencement dans le temps[2], l'on dit dans toutes les conclusions, après le *Gloria : Sicut erat in principio*, nous avons décrété nous aussi qu'il faut le dire de même dans toutes nos églises.

Souscriptions
d'après les manuscrits de Paris (lat. 12097), Cologne et Berlin (Phill. 1745)

Césaire, au nom du Christ, évêque [d'Arles], j'ai relu et souscrit cette cédule de nos décisions. Je l'ai signée le jour des nones de novembre, sous le consulat de Decius le jeune, clarissime.

Contumeliosus [de Riez], j'ai consenti en tout, de telle sorte que, lorsque le saint pape de la Ville aura donné son offrande[3], nous le citions devant l'autel du Seigneur.

Constance, au nom du Christ, évêque [de Gap], j'ai relu, consenti et souscrit.

Cyprien [de Toulon], pécheur, j'ai consenti et souscrit.

Maxime [d'Aix], pécheur, j'ai consenti et souscrit.

Porcianus [de Digne], pécheur, j'ai consenti et souscrit.

Eucherius [d'Avignon], pécheur, j'ai consenti et souscrit.

Gallicanus [d'Embrun], pécheur, j'ai consenti et souscrit.

Prosper [de Vence ?], pécheur, j'ai consenti et souscrit.

Heraclius [de Saint-Paul-Trois-Châteaux], pécheur, j'ai consenti et souscrit.

Vindimialis [d'Orange], pécheur, j'ai consenti et souscrit.

Aquitanus évêque [?], j'ai souscrit.

CONCILE D'ORLÉANS II [1]
(23 juin 533)

Le concile d'Orléans de 533 (Orléans II) fut assemblé par ordre des trois rois fils de Clovis : Thierry Ier, roi de Metz, Childebert Ier, roi de Paris, et Clotaire Ier, roi de Soissons.

Le royaume de Thierry est le moins bien représenté. D'autre part, aucun évêque des provinces du Nord ne participe au concile. Ceux du centre de la Gaule sont les plus nombreux. Le concile réunit cinq métropolitains (Bourges, Tours, Rouen, Eauze, Vienne), vingt-et-un évêques et cinq prêtres représentant des évêques absents. Très peu d'entre eux avaient siégé au concile d'Orléans de 511. Parmi les sièges représentés en 533, neuf l'étaient déjà à Agde en 506, deux à Épaone en 517 et un à Lyon en 518-523 ; par ailleurs, deux le seront à nouveau à Clermont en 535, seize à Orléans en 538 et quinze en 549.

Les vingt-et-un canons promulgués concernent essentiellement des questions disciplinaires et la réforme de certains abus. Ils se préoccupent davantage de la hiérarchie supérieure que ne l'avait fait le premier concile d'Orléans.

Ces canons ont connu une diffusion plus limitée que ceux de 511. Rares sont les collections qui les ont conservés.

1. Cf. HEFELE-LECLERCQ, II^2, p. 1130-1135.

TRANSMISSION : Les canons du concile figurent dans les collections de Saint-Amand et de Beauvais.

DESTINÉE ULTÉRIEURE : L'utilisation des canons de ce concile dans les collections ultérieures a été, elle aussi, limitée. Les c. 9, 10, 11 et 21 ont été repris dans la collection de Bonneval. En revanche, on ne trouve pas trace de ces dispositions, ni dans la *Vetus Gallica,* ni dans l'*Hispana*, ni dans l'*Epitome Hispanico*, ni dans la collection de Novare ; il en va de même de Benoît le Lévite, des collections chartraines et du Décret de Gratien.

CONCILIVM AVRELIANENSE
533. Iun. 23.

INCIPIVNT CANONES AVRILIANENSIVM

Cum ex praeceptione gloriosissimorum regum in Aurilianensem urbem de obseruatione legis catholicae tractaturi Deo auxiliante conuenimus ibique, quid de antiquis regulis, quid de nouis ambiguitatibus pro captu intellegentiae inluminante Domino senserimus, expressimus singillatim, descriptisque constitutionibus, quae Deo propitio in posterum sint obseruanda, ex ueterum canonum auctoritate conscripsimus.

1. Id ergo est constitutum, ut nullus episcoporum, admonente metropolitano episcopo, nisi certa taedii causa detentus, ad concilium uel ordinationem consacerdotis uenire penitus ulla excusatione detractet.

2. Vt metropolitani singulis annis conprouinciales suos ad concilium euocent.

3. Ne quis episcoporum de quibuslibet causis uel episcoporum ordinationibus ceterorumque clericorum aliquid praesumat accipere, quia sacerdotem nefas est cupiditatis uenalitate corrumpi.

1. Voir le c. 40 du concile de Laodicée ; le c. 1 du concile d'Épaone.
2. Voir le c. 71 du concile d'Agde (506). Le c. 5 du concile de Nicée (325) et le c. 20 du concile d'Antioche (341) réclamaient la convocation de 2 conciles par an.

CONCILE D'ORLÉANS
23 juin 533

ICI COMMENCENT LES CANONS D'ORLÉANS

Comme, sur l'ordre des très glorieux rois, nous nous étions réunis, avec l'aide de Dieu, en la ville d'Orléans pour y traiter de l'observance de la loi catholique, et nous avions formulé, pour autant que la lumière du Seigneur nous en donnait l'intelligence, ce que nous pensions, soit des règles anciennes soit des questions nouvelles, nous avons mis par écrit, en des constitutions particulières et distinctes, appuyées sur l'autorité des anciens canons, ce qui doit, avec la faveur de Dieu, être observé à l'avenir.

1. Il a donc été décidé qu'aucun des évêques, après convocation de l'évêque métropolitain, sauf s'il est empêché par un sérieux motif de santé, ne refuse sous absolument aucun prétexte de venir au concile ou à l'ordination d'un coévêque [1].

2. Que les métropolitains, chaque année, convoquent au concile leurs comprovinciaux [2].

3. Qu'aucun des évêques ne se permette de rien recevoir, pour une cause quelconque, ni pour les ordinations des évêques et des autres clercs, car c'est une chose impie qu'un pontife se laisse corrompre par la vénalité et la cupidité [3].

---

3. C'est la 1re fois qu'un concile mérovingien évoque le commerce d'argent auquel se livraient les candidats à l'épiscopat ; la question sera reprise au concile de Clermont en 535 dans le c. 2 (voir *infra*, avec la note *ad loc.*).

4. Si quis sacerdotium per pecuniae nundinum execrabili ambitione quaesierit, abiciatur ut reprobus, quia apostolica sententia donum Dei esse praecipit pecuniae trutina minime comparandum [a].

5. Nullus episcopus ad sepeliendum episcopum uenire conficta occasione dissimulet, ne cuiuslibet corpusculum diutius inhumatum neglegentia interueniente soluatur. Is uero episcopus, qui defunctum aduenerit sepelire, praeter expensam necessariam nihil pretii pro fatigatione deposcat.

6. Vt episcopus, qui ad sepeliendum episcopum uenerit, euocatis presbyteris in unum, domum ecclesiae adeat descriptamque idoneis personis custodiendam sub integra diligentia derelinquat, ut res ecclesiae ullorum improbitate non pereant.

7. In ordinandis metropolitanis episcopis antiquam institutionis formulam renouamus, quam per incuriam omnimodis uidemus amissam. Itaque metropolitanus episcopus a conprouincialibus, clericis uel populis electus, congregatis in unum omnibus conprouincialibus episcopis, ordinetur, ut talis Deo propitio ad gradum huius dignitatis accedat, per quem regula ecclesiae in melius aucta plus floreat.

8. Si quis diaconus in captiuitate redactus uxori fuerit copulatus, reuersus ab officii omnino ministerio remouen-

a. Cf. Act. 8, 20

---

1. On ne retrouve les expressions *pecuniae nundinum* et *pecuniae trutina* dans aucun autre concile mérovingien (cf. KÖBLER, *Wörterverzeichnis zu den Concilia aevi merovingici*).

2. Il s'agit de la maison épiscopale.

3. Cf. LÉON LE GRAND, *Ep.* 14, 6 (*PL* 54, col. 673), à Anastase, évêque de Thessalonique.

4. Si quelqu'un, par une ambition exécrable, est parvenu au sacerdoce grâce à un trafic d'argent, qu'il soit déposé comme réprouvé, car la sentence de l'apôtre prescrit que le don de Dieu ne doit absolument pas être acquis au poids de l'argent[a][1].

5. Qu'aucun évêque ne tarde, sous un prétexte feint, de venir à la sépulture d'un évêque, afin qu'un cadavre trop longtemps sans sépulture ne se décompose par suite de cette négligence. Et que l'évêque qui vient ensevelir le défunt ne réclame aucun salaire pour sa peine en plus de ce qu'il a dû dépenser.

6. Que l'évêque qui est venu pour la sépulture d'un évêque, après avoir convoqué ensemble les prêtres, se rende à la maison de l'église[2], en fasse l'inventaire et la confie à la garde très vigilante de personnes capables, afin que les biens de l'église ne se perdent pas par la faute de gens malhonnêtes.

7. Pour l'ordination des évêques métropolitains, nous renouvelons l'ancienne formule d'institution, que nous voyons tout à fait tombée en désuétude par suite de l'incurie. Ainsi, que l'évêque métropolitain, élu par les comprovinciaux, les clercs et le peuple, soit ordonné après réunion de tous les évêques comprovinciaux[3], afin qu'avec l'aide de Dieu accède au degré de cette dignité quelqu'un qui soit capable d'améliorer et de faire fleurir la discipline ecclésiastique[4].

8. Si un diacre, réduit en captivité, s'est marié, il faut, à son retour, l'écarter de tout exercice de son office. Il

4. Cf. GAUDEMET, *Élections*, p. 50. Ce canon est la première disposition de la législation conciliaire concernant les élections en Gaule.

dus est. Cui sufficere debet pro actus sui leuitate impleta
poenitentia pro satisfactione communio.

9. Nullus presbyterorum sine permissione episcopi sui
cum saecularibus habitare praesumat. Qui si fecerit, ab
officii communione pellatur.

10. Nullus nouercae suae, id est uxori patris sui, ulla
copulatione iungatur. Quod si qui praesumpserit, nouerit
se anathema supplicio feriendum.

11. Contracta matrimonia accedente infirmitate nulla
uoluntatis contrarietate soluantur. Quod si qui ex coniugibus fecerint, nouerint se communione priuandos.

12. Ne quis in ecclesia uotum suum cantando, bibendo
uel lasciuiendo dissoluat, quia Deus talibus uotis inritatur
potius quam placetur.

13. Abbates, martyrarii, reclusi uel presbyteri apostolia
dare non praesumant.

14. Clerici, qui officium suum implere despiciunt aut
uice sua ad ecclesiam uenire detractant, loci sui dignitate
priuentur.

---

1. Le c. 9 figure dans le ms. de Bonneval 18, 13.

2. Seul exemple de l'expression *communio officii*. « Le texte veut
dire qu'un tel prêtre ne doit pas, à la vérité, être exclu de l'Église, mais
simplement suspendu de l'exercice de ses fonctions sacerdotales, qu'il ne
devra plus remplir » (HEFELE-LECLERCQ, II[2], p. 1134, n. 4).

3. Voir le c. 30 du concile d'Épaone et le c. 18 du concile d'Orléans
I. — Le c. 10 figure dans le ms. de Bonneval 14, 24.

4. Cette disposition existait déjà en droit romain : voir l'interprétation du Bréviaire d'Alaric (*Sent. Pauli* II, 20, 4).

devra, une fois accomplie une pénitence satisfactoire pour la légèreté de sa conduite, se contenter de la communion.

9. Qu'aucun des prêtres ne se permette d'habiter avec des séculiers sans la permission de l'évêque[1]. Que celui qui le ferait soit exclu de la participation à son office[2].

10. Que personne ne contracte aucune union avec sa belle-mère, c'est-à-dire l'épouse de son père. Que celui qui se le permettrait sache qu'il sera frappé du châtiment de l'anathème[3].

11. Que les mariages contractés ne soient, au cas où survient la maladie, dissous par aucune volonté contraire[4]. Que ceux des conjoints qui le feraient sachent qu'ils seront privés de la communion[5].

12. Que personne ne s'acquitte de son vœu à l'église en chantant, buvant et s'amusant, car Dieu est plutôt irrité qu'apaisé par de tels vœux.

13. Que les abbés, les gardiens de reliques, les reclus ou les prêtres ne se permettent pas de donner des lettres de recommandation[6].

14. Que les clercs qui négligent de s'acquitter de leur office ou refusent de venir à l'église à leur tour soient privés de la dignité de leur rang.

---

5. Le c. 11 figure dans le ms. de Bonneval 14, 25.

6. *Apostolia* : plutôt que de « lettres de paix » (HEFELE-LECLERCQ, II[2], p. 1134), il s'agit de « lettres de recommandation » pour qui se rend dans un autre diocèse (BLAISE, seul exemple). Cf. *epistolia* figurant au c. 6 du concile de Tours de 567, et la traduction de NIERMEYER.

15. Oblationem defunctorum, qui in aliquo crimine fuerint interempti, recipi debere censuimus, si tamen non sibi ipsi mortem probentur propriis manibus intulisse.

16. Presbyter uel diaconus sine litteris uel si baptizandi ordinem nesciret nullatenus ordinetur.

17. Feminae, quae benedictionem diaconatus hactenus contra interdicta canonum acceperunt, si ad coniugium probantur iterum deuolutae, a communione pellantur. Quod si huiusmodi contubernium admonitae ab episcopo cognito errore dissoluerint, in communionis gratia acta paenitentia reuertantur.

18. Placuit etiam, ut nulli postmodum feminae diaconalis benedictio pro conditionis huius fragilitate credatur.

19. Placuit, ut nullus christianus iudeam neque iudeus christianam in matrimonio ducat uxorem, quia inter huiusmodi personas illicitas nuptias esse censuimus. Qui si commoniti a consortio hoc se separare distulerint, a communionis sunt gratia sine dubio submouendi.

20. Catholici qui ad idolorum cultum non custodita ad integrum accepti baptismi gratia reuertuntur, uel qui cibis idolorum cultibus immolatis gustu inlicitae praesumptionis utuntur, ab ecclesiae coetibus arceantur ; similiter et hi, qui bestiarum morsibus extincta uel quolibet morbo aut casu suffocata uescuntur.

---

1. Le c. 21 du concile d'Épaone avait déjà interdit ces bénédictions ; comme celles-ci ne sont plus reconnues, on comprend que les diaconesses aient prétendu retourner à leur état antérieur.

2. Une constitution de Théodose 1er, en 388, édictait la même interdiction (*C.J.* 1, 9, 6).

3. Voir le c. 21 du concile d'Épaone.

15. Nous avons jugé qu'il fallait accepter l'oblation pour les défunts qui ont été tués tandis qu'ils commettaient un crime, à condition toutefois qu'on soit sûr qu'ils ne se sont pas eux-mêmes donné la mort de leurs propres mains.

16. Qu'en aucun cas l'on n'ordonne un prêtre ou un diacre illettré ou ignorant le rite du baptême.

17. Que les femmes qui jusqu'à ce jour ont reçu, malgré les interdictions des canons, la bénédiction du diaconat, si l'on constate qu'elles sont retournées à la vie conjugale, soient exclues de la communion [1]. Au cas où, averties par l'évêque et reconnaissant leur erreur, elles rompent pareille cohabitation, qu'elles reviennent à la grâce de la communion, après avoir fait pénitence.

18. Il a été décidé aussi que dorénavant la bénédiction diaconale ne serait conférée à aucune femme, vu la fragilité de leur condition.

19. Il a été décidé qu'aucun chrétien n'épouse une femme juive, ni aucun juif une chrétienne, car nous avons jugé que les noces sont illicites entre de telles personnes [2]. Ceux qui, après avertissement, omettraient de rompre pareille union doivent sans hésitation être écartés de la grâce de la communion [3].

20. Que les catholiques qui, ne gardant pas intacte la grâce du baptême reçu, retournent au culte des idoles, ou ceux qui, se plaisant à enfreindre un interdit, usent d'aliments immolés au culte des idoles, soient exclus des assemblées de l'église ; de même ceux qui consomment des animaux morts sous la dent des bêtes ou étouffés par quelque maladie ou accident.

21. Abbates qui episcoporum praecepta despiciunt, ad communionem nec penitus admittantur, nisi contumaciam suscepta humilitate deponant.

Sane si qui post hanc diligentissimam sanctionem non obseruauerint quae sunt superius conprehensa, reos se diuinitatis pariter et fraternitatis iudicio futuros esse cognoscant.

Honoratus in Christi nomine episcopus subscripsit sub die VIIII. kal. Iulias, anno XXII. domni Childeberti regis.

Leuntius episcopus subscripsit.
Aspasius episcopus subscripsit.
Eleutherius episcopus subscripsit.
Inportunus episcopus subscripsit.
Chronopius episcopus subscripsit.
Iniuriosus episcopus subscripsit.
Lupicinus episcopus subscripsit.
Elafius episcopus subscripsit.
Agripinus episcopus subscripsit.
Etherius episcopus subscripsit.
Eumerius episcopus subscripsit.
Calistus episcopus subscripsit.
Emelius episcopus subscripsit.
Marcus episcopus subscripsit.
Sustracius episcopus subscripsit.
Perpetuus episcopus subscripsit.
Eusebius episcopus subscripsit.
Presidius episcopus subscripsit.
Passiuus episcopus subscripsit.
Proculianus episcopus subscripsit.
Clarentius episcopus subscripsit.
Iulianus episcopus subscripsit.
Innocentius episcopus subscripsit.

1. Voir le c. 19 du concile d'Orléans I et le c. 19 du concile d'Épaone. — Ce c. 21 figure dans le ms. de Bonneval 23, 16.

21. Que les abbés qui méprisent les prescriptions des évêques ne soient absolument pas admis à la communion, à moins qu'ils ne renoncent à leur entêtement et reviennent à l'humilité.

Assurément, si certains, après une ratification aussi diligente, n'observaient pas les points contenus ci-dessus, qu'ils sachent qu'ils se rendront coupables au jugement de Dieu aussi bien qu'à celui de leurs frères [1].

Honorat, au nom du Christ, évêque [de Bourges], a souscrit le 8e jour des calendes de juillet, la 22e année de monseigneur le roi Childebert.

Léonce évêque [d'Orléans], a souscrit.

Aspasius, évêque [d'Eauze], a souscrit.

Éleuthère, évêque [d'Auxerre], a souscrit.

Importunus, évêque [?], a souscrit.

Cronopius, évêque [de Périgueux], a souscrit.

Injuriosus, évêque [de Tours], a souscrit.

Lupicin, évêque [d'Angoulême], a souscrit.

Elafius, évêque [de Rouen], a souscrit.

Agripinus, évêque [d'Autun], a souscrit.

Etherius, évêque [de Chartres], a souscrit.

Eumerius, évêque [de Nantes], a souscrit.

Caliste, évêque [?], a souscrit.

Emelius, évêque [de Paris], a souscrit.

Marc, évêque [?], a souscrit.

Sustracius, évêque [de Cahors], a souscrit.

Perpetuus, évêque [d'Avranches], a souscrit.

Eusèbe, évêque [de Saintes], a souscrit.

Presidius, évêque [de Comminges], a souscrit.

Passivus, évêque [de Séez], a souscrit.

Proculianus, évêque [d'Auch], a souscrit.

Clarentius, évêque [?], a souscrit.

Julien, évêque [de Vienne], a souscrit.

Innocent, évêque [du Mans], a souscrit.

Marcellus episcopus subscripsit.

Lauto episcopus subscripsit.

Orbatus presbiter pro Leone episcopo subscripsit.

Asclipius presbiter pro Adelfio episcopo subscripsit.

Laurentius presbiter pro Gallo episcopo subscripsit.

Eledius presbiter pro Sabastio episcopo subscripsit.

Prosedonius presbiter pro Artemio episcopo subscripsit.

Marcel, évêque [d'Aire ?], a souscrit.

Lauto, évêque [de Coutances], a souscrit.

Orbatus, prêtre, a souscrit pour Léon, évêque [de Sens].

Asclepius, prêtre, a souscrit pour Adelfius, évêque [de Poitiers].

Laurent, prêtre, a souscrit pour Gallus, évêque [de Clermont].

Eledius, prêtre, a souscrit pour Sabastius, évêque [?].

Prosedonius, prêtre, a souscrit pour Artemius, évêque [?].

CONCILE DE CLERMONT [1]
(8 novembre 535)

Avec le consentement du roi Théodebert Ier, quinze évêques s'assemblèrent à Clermont, sous la présidence d'Honorat, archevêque de Bourges, qui avait déjà présidé le second concile d'Orléans, en 533. A ce concile assistèrent des évêques du Nord et de l'Est que l'on n'avait pas encore rencontrés à d'autres conciles francs : ceux de Reims, Châlons, Metz, Verdun, Tongres. Vinrent aussi des évêques de territoires nouvellement conquis par les Francs, ceux de Rodez, Javols, Langres, Avenches et Viviers.

Les seize canons promulgués sont suivis d'une lettre au roi Théodebert dans laquelle les évêques le supplient de veiller à ce que tout clerc puisse jouir paisiblement des biens qu'il possède, soit dans ce royaume, soit sur le territoire soumis à d'autres rois. Cette demande est suscitée par des plaintes consécutives au partage du royaume de Clovis entre ses quatre fils.

Les seize canons disciplinaires rappellent essentiellement des dispositions antérieures ; les Pères se préoccupent de sujets aussi variés que les élections épiscopales (c. 2), l'ordination des clercs (c. 11), les oratoires privés (c. 15), la continence des clercs (c. 13), le patrimoine ecclésiastique (c. 5 et 14), les unions incestueuses (c. 12), les mariages entre juifs et chrétiens (c. 6), ou l'utilisation des linges liturgiques (c. 3, 7 et 8).

1. Cf. CEILLIER, XI, p. 849 ; HEFELE-LECLERCQ, II^2, p. 1139 ; DE CLERCQ, *Législation*, p. 17.

TRANSMISSION : Les canons du concile de Clermont sont repris dans de nombreuses collections : Corbie, Lyon, Lorsch, Pithou, Saint-Maur.

DESTINÉE ULTÉRIEURE : Ce concile a parfois été utilisé dans les collections canoniques ultérieures. S'il ne laisse aucune trace dans la collection de Novare, dans l'*Epitome Hispanico, l'Hispana* systématique, il est repris dans l'*Hispana Toletana, l'Hispana Vulgata* et la collection de Bourgogne. On trouve en outre 1 canon (c. 12) dans la collection de Bonneval ; 3 canons (c. 3, 8, 12) figurent dans la *Vetus Gallica* ; 4 (c. 1, 5, 10, 14) chez Benoît le Lévite ; 6 (c. 1, 5, 7, 8, 14, 15) sont dans le Décret d'Yves de Chartres, et on retrouve également les c. 6 et 8 chez Gratien, le 8e figurant de plus dans de nombreuses collections intermédiaires.

CONCILIVM CLAROMONTANVM
SEV ARVERNENSE
535. Nou. 8.

INCIPIVNT STATVTA DEO PROPITIO
SYNODVS INFRA SCRIPTA
AD ECCLESIAM *ARVERNAM*
SVB DIE VI ID. NOVEMBRIS
POST CONSVLATVM PAVLINI IVNIORIS

Cum in nomine Domini congregante sancto Spiritu, consentiente domno nostro gloriosissimo piissimoue regi Theudebertho in Aruerna urbe sancta synodus conuenisset, ibique flexis in terram genibus pro regno eius, pro longaeuitate, pro populo Dominum deprecaremur, ut, qui nobis congregationis tribuerat potestatem, regnum eius Dominus noster felicitate attolleret, imperio regeret, iustitia gubernaret, in ecclesia consedentes ex more inspectisque canonibus id nobis rationabile uisum est, ut, quamuis eclesiasticae regulae paene omnia comprehendant, tamen quaedam uel adderentur noua uel repeterentur antiqua.

1. In primis placuit, ut, quotiens secundum statuta patrum sancta synodus congregatur, nullus episcoporum aliquam prius causam suggerere audeat, quam ea, quae ad emendationem uitae, ad seueritatem regulae, ad animae remedia pertinent, finiantur.

1. Ce qui précède est repris presque littéralement du prologue du concile d'Agde de 506.
2. Le c. 1 figure dans : Benoît le Lévite III, 264 et 408 (ces 2 passages ne se copient pas l'un sur l'autre ; ils viennent probablement d'une collection dérivée du ms. de Corbie) ; Yves de Chartres, Décret V, 168.

CONCILE DE CLERMONT
OU D'AUVERGNE
8 novembre 535

ICI COMMENCENT,
AVEC LA FAVEUR DE DIEU,
LES STATUTS CI-DESSOUS TRANSCRITS
DU SYNODE
TENU EN L'ÉGLISE D'*ARVERNA*
LE VI. DES IDES DE NOVEMBRE
APRÈS LE CONSULAT DE PAULIN LE JEUNE

Comme le saint synode s'était réuni au nom du Seigneur, assemblé par le Saint Esprit, avec le consentement de notre très glorieux et très religieux Seigneur le roi Théodebert, en la ville d'*Arverna*, et que, genoux en terre, nous priions le Seigneur pour son règne, pour sa longévité, pour son peuple — il avait donné la possibilité de nous réunir : que le Seigneur exaltât son règne avec bonheur, le régît avec autorité, le gouvernât avec justice —, tandis que nous siègions dans l'église suivant l'usage [1] et que nous examinions les canons, il nous paru raisonnable, bien que ces canons renferment presque tous les points de la règle ecclésiastique, d'en ajouter quelques nouveaux et d'en réitérer d'anciens.

1. En premier lieu, il a été décidé que, chaque fois que, selon les statuts des Pères, le saint synode se réunit, aucun des évêques ne se permette de soumettre un litige avant que soient épuisé ce qui tend à la réforme de la vie, la rigueur de la règle, les remèdes de l'âme [2].

2. Placuit etiam, ut sacrum quis pontificii honorem non uotis quaerat, sed meritis, nec diuinum uideatur munus rebus comparare, sed moribus, atque eminentissimae dignitatis apicem electione conscendat omnium, non fauore paucorum. Sit in elegendis sacerdotibus cura praecipua, quia inreprehensibiles esse conuenit[a], quos praeesse necesse est corrigendis ; diligenter quisque inspiciat pretium dominici gregis, ut sciat, quod meritum constituendi deceat esse pastoris. Episcopatum ergo desiderans[a] electione clericorum uel ciuium, consensu etiam metropolitani eiusdem prouinciae pontifex ordinetur ; non patrocinia potentum adhibeat, non calliditate subdola ad conscribendum decretum alios hortetur praemiis, alios timore conpellat. Quod si quis fecerit, ecclesiae, cui indigne praeesse cupit, communione priuabitur.

3. Obseruandum, ne pallis uel ministeriis diuinis defunctorum corpuscula obuoluantur.

4. Ne a potentibus saeculi clerici contra episcopos suos ullo modo erigantur.

5. Qui reiculam ecclesiae petunt a regibus et horrendae cupiditatis impulsu egentium substantiam rapiunt, inrita habeantur, quae obtinent, et a communione ecclesiae, cuius facultatem auferre cupiunt, excludantur.

a. Cf. I Tim. 3, 1-2

1. Ces interdictions proviennent d'une lettre du pape Symmaque de 513 : cf. GAUDEMET, *Élections,* p. 51, n. 6.

2. Voir le c. 12 du concile d'Auxerre. — le c. 3 figure dans la *Vetus Gallica* 59, 1.

3. Le c. 5 figure dans : Benoît le Lévite III, 265 et 409 (les termes sont identiques dans les 2 passages, et ce sont les mêmes que ceux du ms. de Corbie) ; Yves de Chartres, Décret XVI, 37.

2. Il a été décidé aussi que personne ne doit rechercher l'honneur sacré du pontificat par ses vœux, mais bien par ses mérites, qu'on ne doit pas de voir acquérir le don divin grâce à ses ressources mais grâce à ses qualités, et qu'on doit monter au faîte de la plus éminente dignité par l'élection de tous, non par la faveur de quelques-uns. Qu'un soin tout particulier préside à l'élection des évêques, car il convient que soit irrépréhensible[a] celui qui doit présider à la correction d'autrui. Que l'on estime avec soin le prix du troupeau du Seigneur, afin de savoir quel mérite convient à qui doit en être établi pasteur. Que celui qui désire l'épiscopat[a] soit ordonné pontife après l'élection des clercs et des habitants de la cité et avec le consentement du métropolitain de cette province. Qu'il ne recourre pas au patronage des puissants ; qu'il n'aille pas, par une astucieuse habileté, encourager les uns par des présents à rédiger le décret de son élection, y forcer les autres par la crainte[1]. Si quelqu'un agit ainsi, il sera privé de la communion de l'Église à laquelle il convoite de présider indignement.

3. On veillera à ce que les cadavres des défunts ne soient pas enveloppés avec des nappes ou autres linges sacrés[2].

4. Que les clercs ne soient en aucune façon soutenus par les puissants de ce monde face à leurs évêques.

5. Si des gens sollicitent de la part des rois le moindre bien d'Église et, poussés par une détestable cupidité, ravissent les ressources des indigents, que l'on tienne pour nul ce qu'ils obtiennent, et qu'ils soient exclus de la communion de l'Église dont ils convoitent de ravir les ressources[3].

6. Si qui iudaicae prauitati iugali societate coniungitur et seu christiano iudaea siue iudaeo christiana mulier consortio carnali miscetur, quique horum tantum nefas admisisse dinoscitur a christianorum coetu atque conuiuio et a communione ecclesiae, cuius sociatur hostibus, segregetur.

7. Ne opertorio dominici corporis sacerdotis unquam corpus, dum ad tumulum euehitur, obtegatur et sacro uelamine usibus suis reddito, dum honorantur corpora, altaria polluantur.

8. Ne ad nuptiarum ornatum ministeria diuina praestentur et, dum improborum tactu uel pompa saecularis luxuriae polluuntur, ad officia sacri mysterii uideantur indigna.

9. Ne iudaei christianis populis iudices praeponantur.

10. Ne parrochias cuiuslibet episcopi alterius ciuitatis episcopus canonum temerator inuadat et uesanae cupiditatis facibus inflammatus suisque admodum non contentus rapiat aliena.

11. Nullus episcopus alterius clericum contra uoluntatem episcopi sui suscipere audeat aut sacerdotio prorogare.

1. Voir le c. 19 du concile d'Orléans II. — Le c. 6 figure dans le Décret de Gratien, Causa 28, q. 1, c. 17.

2. Le c. 7 figure chez Yves de Chartres, Décret II, 142.

3. Le c. 8 figure dans : *Vetus Gallica* 59, 2 ; Burchard de Worms III, 108 ; Yves de Chartres, Décret II, 143, Panormie I, 162 ; Coll. en treize livres IV ; 184 ; *Polycarpus* III, 24, 6 ; Décret de Gratien, Dist. 1 *de consecratione*, c. 43.

6. Si quelqu'un, du fait d'une union conjugale, s'associe à l'erreur judaïque, soit qu'une juive et un chrétien, soit qu'une chrétienne et un juif aient des rapports charnels, que chacun de ceux qui sont reconnus avoir accepté pareille infamie soit exclu de l'assemblée et de la table des chrétiens et de la communion de l'Église, aux ennemis de laquelle il s'est associé [1].

7. Que jamais le corps d'un évêque, lorsqu'il est conduit au tombeau, ne soit recouvert du voile qui sert pour le Corps du Seigneur, et qu'ainsi, le voile sacré une fois rendu à son usage, en honorant les corps on souille les autels [2].

8. Que l'on ne prête pas pour orner les noces les objets du culte divin, et qu'ainsi, étant souillés par le contact de gens vicieux et par le faste d'un luxe mondain, ils apparaissent indignes de servir au saint mystère [3].

9. Que des juifs ne soient pas établis comme juges sur une population chrétienne.

10. Que l'évêque d'une cité ne s'empare pas, en attentant aux canons, des paroisses de quelque autre évêque, et que, enflammé des tisons d'une folle cupidité et non content encore de ce qui est à lui, il ne ravisse pas ce qui est à autrui [4].

11. Qu'aucun évêque ne se permette de recevoir ni de promouvoir au sacerdoce le clerc d'un autre évêque contre la volonté de celui-ci.

---

4. Voir le c. 5 du concile d'Épaone — le c. 10 figure chez Benoît le Lévite III, 266 et 410.

12. Si quis relictam fratris, sororem uxoris, priuignam, consobrinam sobrinamue, relictam idem patrui atque auunculi carnalis contagii crediderit consortio uiolandam et ausu sacrilego auctoritatem diuinae legis ac iura naturae perruperit et, cui caritatis ac pii affectus solacia exhibere debuerat, suorum hostis ac pudicitiae expugnator uim inferre temptauerit, apostolicae constitutionis sententia feriatur [b] et, quamdiu in tanto uersatur scelere, a christiano coetu atque conuiuio uel ecclesiae matris communione priuabitur.

13. Cum presbyteri atque diaconi sublimi dignitatis apice prorogantur, actibus omnino renuntient saeculi et ad sacrum electi mysterium repudient carnale consortium ac permixtionis pristinae contubernium permutent germanitatis affectu ; et, quisquis ille est, presbyter atque diaconus, diuino munere benedictione percepta uxoris prius suae frater ilico efficiatur ex coniuge. Quosdam repperimus ardore libidinis inflammatos abiecto militiae cingulo uomitum pristinum [c] et inhibita rursus coniugia repetisse atque incesti quodammodo crimine clarum decus sacerdotii uiolasse, quod nati etiam filii prodiderunt. Quod quisque fecisse dignoscetur, omni in perpetuum, quam admisso iam crimine perdidit, dignitate priuabitur.

b. Cf. I Cor. 5, 5.9
c. Cf. II Pierre 2, 22 (= Prov. 26, 11)

1. Ces unions étaient déjà prohibées par le c. 30 du concile d'Épaone, sauf celle avec la belle-mère, interdite, elle, par le c. 10 du concile d'Orléans II.

2. Ce canon est entièrement cité par le concile de Tours (c. 22). — Il figure dans le ms. de Bonneval 14, 41 ; le début figure aussi dans la *Vetus Gallica* 49, 6.

3. *Cingulum militiae* : sur cette image militaire appliquée à la cléricature ou à la vie religieuse, voir les exemples donnés par BLAISE.

12. Si quelqu'un se permet de violer par le lien d'une souillure charnelle la veuve de son frère, la sœur de sa femme, sa belle-fille, sa cousine germaine ou issue de germaine, ainsi que la veuve de son oncle paternel ou maternel[1], s'il enfreint ainsi par une audace sacrilège l'autorité de la loi divine et le droit de la nature, et s'il se risque à faire violence à celle à qui il aurait dû témoigner les attentions de la charité et d'une tendre affection, en ennemi des siens et violateur de la pudeur, qu'il soit frappé de la sentence du décret de l'Apôtre[b] et privé, aussi longtemps qu'il vit dans un tel forfait, de l'assemblée et de la table des chrétiens et de la communion de notre mère l'Église[2].

13. Que prêtres et diacres, lorsqu'ils sont promus au faîte de cette haute dignité, renoncent entièrement aux actions séculières ; que, choisis pour le saint mystère, ils rejettent l'union charnelle et échangent le commerce de leurs relations antérieures contre une affection fraternelle ; et que, quel qu'il soit, le prêtre et le diacre, une fois reçue la bénédiction par un don divin, devienne aussitôt, d'époux qu'il était, le frère de celle qui était auparavant sa femme. Nous avons eu connaissance de ce que certains, enflammés du feu du désir, rejetant le ceinturon de leur milice[3], sont revenus à leur ancien vomissement[c] et à la vie conjugale reprise à nouveau, et qu'ils ont souillé le pur honneur du sacerdoce par le crime d'inceste en quelque sorte, ce qu'ont rendu manifeste les fils qui leur sont nés. Quiconque est reconnu l'avoir fait sera privé à jamais de toute dignité que déjà il a perdue en commettant ce crime[4].

4. Cf. M. DORTEL-CLAUDOT, « Le prêtre et le mariage. Évolution de la législation canonique des origines au XIIe siècle », *Année canonique* 17, 1973 (*Mélanges Andrieu-Guitrancourt*), p. 319-344.

14. Si quis cuiuscumque munuscula qualibet sanctis scriptura conlata nefaria calliditate fraudauerit, inuaserit, retentauerit atque supresserit et non statim a sacerdote commonitus Deo conlata reddiderit, ab ecclesiae catholicae communione pellatur.

15. Si quis presbyter atque diaconus, qui neque in ciuitate neque in parrochiis canonicus esse dinoscitur, sed in uillulis habitans, in oratoriis officio sancto deseruiens celebrat diuina mysteria, festiuitates praecipuas : Domini natale, pascha, pentecosten et si quae principales festiuitates sunt reliquae, nullatenus alibi nisi cum episcopo suo in ciuitate teneat. Quicumque etiam sunt ciues natu maiores, pari modo in urbibus ad pontifices suos in praedictis festiuitatibus ueniant. Quod si qui inproba temeritate contempserint, hisdem festiuitatibus, in quibus in ciuitate adesse despiciunt, communione pellantur.

16. Episcopus, presbyter atque diaconus ita sanctae conscientiae luce resplendeant, ut effugiant probitate actuum maledicorum obloquia et testimonium in se diuinum inplere contendant, quod Dominus ait : « Sic luceat lumen uestrum coram hominibus, ut uidentes uestra bona opera glorificent Patrem uestrum, qui est in caelis[d]. » Igitur auctoritate canonica atque mansura in aeuum

d. Matth. 5, 16

———————

1. Le c. 14 figure dans : Benoît le Lévite II, 134, III, 267 et 411 (ces 3 textes sont identiques, mais ne sont pas directement empruntés au ms. de Corbie) ; Yves de Chartres, Décret XIV, 94.

2. Sur le terme de *canonici clerici*, cf. R. SCHIEFFER, *Entstehung von Domkapitel in Deutschland*, Bonn 1976, p. 100 et 106 ; étudiant les conciles et les sources littéraires, l'auteur conclut que ces clercs avaient déjà sans doute une communauté de vie et un service liturgique spécial, et peut-être même un rôle prépondérant dans l'élection épiscopale, mais

14. Si quelqu'un, par une manœuvre impie, dérobe, saisit, retient et détruit les offrandes de qui que ce soit faites aux saints par acte écrit, et si, averti par l'évêque, il ne restitue pas aussitôt à Dieu ces offrandes, qu'il soit écarté de la communion de l'Église catholique [1].

15. Si un prêtre ou un diacre n'a pas de poste canonique [2], soit dans la cité, soit dans une paroisse, mais qu'il réside dans un domaine et dessert un oratoire où il célèbre les mystères divins, il ne doit passer les fêtes principales, Noël, Pâques, Pentecôte, et les autres fêtes majeures qu'il peut y avoir, nulle part ailleurs qu'avec son évêque dans la cité. Qu'aussi, tous les habitants de la cité qui sont de plus haute naissance viennent en ville se joindre à leurs pontifes pour les dites fêtes [3]. Si certains, par une coupable témérité, méprisent cette règle, qu'il soient, durant ces mêmes fêtes où ils dédaignent de venir à la cité, écartés de la communion [4].

16. Que l'évêque, le prêtre et le diacre reluisent si bien de l'éclat de la sainteté intérieure qu'ils puissent échapper par l'honnêteté de leurs actions aux accusations des médisants, et qu'ils s'efforcent de réaliser en eux-mêmes l'attestation divine, où le Seigneur dit : « Que votre lumière reluise si bien devant les hommes qu'en voyant vos bonnes actions il glorifient votre Père qui est aux cieux [d]. » Aussi, par l'autorité canonique et une constitution qui demeurera à jamais, nous décrétons que tous

---

non dans les conciles gaulois du VIe siècle : c. 12 du concile d'Orléans III et c. 20 du concile de Tours. DE CLERCQ, *Législation,* p.18-19 et 41, considère pour sa part qu'il s'agit de clercs particulièrement attachés à leur église.

3. Sur cette obligation faite aux plus honorables des « citoyens », voir le c. 35 du concile d'Épaone et le c. 3 du concile d'Orléans IV.

4. Le c. 15 figure chez Yves de Chartres, Décret VI, 306.

constitutione sancimus, ut fugiatur his extranearum mulierum culpanda libertas et tantum cum auia, matre, sorore uel nepte, si necessitas tulerit, habitent ; de quibus nominibus, ut priorum canonum series continet, nefas est aliud, quam natura constituit, suspicari. In cubiculo etiam horum atque cellario uel familiari quolibet seruitio neque sanctimonialis ulla neque extranea mulier neque ancilla ullo modo admittatur. Quod si quis praeceptorum Dei inmemor crediderit contemnendum, sciat se auctoritate canonica conmunionis sine dubio subire iacturam. Quod si antistes culpam hanc distringere in presbytero atque diacono suo canonico rigore noluerit, ipse seueritate sententiae feriatur.

Subscriptiones
ex codice C

Honoratus in Christi nomine episcopus constitutionem nostram relegi et subscripsi.

Gallus in Christi nomine episcopus consensi et subscripsi.

Gregorius in Christo episcopus consensi et subscripsi.

Hilarius in Christi nomine episcopus consensi et subscripsi.

Ruricius in Christi nomine episcopus consensi et subscripsi.

Flauius Deo propitio episcopus consensi et subscripsi.

Nicetius Deo propitio episcopus consensi et subscripsi.

Deuterius in Christi nomine episcopus consensi et subscripsi.

---

1. DE CLERCQ, *Législation*, p. 19, renvoie notamment au « II*e* concile d'Arles », c. 3 et 4.

2. *Canonicus* : cf. ci-dessus, p. 218, n. 2.

fuient la liberté coupable vis-à-vis des femmes du dehors, et qu'ils habitent seulement avec une grand-mère, une mère, une sœur ou une nièce, s'il y a nécessité ; s'agissant de telles parentés, comme le disent les canons anciens successifs [1], il serait infâme de soupçonner d'autres liens que ceux établis par la nature. Que dans leur chambre, leur cellier ou n'importe quel office domestique ne soit aucunement admise nulle religieuse, ni femme du dehors ni servante. Si l'un d'eux, oublieux des préceptes de Dieu, osait mépriser cette règle, qu'il sache que, par l'autorité canonique, il subira sans aucun doute le rejet de la communion. Si un prélat se refuse à sanctionner sévèrement cette faute chez un prêtre ou un diacre attaché canoniquement à lui [2], qu'il soit lui-même frappé par la sévérité de la sentence.

Souscriptions
d'après le manuscrit de Paris (lat. 12097)

Honorat, au nom du Christ, évêque [de Bourges], j'ai relu notre constitution et souscrit.

Gallus, au nom du Christ, 'évêque [d'*Arverna*], j'ai consenti et souscrit.

Grégoire, dans le Christ, évêque [de Langres], j'ai consenti et souscrit.

Hilaire, au nom du Christ, évêque [de Javols], j'ai consenti et souscrit.

Ruricius, au nom du Christ, évêque [de Limoges], j'ai consenti et souscrit.

Flavius, grâce à Dieu, évêque [de Reims], j'ai consenti et souscrit.

Nicet, grâce à Dieu, évêque [de Trèves], j'ai consenti et souscrit.

Deuterius, au nom du Christ, évêque [de Lodève], j'ai consenti et souscrit.

Dalmatius in Deo episcopus consensi et subscripsi.
Lupus in Christo episcopus consensi et subscripsi.
Domitianus episcopus consensi et subscripsi.
Venantius episcopus consensi et subscripsi.
Hesperius epsicopus consensi et subscripsi.
Desideratus Deo propitio episcopus consensi et subscripsi.

In Christi nomine Gramatius episcopus consensum nostrum relegi et subscripsi.

Epistola ad regem Theodebertum I

Domino inlustri atque praecellentissimo domno et filio Theodoberto regi Honoratus, Hilarius, Gregorius, Roritius, Nicecius, Flauius, Domitianus, Deutherius, Gallus, Dalmacius, Venantius, Gramatius, Lopus, Sperius et Desideratus episcopi.

Dum in Aruerna urbe ad replicanda canonum instituta uel studio elucidandae legis ecclesiasticae his, qui dubietate regendae uitae propriae forsitan premebantur, cultores uestri, ecclesiarum uestrarum episcopi, pariter sederent, plurimorum ad nos suae desperationis remedium flagitantium turba confluxit, sperantes, ut non minus pro regni uestri felicitate, quam pro sua consolatione pietatem uestram nostra humilitas exoraret, ut per suggestionem nostram iustitiae et pietatis uestrae auribus intimaretur, ut nullum de rebus uel possessiunculis propriis alienum pietas uestra permitteret, ut, dum unius regis quisque potestati ac dominio subiacet, in alterius sorte positam cuiuscumque, ut adsolet, inpetitione non amitteret facultatem.

Dalmatius, en Dieu, évêque [de Rodez], j'ai consenti et souscrit.

Loup, dans le Christ, évêque [de Châlons], j'ai consenti et souscrit.

Domitien, évêque [de Tongres], j'ai consenti et souscrit.

Venance, évêque [de Viviers], j'ai consenti et souscrit.

Hesperius, évêque [de Metz], j'ai consenti et souscrit.

Desideratus, grâce à Dieu, évêque [de Verdun], j'ai consenti et souscrit.

Au nom du Christ, Gramatius, évêque [d'Avenches], j'ai relu notre accord et souscrit.

Lettre au roi Théodebert Ier

A notre illustre Seigneur et très excellent seigneur et fils le roi Théodebert, les évêques Honorat, Hilaire, Grégoire, Ruricius, Nicetius, Flavius, Domitien, Deuterius, Gallus, Dalmatius, Venance, Gramatius, Loup, Hesperius et Desideratus.

Tandis que siégeaient ensemble en la ville d'*Arverna* vos fidèles, les évêques de vos églises, en vue de réitérer les statuts canoniques et d'élucider la loi ecclésiastique pour ceux qui se trouveraient oppressés par le doute dans la conduite de leur vie personnelle, une foule très nombreuse de gens implorant un remède à leur désespoir a conflué vers nous. Ils demandaient que notre Humilité suppliât votre Piété, aussi bien en vue de la félicité de votre règne qu'en vue de leur propre soulagement : que par notre intermédiaire soit suggéré aux oreilles de votre justice et de votre piété de ne pas permettre que personne se trouve exclu de ses biens et possessions propres, et que, lorsque quelqu'un se trouve sous la puissance et l'autorité de l'un des rois, il ne perde pas, comme il arrive, par la revendication d'autrui, une propriété située dans le ressort d'un autre.

Quod nos de uestri culminis iustitia et pietate fidentes non credimus denegandum, ut, dum plurimorum necessitatibus iusta, ut credimus, et Deo placente suggestione consulimus, prosperitatem regno uestro et repraesentationem caelestis Domini per indultam pietatis gratiam augeatis.

Vnde reuerentissime, ut dignum est, supplicantes quaesumus, ut hoc nostrae petitioni diuino intuitu pietas uestra non deneget, ut tam rectores ecclesiarum uestrarum, quam uniuersi clerici atque etiam saeculares sub regni uestri conditione manentes nec non ad domnorum regum patrum uestrorum dominium pertinentes, de eo, quod in sorte uestra est, et quod habere proprium semper uisi sunt, extraneos non permittatis existere, ut securus quicumque proprietatem suam possidens debita tributa dissoluat domino, in cuius sortem possessio sua peruenit. Quod et thesauris uestris omnino utilius esse censemus, si per pietatem uestram saluata possessio consitudinariam intulerit functionem ; et nos peculiarius uestra clementia consolatur, si obtentu huiuscemodi petitionis nos quoque celsitudo uestra fecerit gratulari.

1. La forme *consitudinaria*, bien attestée ici, a été conservée, pour *consuetudinaria*.

Confiants dans la justice et la piété de votre Sublimité,
nous ne croyons pas devoir écarter une telle demande :
par là nous pourvoyons aux nécessités de très nombreuses
gens par une suggestion juste, croyons-nous, et agréable
à Dieu, et vous pouvez accroître la prospérité de votre
règne et ressembler davantage au Seigneur du ciel par
l'octroi d'une grâce miséricordieuse.

Vous suppliant donc très respectueusement, comme il
est juste, nous demandons que votre Piété, par égard à
Dieu, ne refuse pas notre requête : ne permettez-pas que
les chefs de vos églises, ainsi que tous les clercs, et de
même les laïques vivant dans la soumission à votre règne,
ainsi que ceux qui ont relevé de l'autorité des seigneurs
rois vos pères, ne se trouvent exclus de propriétés sises
dans votre ressort qu'ils ont toujours possédées : dans
ces conditions, chacun, possédant en sécurité ses propriétés, pourra acquitter ses impôts au seigneur dans le
ressort de qui elles ont abouti. Nous estimons aussi que
le plus profitable de beaucoup à votre trésor est qu'une
propriété ainsi sauvegardée par votre Piété rapporte le
revenu accoutumé [1]. Quant à nous, votre clémence nous
consolera tout particulièrement si, en exauçant une telle
demande, votre Majesté nous donne de nous réjouir nous
aussi.

CONCILE D'ORLÉANS III [1]
(7 mai 538)

Comme les précédents conciles réunis à Orléans, le concile de 538 (Orléans III) tenu sous le pontificat du pape Sylvestre est un concile général. Pourtant les évêques du royaume de Clotaire n'y participent pas. Le concile ne rassemble que des évêques des royaumes de Childebert et de Thierry. Avec le concile d'Agde en 506, ce concile est le seul de cette période où tous les métropolitains des provinces représentées assistent à la réunion. Mais d'une façon générale les régions du Nord sont peu représentées.

Le métropolitain de Lyon préside, accompagné de tous ses suffragants. Tous les diocèses de la province de Rouen sont également présents.

Un nombre important d'évêques qui étaient venus au concile de 533 se retrouvent à Orléans cinq ans plus tard. En définitive, les trente-six canons sont signés par dix-neuf évêques (dont cinq métropolitains) et sept prêtres représentant leur évêque.

Si les participants disposaient des canons des conciles d'Agde (506), d'Épaone (517), de Lyon I (518-523), d'Orléans II (533) et de Clermont (535), la législation du concile d'Orléans III (538) diffère sensiblement de celle d'Orléans II. Le but de la réunion était la remise en vigueur d'anciens canons et l'établissement de nouvelles dispositions. De fait, des canons reprennent les disposi-

1. Cf. HEFELE-LECLERCQ, II², p. 1155-1162.

tions conciliaires antérieures (c. 3, 4, 6, 11, 17, 18, 36) ou font allusion à des décrétales pontificales (c. 3, 29). S'ils confirment des prescriptions préexistantes, beaucoup de canons précisent la sanction encourue en cas de violation de la règle établie. Les évêques ont réglementé notamment les modalités d'ordination de tous les clercs ou des évêques (c. 3, 6, 10, 29), les droits et obligations des évêques et des métropolitains (c. 1, 16, 17, 18), la condition du patrimoine ecclésiastique (c. 5, 13, 20, 25, 26), les empêchements de mariage ou la situation des clercs vivant avec une femme (c. 2, 4, 7, 8, 11, 14, 19, 24). Le concile s'occupe aussi de questions disciplinaires ou liturgiques (c. 9, 12, 15, 22, 27, 28, 31, 32), des rapports entre chrétiens et juifs (c. 14, 31, 33), ou de la justice ecclésiastique (c. 22, 23, 25, 34, 35).

Les trente-six canons eurent une diffusion plus large que celle des canons du concile d'Orléans II.

TRANSMISSION : Les canons du concile sont repris dans de nombreuses collections, notamment celles de Corbie, Lyon, Lorsch, Albi, Cologne, Pithou, Reims, Saint-Amand.

DESTINÉE ULTÉRIEURE : Ces canons sont également repris dans un nombre assez important de collections canoniques ultérieures. Si le concile ne figure pas dans l'*Epitome Hispanico*, ni dans la collection de Novare, on le trouve en revanche dans la collection de Beauvais ; 21 canons sont présents dans la *Vetus Gallica*, 19 dans la collection de Bonneval, 1 seul (c. 35) dans l'*Hispana* systématique [2]. 8 canons figurent chez Benoît le Lévite (c. 13, 23, 24, 25, 26, 31, 32, 35). Un canon au moins (c. 26) se trouve à la fois dans la collection de Benoît le Lévite, la collection A de la Tripartite et le *Polycarpus*. Un autre (c. 8)

2. Ce concile est le dernier à avoir été retenu par les rédacteurs de l'*Hispana* systématique.

est encore repris par Yves de Chartres dans le Décret et dans
la Panormie. Enfin 5 de ces canons figurent chez Gratien (c. 7,
8, 16, 24, 26) [3].

3. Nous corrigeons ici les renseignements fournis par Hefele-
Leclercq, II[2], p. 1159-1160.

CONCILIVM AVRELIANENSE
538. Mai. 7.

INCIPIVNT CANONES AVRELIANENSIS
EPISCOPORVM XXXVI
TEMPORE CHILDEBERTI REGIS

Cum in Dei nomine in Aurelianensi urbe ad sinodale concilium uenissemus, de his, quae per longum tempus obseruatione cessante fuerant intermissa, priorum canonum tenore seruato praesentibus regulis uetera statuta renouauimus et noua pro causarum uel temporum condicione addenda credidimus.

1. Primum, ut unusquisque metropolitanus in prouincia sua cum conprouincialibus suis singulis annis synodale debeat oportuno tempore habere concilium. Quod si illum infirmitas aut necessitas certa tenuerit, ut ad alium constitutum locum adesse non possit, ad suam ciuitatem suos euocet fratres. Quod si intra biennium diuinitus temporum tranquillitate concessa admonitis conprouincialibus a metropolitano synodus indicta non fuerit, metropolitanus ipse pro euocationis tarditate anno integro missas facere non praesumat. Quod si euocati nulla corporali infirmitate detenti adesse sua abusione despexerint, simili sententiae subiacebunt ; qui tamen et hanc excusationem sibi nouerint esse sublatam, si absentiam suam diuisione sortis crediderint excusandam.

1. Voir le c. 2 du concile d'Orléans II.
2. Voir le c. 1 du concile d'Orléans II.
3. Il s'agit du partage des royaumes entre les différents souverains.
4. Le c. 1 figure dans : *Vetus Gallica* 3, 3 ; ms. de Bonneval 2, 4 et 27, 3.

CONCILE D'ORLÉANS
7 mai 538

ICI COMMENCENT
LES CANONS DU CONCILE D'ORLÉANS
DE 36 ÉVÊQUES
AU TEMPS DU ROI CHILDEBERT

Comme nous nous étions réunis au nom du Seigneur en assemblée synodale dans la ville d'Orléans, nous avons, sur les points tombés en désuétude pour n'avoir pas été observés durant longtemps, renouvelé, par les présentes règles, des statuts anciens, en maintenant la teneur des précédents canons, et nous avons cru bon de leur en adjoindre de nouveaux qui répondent aux situations actuelles.

1. D'abord, que chaque métropolitain ait le devoir de tenir chaque année dans sa province avec ses comprovinciaux, à la date appropriée, une assemblée synodale [1]. Si l'infirmité ou une nécessité précise l'empêchait d'être présent ailleurs, au lieu prévu, qu'il convoque les frères en sa cité. Si dans l'espace de deux ans, durant une période de tranquillité accordée par Dieu, un métropolitain n'a pas convoqué de synode en y invitant ses comprovinciaux, que ce métropolitain, pour ce retard dans la convocation, ne se permette plus de célébrer la messe durant toute une année. Si les évêques invités, alors qu'aucune infirmité corporelle ne les retient, négligent par leur faute de se présenter, ils seront soumis à la même sanction [2] : qu'ils sachent du reste que même l'excuse de croire leur absence justifiée par le partage des territoires [3] leur est déniée [4].

2. Vt nullus clericorum a subdiacono et supra, qui uxores in proposito suo accipere inhibentur, propriae, si forte iam habeat, misceatur uxori. Quod si fecerit, laica communione contentus iuxta priorum canonum statuta ab officio deponatur. Quem si sciens episcopus suus in hac uilitate permixtionis uiuentem ad officium postea admiserit, et ipse episcopus ad agendam paenitentiam tribus mensibus sit a suo officio sequestratus.

3. De metropolitanorum uero ordinationibus id placuit, ut metropolitani a metropolitano omnibus, si fieri potest, praesentibus conprouincialibus ordinentur, ita ut ipsi metropolitano ordinandi priuilegium maneat, quem ordinationis consuetudo requirit. Ipse tamen metropolitanus a conprouincialibus episcopis, sicut decreta sedis apostolicae continent, cum consensu clerus uel ciuium elegatur, quia aequum est, sicut ipsa sedes apostolica dixit : « Qui praeponendus est omnibus, ab omnibus elegatur. » De prouincialibus uero ordinandis cum consensu metropolitani, clerus et ciuium iuxta priorum canonum statuta uoluntas et electio requiratur.

4. De familiaritate extranearum mulierum licet iam multa, quae obseruari debeant, multis canonicis sententiis fuerint statuta, tamen, quod agnoscitur saepe transcendi,

---

1. *A subdiacono et supra* : la variante *a s. insupra* est appuyée par le texte du c. 30 (27) : *a diaconatu insupra.* Pour ces 2 cas, cf. *TLL* VII, 1, col. 2061, 36-39.

2. *Propositum* : terme classique pour désigner la vocation cléricale ou religieuse.

3. Cf. R. GRYSON, *Les origines du célibat ecclésiastique du premier au septième siècle*, Gembloux 1970, p. 194-196.

4. Le c. 2 figure dans la *Vetus Gallica* 16, 8.

5. Cf. GAUDEMET, *Élections*, p. 51.

6. LÉON LE GRAND, *Ep.* 14, 6 (*PL* 54, col. 673), à Anastase, évêque de Thessalonique.

2. Qu'aucun des clercs, à partir du sous-diaconat et au-delà[1] — à qui leur engagement[2] interdit de prendre des épouses —, s'il se trouvait en avoir une déjà, ne s'unisse à elle[3]. S'il vient à le faire, qu'il soit, selon les dispositions des canons antérieurs, déposé de son office et réduit à la communion laïque. Si son évêque, en connaissance de cause, l'admet par la suite à un office, alors qu'il vit dans cette liaison honteuse, l'évêque lui aussi sera, pour en faire pénitence, écarté de son office durant trois mois[4].

3. Pour les ordinations de métropolitains[5], il a été décidé que les métropolitains soient ordonnés par un métropolitain, en présence, si possible, de tous leurs comprovinciaux, étant entendu que le privilège d'ordonner demeure à celui des métropolitains que désigne la coutume. Que du reste le métropolitain soit élu par les évêques comprovinciaux[6], conformément aux décrets du Siège apostolique, avec le consentement du clergé et des laïques[7], car il est juste, comme le dit le Siège apostolique, que « celui qui doit être à la tête de tous soit élu par tous[8] ». Et que pour l'ordination des évêques de la province soit requise, avec le consentement du métropolitain, la libre élection du clergé et des laïques, conformément aux dispositions des canons antérieurs[9].

4. Au sujet de la fréquentation des femmes du dehors, bien que de nombreuses mesures à observer aient été fixées par de nombreuses décisions canoniques, il

7. Littéralement : les citoyens (*ciues*), les laïques appartenant à la *ciuitas*, au diocèse.

8. LÉON LE GRAND, *Ep*. 10, 6 (*PL* 54, col. 634), aux évêques de Viennoise.

9. Voir le c. 7 du concile d'Orléans II et le c. 2 du concile de Clermont. — Le c. 3 figure dans la *Vetus Gallica* 5, 4a.

conuenit replicari. Ideoque statuimus, ut ne quis antistitum clericorumque omnium licentiam habeat intra domum suam ullam absque his propinquis mulieribus, quas
priores canones elocuntur, habere personam. Quibus
etiam id specialiter inhibeatur, ut, si quis clericorum
suspicionem aduersam aut oblocutionem populi de mu-
liere quacumque fortassis incurrerit, eam statim, si intra
domum suam habet, abiciat ; si certe extranea et sui iuris
est, ita omnibus condicionibus studeat euitare, ut infamia,
quae excitata est, abrogetur. Quod si quilibet ille antistitum uel clericorum, quod supra scriptum est, uitare
noluerit, pro inobedentia triennii excommunicatione multetur. Quod si adulterii permixtio fuerit adprobata, in
regradatione honorum priorum canonum statuta seruentur. In quibus commonitionibus metropolitanus a
conprouincialibus, conprouincialis a metropolitano cum
reliquis conprouincialibus distringatur.

5. Si quae oblationes in quibuslibet rebus atque corporibus conlatae fuerint basilicis in ciuitatibus constitutis,
ad potestatem episcopi redigantur et in eius sit arbitrio,
quid ad reparationem basilicae aut obseruantum ibi substantia deputetur. De facultatibus uero parrociarum uel
basilicarum in pagis ciuitatum constitutis singulorum lo-
corum consuetudo seruetur.

6. De clericorum praemittenda conuersione id omnimodis obseruetur, ne ullus ex laicis ante annualem

---

1. *Regradatio* : non pas « rétrogradation », mais « dégradation » (cf.
regradare, c. 9, etc.).
2. Le c. 4 figure dans : *Vetus Gallica* 38, 7 ; ms. de Bonneval 24, 6.
3. Le c. 5 figure dans la *Vetus Gallica* 24, 1.

convient cependant d'y revenir, car on constate qu'elles sont souvent transgressées. En conséquence, nous statuons qu'aucun des prélats ni aucun de tous les clercs n'ait le droit d'avoir dans sa maison aucune personne en dehors des femmes proches-parentes spécifiées par les canons antérieurs. Que de même leur soit spécialement signifié ce point : si l'un des clercs fait l'objet d'un soupçon fâcheux ou d'une accusation publique à propos d'une femme quelle qu'elle soit, qu'il la renvoie aussitôt, s'il l'a dans sa maison, ou bien, si elle est du dehors mais sous son autorité, qu'il veille à l'éviter de toute manière, de façon à mettre fin au mauvais bruit qui court. Si un prélat ou n'importe quel clerc refuse d'observer lesdites précautions, il sera, pour sa désobéissance, frappé d'une excommunication de trois ans. Si des relations adultères sont prouvées, que l'on applique les dispositions des canons antérieurs qui prévoient la destitution de toute dignité [1]. Quand il s'agit de pareilles accusations, qu'un métropolitain soit sanctionné par ses comprovinciaux, un comprovincial par le métropolitain et les autres comprovinciaux [2].

5. Si des offrandes de choses ou de personnes, quelles qu'elles soient, sont faites à des basiliques établies dans les cités, qu'elles soient laissées à la disposition de l'évêque, et que celui-ci décide de ce qu'il doit attribuer à l'entretien de la basilique ou à la subsistance des desservants. Quant aux ressources des paroisses et des basiliques établies dans les campagnes relevant des cités, que l'on observe la coutume de chaque région [3].

6. En ce qui concerne la « conversion » [4] préalable pour les clercs, il faut absolument observer ceci : qu'aucun

4. *Conuersio* dit « changement de vie » ; c'est ici le temps de probation, vécu dans la continence.

conuersationem uel aetatem legitimam, id est uiginti quinque annorum diaconus et triginta presbyter, ordinetur, ita ut de ipsis quoque, qui ordinandi sunt clerici, regulare custodiatur studium, ne aut duarum uxorum uir aut renuptae maritus aut paenitentiam professus aut simus corpore uel qui publice aliquando adreptus est ad supra scriptos ordines promoueatur. Quod si sciens episcopus contra haec statuta agendum esse crediderit, is quidem, qui ordinatur, suscepto iuxta anteriores canones priuetur officio, sed et ille pro ordinationis temeritate sex mensibus a celebrandis officiis sequestretur. Quod si missas intra statutum tempus facere praesumpserit, anno integro ab omnium fratrum caritate priuetur. De quorum promotionibus si quis clericus aut ciuis testis extiterit, quorum testimonio, dum creditur, frequenter pontificis ignorantia praeuenitur, cum agnitum fuerit ordinationem inlicitam celebratam, anno integro a communione pellantur. Qui tamen si periculosam infirmitatem incurrerint, uiatica illis communio non negetur.

7. Clerici uero qui, cum uxores non habent, benedictione suscepta coniugia credidirint elegenda, qui uolentes absque ulla reclamatione in aetate fuerint legitima ordinati, cum ipsis mulieribus, quas acceperint, excommunicatione pellantur. Quod si inuitus uel reclamans fuerit ordinatus, ab officio quidem deponatur, sed non a communione pellatur. Episcopus autem, qui inuitum aut

---

1. Voir le c. 1 du concile d'Arles IV.

2. Littéralement : de la *caritas*, du lien visible de la charité fraternelle (l'expression est courante).

3. Le canon codifie la doctrine des conciles antérieurs : voir notamment le c. 2 d'Épaone et le c. 3 d'Arles IV.

laïque ne soit ordonné avant une année de « conversion »
et avant l'âge légal, c'est-à-dire vingt-cinq ans pour un
diacre et trente pour un prêtre [1], étant entendu que pour
ceux aussi qui doivent être ordonnés clercs, on garde
soigneusement la règle : que ni un homme deux fois
marié ou marié à une veuve, ni celui qui a fait profession
de pénitent, ni celui qui est estropié de corps ou a été
autrefois publiquement possédé, ne soit promu aux ordres
susdits. Si un évêque se permet sciemment de contrevenir
à ces dispositions, celui qui est ordonné sera, conformément aux anciens canons, privé de l'office qu'il a reçu,
tandis que lui-même sera, pour cette ordination téméraire,
écarté durant six mois de la célébration des offices. Et
s'il a l'audace de célébrer la messe durant le temps fixé,
qu'il soit pendant une année entière privé de la
communion [2] de tous ses frères [3]. Si pour ces promotions
un clerc ou un laïque s'est porté garant — car c'est sur
la foi de leur témoignage que l'ignorance du pontife est
souvent surprise —, ils seront, lorsqu'on reconnaîtra que
l'ordination a été célébrée illicitement, rejetés de la
communion une année entière. Au cas pourtant où ils
seraient atteints d'une maladie dangereuse, la communion
en viatique ne leur sera pas refusée [4].

7. Quant aux clercs qui, n'ayant pas d'épouses, se
permettent, une fois reçue la bénédiction [5], de choisir le
mariage, si c'est de leur plein gré, sans aucune objection,
à l'âge légal, qu'ils ont été ordonnés, qu'ils soient déposés
et excommuniés, ainsi que les femmes qu'ils ont prises.
Si c'est contre son gré et malgré ses protestations que
l'un d'eux a été ordonné, qu'il soit, certes, déposé de son
office, mais non rejeté de la communion. Quant à l'évêque

---

4. Le c. 6 figure dans la *Vetus Gallica* 4, 10.
5. La *benedictio* est ici l'ordination à un ordre majeur.

reclamantem praesumpserit ordinare, annuali paenitentiae subditus missas facere non praesumat.

8. De adulteriis autem honoratorum clericorum id obseruandum est, ut, si quis adulterasse aut confessus fuerit
uel conuictus, depositus ab officio communione concessa
in monasterio toto uitae suae tempore retrudatur.

9 (8). De clericorum honoratorum furtis aut falsitati-
bus. Si quis clericus furtum aut falsitatem admiserit, quia
capitalia et ipsa sunt crimina, communione concessa ab
ordine regradetur. De periurio uero id censuimus obseruandum, ut, si quis clericus in causis, quae sub iureiu-
rando finiendae sunt, praebuerit iuramenta et post rebus
euidentibus detegitur perierasse, biennii temporis excommunicatione plectatur.

10 (9). De his, qui ex concubinis filios habent et uxores
legitimas habuerunt aut defunctis uxoribus sibi concubi-
nas publice crediderint sociandas, id obseruandum esse
censuimus, ut, sicut eos, qui iam sunt clerici per ignorantiam ordinati, non remouemus, ita statuimus, ne ulterius ordinentur.

11 (10). De incestis coniunctionibus ita quae sunt statuta seruentur, ut his, qui aut modo ad baptismum
ueniunt aut quibus patrum statuta sacerdotali praedica-

---

1. Le c. 7 figure dans : *Vetus Gallica* 16, 9 ; ms. de Bonneval 14,
18 ; Décret de Gratien, Dist. 74, c. 1.
2. Littéralement *honorati clerici* : voir le c. 9. Ils sont distingués des
iuniores, clercs mineurs : voir le c. 8 du concile de Mâcon I.
3. Le c. 8 figure dans : *Vetus Gallica* 16, 6 ; ms. de Bonneval 9, 24 ;
Yves de Chartres, Décret VIII, 285, Panormie III, 143 ; Décret de
Gratien, Dist. 81, c. 10.

qui se sera permis d'ordonner quelqu'un contre son gré
ou malgré ses protestations, qu'il soit soumis à une
pénitence d'un an, sans se permettre de célébrer la messe[1].

8. En ce qui concerne l'adultère de la part de clercs
majeurs[2], il faut observer ceci : si l'un d'eux avoue avoir
commis un adultère ou en est convaincu, il sera déposé
de son office, tout en demeurant dans la communion, et
enfermé dans un monastère toute sa vie[3].

9 (8). Sur les vols ou les faux de la part de clercs
majeurs : si un clerc commet un vol ou un faux, puisque
ce sont là aussi des délits majeurs, qu'il soit déposé de
son rang, tout en demeurant dans la communion. En cas
de parjure, nous avons décidé que soit observé ceci : si
un clerc a prêté serment, et qu'ensuite il est convaincu
par des preuves évidentes de s'être parjuré, qu'il soit puni
d'une excommunication de deux ans[4].

10 (9). Au sujet de ceux qui ont des enfants nés de
concubines alors qu'ils avaient des épouses légitimes, ou
qui après la mort de leurs épouses ont osé se lier
publiquement à des concubines, nous avons décidé que
soit observé ceci : d'une part nous ne rejetons pas ceux
qui ont déjà été ordonnés clercs par ignorance ; d'autre
part nous statuons qu'ils ne seront plus ordonnés
dorénavant[5].

11 (10). Au sujet des unions incestueuses, que l'on
observe ce qui a été fixé. Pour ceux qui se font baptiser
présentement ou ceux qui n'ont pas eu jusqu'ici connais-

---

4. Le c. 9 figure dans : *Vetus Gallica* 16, 7 et 50, 4 ; ms. de Bonneval
13, 8 et 16.
5. Le c. 10 figure dans le ms. de Bonneval 14, 19.

tione in notitiam antea non uenerunt, ita pro nouitate conuersationis ac fidei suae credidimus consulendum, ut contracta hucusque huiusmodi coniugia non soluantur, sed in futurum, quod de incestis coniunctionibus in anterioribus canonibus interdictum est, obseruetur, id est, ut ne quis sibi coniugii nomine sociare praesumat relictam patris, filiam uxoris, relictam fratris, sororem uxoris, consobrinam aut sobrinam, relictam auunculi uel patrui. Quod si qui in hoc incesti adulterio potius quam coniugio fuerint sociati, quandiu se non sequestrauerint, a communione ecclesiastica repellantur. Illlud quoque adiciendum esse credidimus, ut in episcopi discussione consistat de his, qui in ciuitate sua ac territorio consistunt et tali sunt ordine sociati, utrum ignoranter ad inlicita coniugia uenerint, an per contumaciam, quae sunt interdicta, praesumpserint ; quia, sicut his, qui per ignorantiam lapsi sunt, subuenitur, ita illis, quibus prius patrum statuta in notitia uenerunt quique etiam contra sacerdotum interdicta in tali permixtione uersantur, priorum canonum in omnibus statuta seruentur, ut non prius in communione recipiantur, quam incesti adulterium, sicut scriptum est, separatione sanauerint, quia in lege Domini manifeste legitur : « Maledictus, qui dormierit cum uxore patris sui, cum priuigna uel sorore uxoris suae[a] », et reliqua his similia. Quo fit, ut, quos Deus maledixit, nos nisi emendatos benedicere non possimus.

a. Deut. 27, 20

1. Ce canon précise les dispositions des conciles d'Orléans I (c. 18) et d'Épaone (c. 30). La question des unions incestueuses était particulièrement délicate, étant données les coutumes des Barbares, selon lesquelles on épousait de préférence des parentes par alliance. La solution adoptée à Orléans en 538 sera celle reprise en 541 (c. 27).

2. L'empêchement de parenté est entendu au 2ᵉ degré. L'Église sera, par la suite, beaucoup plus sévère.

sance des statuts des Pères par la prédication des évêques,
nous avons jugé bon de décider, en raison du caractère
récent de leur conversion et de leur foi, que de tels
mariages contractés jusqu'ici ne soient pas dissous [1], mais
qu'à l'avenir soit observé ce qui a été interdit en fait
d'unions incestueuses par les canons antérieurs, à savoir :
que personne ne se permette de s'unir par un prétendu
mariage à la veuve de son père, à la fille de sa femme,
à la veuve de son frère, à la sœur de sa femme, à sa
cousine germaine ou issue de germaine, à la veuve de
son oncle paternel ou maternel [2]. Que ceux qui auraient
contracté cette union, adultère incestueux plutôt que
mariage, soient, aussi longtemps qu'ils ne se sépareront
pas, exclus de la communion de l'Église. Nous avons cru
bon d'ajouter ceci : que soit soumis à l'appréciation de
l'évêque le cas de ceux qui résident dans sa cité et son
territoire et se trouvent unis dans ces conditions : est-ce
par ignorance qu'ils ont contracté des mariages illicites,
ou par imprudence qu'ils ont enfreint les interdits ? Autant en effet on vient en aide à ceux qui sont tombés
par ignorance, autant il faut, vis-à-vis de ceux qui ont
eu préalablement connaissance des statuts des Pères et
qui vivent dans une telle cohabitation à l'encontre des
interdictions des évêques, observer en tous points les
dispositions des canons antérieurs, à savoir qu'ils ne
soient pas admis à la communion avant d'avoir, conformément à l'Écriture, remédié par la séparation à cet
adultère incestueux. On lit en effet clairement dans la
Loi du Seigneur : « Maudit soit celui qui aura dormi
avec la femme de son père, avec sa belle-fille ou la sœur
de sa femme [a] », et autres paroles semblables. D'où il
ressort que nous ne pouvons pas bénir, sinon une fois
corrigés, ceux que Dieu a maudits [3].

3. Le c. 11 figure dans le ms. de Bonneval 14, 20.

12 (11). Si qui clerici ministeria suscepta quacumque occasione agere, sicut et reliqui, detractant et excusationem de patrociniis quorumcumque, ne officium impleant, praetendunt ac sacerdotes suos sub huiusmodi causa aestimant per inoboedientiam contemnendos, inter reliquos canonicos clericos, ne hac licentia alii uitientur, nullatenus habeantur neque ex rebus ecclesiasticis cum canonicis stipendia aut munera ulla percipiant.

13 (12). De agellis uero ceterisque facultatibus ecclesiasticis a sacerdotibus non alienandis nec per contractus inutiles obligandis priorum canonum statuta seruentur, ut nobis per nullos contractus res ecclesiasticas alienare aut inutiliter liceat obligare. Ea etiam, quae de rebus ecclesiasticis ab antecessoribus alienata uel quibuscumque instrumentis inutiliter in dispendio ecclesiae obligata noscuntur et intra tricenaria tempora repetitio suppetit, quae acta sunt, subfragante iustitia per publicum aut electorum iudicium reuocentur. Quod si is, qui rem ecclesiasticam tenet, admonitus iudicium declinauerit, quousque aut ad discussionem ueniat aut rem restituat ecclesiasticam, communione priuetur.

14 (13). De mancipiis christianis, quae in iudaeorum seruitio detinentur, si eis, quod christiana religio uetat, a dominis inponitur aut si eos, quos de ecclesia excusatos tollent, pro culpa, quae remissa est, adfligere aut caedere fortasse praesumpserint et ad ecclesiam iterato confuge-

---

1. Au sujet des *clerici canonici*, voir *supra*, la note au c. 15 du concile de Clermont de 535.

2. Le canon prend en considération la prescription trentenaire, alors que d'autres dispositions (c. 23 du concile d'Orléans I, ou c. 18 de celui d'Orléans IV) l'excluent expressément.

12 (11). Si des clercs refusent sous quelque prétexte de
s'acquitter comme les autres des fonctions qui leur sont
confiées, qu'ils se réclament comme excuse pour ne pas
remplir leur office des protections de qui que ce soit, et
qu'ils croient pouvoir à ce titre mépriser leurs évêques
en leur désobéissant, qu'ils ne fassent plus du tout partie
des clercs attachés à l'église [1], de crainte que les autres
ne soient gâtés par cette indocilité. Et qu'ils ne perçoivent
avec eux, sur les biens de l'église, aucun émolument ni
rémunération.

13 (12). Quant à l'interdiction faite aux évêques d'aliéner des parcelles de terre et d'autres biens de l'église, ou
de les engager par des contrats inutiles, que soient main-
tenues les dispositions des précédents canons : qu'il ne
nous soit pas permis d'aliéner ou engager inutilement par
aucun contrat les biens de l'église. De plus, pour ceux
des biens d'Église que l'on sait avoir été, par la faute de
nos prédécesseurs, aliénés ou engagés inutilement et au
détriment de l'église par quelque acte que ce soit — au
cas où on peut en appeler à la revendication prévue
durant trente ans [2] —, que ces actes soient révoqués en
justice par jugement, soit du magistrat, soit d'arbitres
choisis. Au cas où celui qui détient un bien d'Église, cité
en justice, fait défaut, qu'il soit privé de la communion
jusqu'à ce qu'il vienne s'expliquer ou qu'il restitue ce
bien d'Église [3].

14 (13). Pour les esclaves chrétiens qui sont attachés
au service des juifs, si leurs maîtres leur imposent quelque
chose d'interdit par la religion chrétienne, ou si, après
les avoir retirés, en leur pardonnant, de l'église (où ils
avaient cherché asile), ces maîtres se permettaient de les
châtier ou les battre pour la faute pardonnée, et qu'eux

3. Le c. 13 figure dans la *Vetus Gallica* 35, 4.

rint, nullatenus a sacerdote reddantur, nisi pretium offeratur ac detur, quod mancipia ipsa ualere pronuntiauerit iusta taxatio. Christianis quoque omnibus interdicimus, ne iudaeorum coniugiis misceantur. Quod si fecerint, usque ad sequestrationem, quisque ille est, communione pellatur. Idem christianis conuiuia interdicimus iudaeorum ; in quibus si forte fuisse probantur, annuali excommunicatione pro huiusmodi contumacia subiacebunt.

15 (14). De missarum celebritate in praecipuis dumtaxat solemnitatibus id obseruari deberi, ut hora tertia missarum celebratio in Dei nomine inchoetur, quo facilius intra horas conpetentes ipso officio expedito sacerdotes possint ad uespertina officia, id est in uespertino tempore, conuenire ; quia sacerdotem uespertinis officiis ab ecclesia talibus praeterea diebus nec decet deesse nec conuenit.

16 (15). Episcopus in dioeceses alienas ad alienos clericos ordinandos uel consecranda alteria inruere non debere. Quod si fecerit, remotis his, quos ordinauerit, altaris tamen consecratione manente, transgressor canonum anno a missarum celebritate cessabit.

1. *Nisi pretium offeratur* : il ne s'agit pas de caution versée par le maître juif reprenant son esclave, comme le comprennent HEFELE-LECLERCQ, II², p. 1159, et DE CLERCQ, *Législation*, p. 26 et 31, mais de rachat de l'esclave à son maître. *Nisi* au sens de : « Mais que... » est fréquent dans les canons des conciles ; il n'y a pas lieu de corriger le texte comme le propose B. BLUMENKRANZ, *Juifs et chrétiens dans le monde occidental*, Paris-La Haye 1960, p. 188, n. 125.

2. Voir le c. 6 du concile de Clermont.

3. Voir le c. 15 du concile d'Épaone.

4. Le c. 14 figure dans le ms. de Bonneval 21, 9.

5. C'est-à-dire 9 heures du matin. « Il s'agit de la messe pontificale célébrée dans l'église avec assistance de tout le clergé » (DE CLERCQ, *Législation*, p. 25).

se réfugient de nouveau à l'église, l'évêque ne doit nullement les rendre. Seulement, on offrira et donnera (aux maîtres) le prix[1] que fixera pour ces esclaves une juste estimation. Également, nous interdisons à tous les chrétiens de se lier par mariage avec des juifs[2]. Que ceux qui le font, quels qu'ils soient, soient exclus de la communion jusqu'à leur séparation. De même nous interdisons aux chrétiens les repas des juifs[3] ; s'il vient à être prouvé qu'ils s'y sont trouvés, ils seront soumis à une excommunication d'un an pour une telle impudence[4].

15 (14). Sur la célébration de la messe, du moins aux principales solennités : on doit veiller à ce que la célébration de la messe commence, au nom de Dieu, à la 3e heure[5], de façon que, cet office étant terminé dans le délai voulu, les évêques puissent plus facilement se rendre à l'office du soir, à l'heure de vêpres, car il ne convient pas et il ne faut pas que l'évêque soit absent de l'église à l'office du soir, surtout[6] à pareils jours.

16 (15). Un évêque ne doit pas s'ingérer dans des paroisses[7] étrangères pour y ordonner des clercs étrangers ou y consacrer des autels. S'il le fait, ceux qu'il a ordonnés seront écartés, mais la consécration des autels demeurera, et il s'abstiendra, comme transgresseur des canons, de célébrer la messe durant un an[8].

---

6. *Praeterea* = *praesertim* (cf. BLAISE).

7. Premier usage fait dans un concile du mot *dioecesis*, signifiant ici, comme au c. 21, « paroisse » : cf. DE CLERCQ, *Législation*, p. 25, n. 1.

8. Le c. 16 figure dans : *Vetus Gallica* 16, 10 ; Décret de Gratien, *Causa* 7, q. 1, c. 28 (le texte est attribué au Pseudo-Anaclet).

17. De his uero clericis, qui sub qualibet occasione aut condicione in aliorum ciuitatibus uel territoriis crediderint inmorandum, ne ad ullum clericatus honorem absque sui episcopi scripto atque consensu debeant promoueri.

18. Presbytero, diacono uel subdiacono sine episcopi sui litteris ambulanti iuxta statuta priora communionem nullus inpendat.

19 (16). De raptoribus uirginum consecratarum seu in proposito sub deuotione uiuentium id statuimus, ut, si quis consecratae uel deuotae, id est religionem professae, uim inferre praesumpserit, a communione ecclesiastica usque ad exitum repellatur, uiatico tantum ei in infirmitatis periculo reseruato. Quod si, quae rapta dicitur, cum raptore habitare consenserit, et ipsa excommunicatione simili feriatur. Quae forma et de paenitentibus ac uiduis in proposito manentibus sub districtione eclesiastica conseruetur. Quod si quis sacerdos sciens huiusmodi personis communicauerit, anno integro pacem eclesiae non habebit.

20 (17). De munificentiis uero sacerdotum id obseruandum, ut, si quid praesenti tempore a clericis de decidentum munificentiis habetur uel possidetur, deinceps a successoribus nullatenus auferatur, ita ut, qui deces-

---

1. Les dispositions des c. 16 et 17 se trouvaient déjà dans le concile de Clermont. — Le c. 17 figure dans : *Vetus Gallica* 15, 7 ; ms. de Bonneval 28, 8.

2. Voir le c. 6 du concile d'Épaone ; mais le présent canon étend l'obligation au sous-diacre. — Le c. 18 figure dans : *Vetus Gallica* 15, 7 ; ms. de Bonneval 28, 8.

3. Sur l'absence de vocabulaire précis correspondant aux diverses catégories de vierges qui se sont vouées à Dieu, cf. METZ, *La consécration des vierges*, p. 93. Pour ce canon, l'auteur note que *uirgines conse-*

17. Quant aux clercs qui sous quelque prétexte ou pour quelque motif ont décidé de demeurer dans des cités ou territoires étrangers, ils ne doivent être promus à aucun degré de la cléricature sans le consentement écrit de leur évêque [1].

18. Qu'à un prêtre, un diacre ou un sous-diacre voyageant sans lettre de son évêque, personne, conformément aux canons antérieurs, n'accorde la communion [2].

19 (16). Vis-à-vis des ravisseurs des vierges consacrées ou engagées par vœu, nous statuons que, si quelqu'un a l'audace de faire violence à une vierge consacrée ou vouée, c'est-à-dire engagée à une vie religieuse [3], il soit rejeté de la communion de l'Église jusqu'à sa mort, réserve faite seulement du viatique en cas de maladie périlleuse. Si celle qui a été enlevée accepte de demeurer avec son ravisseur, qu'elle aussi soit frappée de la même excommunication. Que cette mesure soit appliquée également quand il s'agit de pénitentes et de veuves qui ont pris un engagement ratifié par l'Église. Si un évêque entre sciemment en communion avec ces gens-là, il sera privé de la paix de l'Église durant un an [4].

20 (17). Pour les gratifications de la part des évêques, on observera ceci : si un bien est actuellement tenu et possédé par des clercs en vertu de gratifications d'évêques défunts, qu'il ne leur soit nullement enlevé ensuite par leurs successeurs, de façon que ceux qui jouissent des

---

cratae désigne sans doute les vierges qui ont reçu la consécration par opposition à celles qui n'ont émis que le vœu (*deuotae*). Cependant l'opposition n'est pas certaine, car la profession de religion semble s'appliquer aux unes comme aux autres.

4. Le c. 19 figure dans : *Vetus Gallica* 47, 10 ; ms. de Bonneval 14, 35.

sorum largitatibus gaudent, officia ecclesiae, obedientiam
et affectum sacerdotibus praebeant. De quibus tamen
munificentiis, quae praesenti tempore ab his, sicut dictum
est, possidentur, si pro oportunitate episcopo placuerit,
quod uoluerit, commutare, sine accipientis dispendio in
locis aliis commutetur. De munificentiis uero praesentibus, quas unusquis clericis pro sua gratia eorum obsequiis
extimat conferendas, sicut in arbitrio dantis est, ut tri-
buere, quibus uoluerit, debeat, ita, si inobedientia uel
contumacia in aliquo accipientis extiterit, culpa agnita in
arbitrio sit praesidentis, utrum uel qualiter debeat reuocari.

21 (18). De his uero clericorum personis, quae de ciui-
tatensis ecclesiae officio monasteria, dioeceses uel basilicas
in quibuscumque locis positas, id est siue in territoriis
siue in ipsis ciuitatibus, suscipiunt ordinandas, in potestate sit episcopi, si de id, quod ante de ecclesiastico
munere habebant, eos aliquid aut nihil habere uoluerit,
quia unicuique facultas suscepti monasterii, diocesis uel
basilicae debet plena ratione sufficere.

22 (19). De contumacibus clericis. Si quis superbia ela-
tus officium suum indignatione quacumque inplere noluerit, iuxta statuta priora laica communione contentus
ab ordine depositus tamdiu habeatur, quamdiu digna,
sicut scriptum est, paenitentia et supplicatione satisfece-
rit ; praesidente pontifice tamen illis regulariter et caritatem integram et, quaecumque illis stipendiorum iuxta
consuetudinem redebentur, pro qualitate temporis minis-
trante. De quibus si quaerella procedat, officium agens
recurrat ad sinodum.

---

1. Voir le c. 2 du concile d'Agde de 506.
2. Le c. 22 figure dans le ms. de Bonneval 23, 14.

libéralités des prédécesseurs s'acquittent envers l'Église de leurs offices et montrent à leurs évêques obéissance et affection. Si cependant, touchant ces gratifications actuellement possédées par eux, comme il a été dit, il plaisait à l'évêque de procéder, de sa volonté, à un échange selon l'opportunité, que l'échange se fasse en d'autres endroits sans détriment pour le bénéficiaire. Pour ce qui est des gratifications actuelles qu'un évêque juge bon d'attribuer à des clercs à titre gracieux pour leurs services, autant il est à la libre volonté du donateur de donner à qui il veut, autant, si le bénéficiaire se montrait désobéissant ou rebelle en quelque chose, il sera libre au prélat, une fois la faute reconnue, de révoquer ou non sa donation, et de la façon qu'il voudra.

21 (18). Quant à ceux des clercs qui, venant du service de l'église de la cité, reçoivent l'administration de monastères, de paroisses ou de basiliques, où qu'elles soient situées, c'est-à-dire soit dans les campagnes, soit dans les cités elles-mêmes, qu'il soit libre à l'évêque de décider s'ils doivent garder une partie ou non de ce qu'ils tenaient auparavant à titre de gratification de l'église, puisque les ressources du monastère, de la paroisse ou de la basilique que chacun a reçu doivent largement lui suffire.

22 (19). Sur les clercs rebelles. Si un clerc, poussé par l'orgueil, refuse avec dédain de s'acquitter de son office, qu'il soit, suivant les statuts antérieurs, réduit à la communion laïque[1] et déposé de son rang, jusqu'à ce qu'il ait satisfait, comme il est écrit, par une digne pénitence et supplication. Cependant le pontife en charge leur accordera régulièrement, suivant les circonstances, toute sa charité et tout ce qui doit leur être restitué en tant qu'émoluments d'après la coutume. Si sur ces questions surgissait une discussion, que (ce clerc) exerçant un office recoure au synode[2].

23 (20). Si quis clericorum circa se aut districtionem aut tractationem episcopi sui putat iniustam, iuxta antiquas constitutiones recurrat ad sinodum.

24 (21). Si qui clericorum, ut nuper multis locis diabolo instigante actum fuisse perpatuit, rebelli auctoritate se in unum coniuratione intercedente collegerint et aut sacramenta inter se data aut chartulam conscriptam fuisse patuerit, nullis excusationibus haec praesumtio praeueletur, sed res detecta, cum in sinodo uentum fuerit, in praesumtoribus iuxta personarum et ordinum qualitatem a pontificibus, qui tunc in unum collecti fuerint, uindicetur ; quia, sicut caritas ex praeceptis dominicis corde, non cartulae conscriptione est uel coniurationibus exhibenda, ita, quod supra sacras admittitur scripturas, auctoritate et districtione pontificali est reprimendum.

25 (22). Si quis res ecclesiae debitas uel proprias sacerdotis horrendae cupiditatis instinctu occupauerit, retinuerit aut a potestate ex conpetitione perceperit, se, ut eas non restituat, nullis rebus excuset ; sed si agnito iure ecclesiastico non statim ecclesiae uel sacerdoti reformauerit aut, ut ipsum ius agnoscere possit, in iudicio electorum uenire distulerit, tamdiu a communione ecclesiastica suspendatur, quamdiu restitutis rebus tam ecclesiam quam sacerdotem reddat indemnem. Similis etiam his, qui oblationes defunctorum legaliter dimissas quoli-

1. Voir le c. 5 du concile de Vaison de 442 et le c. 48 du « IIᵉ concile d'Arles ». — Le c. 23 figure dans : *Vetus Gallica* 17, 9 ; ms. de Bonneval 28, 18 ; Benoît le Lévite III, 273.
2. Voir le c. 3 du concile de Clichy.

23 (20). Si l'un des clercs estime injuste un jugement ou un traitement de son évêque à son égard, que, selon les anciens statuts, il recoure au synode [1].

24 (21). Si des clercs, comme il est manifeste que cela s'est fait récemment en de nombreux endroits à l'instigation du diable, se sont, par une rébellion audacieuse, groupés et unis en formant une conjuration, et qu'il est apparu, soit que des serments avaient été échangés, soit qu'un pacte avait été rédigé, une telle insolence ne pourra se couvrir d'aucune excuse, mais l'affaire une fois découverte et le synode une fois réuni, elle sera sanctionnée en la personne de ses fauteurs par les pontifes assemblés, compte tenu de la qualité des personnes et de leur rang [2]. D'une part en effet la charité doit se manifester par le cœur selon les préceptes du Seigneur, et non par la rédaction d'un pacte et par des conjurations ; d'autre part, ce qui est commis à l'encontre des saintes Écritures doit être réprimé par l'autorité et la sanction pontificale [3].

25 (22). Si quelqu'un, poussé par une affreuse cupidité, s'empare de biens dus à l'Église ou propres à l'évêque, les retient ou les reçoit du pouvoir public à la suite d'une revendication, qu'il ne s'excuse sous aucun motif de ne pas les rendre. Et si, le droit de l'Église une fois reconnu, il ne fait pas aussitôt réparation à l'Église ou à l'évêque, ou s'il diffère de se présenter pour pouvoir connaître ce droit au jugement des arbitres choisis, qu'il soit tenu à l'écart de la communion de l'Église jusqu'à ce que, par la restitution de ces biens, il fasse réparation de tout dommage aussi bien à l'Église qu'à l'évêque. Vis-à-vis de ceux qui tardent d'une façon ou d'une autre à remettre les offrandes légitimement léguées par des défunts ou qui

---

3. Le c. 24 figure dans : ms. de Bonneval 23, 15 ; Benoît le Lévite III, 274 ; Décret de Gratien, *Causa* 11, q. 1, c. 25.

bet ordine adsignare tardauerint uel retinere praesumpserint, districtionis ecclesiasticae iuxta priores canones
forma seruetur. Cui etiam sententiae subiacebit quisquis
ille quolibet ordine, quod pro deuotione sua ecclesiis
dedit, reuocare praesumpserit.

26 (23). Abbatibus, presbyteris ceterisque ministris de
rebus ecclesiasticis uel sacro ministerio alienare uel obligare absque permissu et subscriptione episcopi sui nil
liceat. Quod qui praesumpserit, regradetur communione
concessa et, quod temere praesumptum aut alienatum
est, ordinatione episcopi reuocetur.

27 (24). De paenitentum conuersione. Vt ne quis benedictionem paenitentiae iuuenibus personis credere praesumat ; certe coniugatis nisi ex consensu partium et aetate
iam plena eam dare non audeat.

28 (25). Si quis paenitentiae benedictione suscepta ad
saecularem habitum militiamque reuerti praesumpserit,
uiatico concesso usque ad exitum excommunicatione plectatur.

29 (26). Vt nullus seruilibus colonariisque conditioni-
bus obligatus iuxta statuta sedis apostolicae ad honores
ecclesiasticos admittatur, nisi prius aut testamento aut

1. Voir le c. 4 du concile de Vaison de 442 et le c. 4 du concile
d'Agde de 506.
2. Le c. 25 figure dans : *Vetus Gallica* 35, 5 ; Benoît le Lévite III,
275.
3. Voir le c. 1 du concile d'Épaone. — Le c. 26 figure dans : *Vetus
Gallica* 35, 3 ; ms. de Bonneval 12, 11 et 23, 17 ; Benoît le Lévite III,
275 ; Yves de Chartres, Tripartite II, 44, 1 ; *Polycarpus III*, 21, (12) 30 ;
Décret de Gratien, Causa 12, q. 2, c. 41.
4. La pénitence publique imposait de vivre dans la continence. —
Sur la « conversion », cf. VOGEL, *La discipline pénitentielle en Gaule*,
p. 128-138.

se permettent de les retenir, que soit observé, selon les canons antérieurs, le même mode de sanction ecclésiastique [1]. Sera soumis à la même sentence quiconque, de quelque rang qu'il soit, se permettra de révoquer un don qu'il a fait aux églises par dévotion [2].

26 (23). Qu'il ne soit pas permis aux abbés, aux prêtres et aux autres ministres d'aliéner ou engager des biens d'Église ou des objets du culte sans la permission et la signature de leur évêque. Si quelqu'un se le permet, qu'il soit destitué de son rang, tout en conservant la communion, et que le bien qui a été risqué témérairement ou aliéné soit repris par commandement de l'évêque [3].

27 (24). Sur la « conversion » des pénitents [4] : que personne ne se permette d'accorder la bénédiction des pénitents à des personnes jeunes [5] ; en tout cas, qu'il n'ait pas l'audace de la donner à des gens mariés [6], si ce n'est avec le consentement de leurs conjoints et à un âge déjà accompli [7].

28 (25). Si quelqu'un, après avoir reçu la bénédiction des pénitents, se permet de retourner à l'habit et à la carrière du siècle, qu'il soit puni de l'excommunication jusqu'à sa mort, tout en ayant droit au viatique.

29 (26). Que nul ne soit, s'il se trouve lié par la condition d'esclave ou de colon, conformément aux décisions du Siège apostolique [8], admis aux honneurs ecclé-

---

5. Voir le c. 15 du concile d'Agde (506).
6. Voir le c. 22 du « IIe concile d'Arles ».
7. Le c. 27 figure dans la *Vetus Gallica* 64, 28.
8. Cf. Léon le Grand, *Ep.* 4, 1 (*PL* 54, col. 611) ; Gélase, *Ep. ad Martyrium et Iustum* (J.W. 651).

per tabulas eum legitime constiterit absolutum. Quod si quis episcoporum eius, qui ordinatur, conditionem sciens transgredi per ordinationem inhibitam fortasse uoluerit, anni spatio missas facere non praesumat.

30 (27). Vt clericus a diaconatu insupra pecuniam non commodet ad usuras nec de praestitis beneficiis quidquam amplius, quam datur, speret neue in exercendis negotiis, ut publici, qui ad populi responsum negotiatores obseruant, turpis lucri cupiditate uersetur aut sub alieno nomine interdicta negotia audeat exercere. Quod si quis aduersum statuta uenire praesumpserit, communione concessa ab ordine regradetur.

31 (28). Quia persuasum est populis die dominico agi cum caballis aut bobus et uehiculis itinera non debere neque ullam rem ad uictum praeparari uel ad nitorem domus uel hominis pertinentem ullatenus exerceri, quae res ad iudaicam magis quam ad christianam obseruantiam pertinere probatur, id statuimus, ut die dominico, quod ante fieri licuit, liceat. De opere tamen rurali, id est arata uel uinea uel sectione, messione, excussione, exarto uel saepe, censuimus abstinendum, quo facilius ad ecclesiam uenientes orationis gratiae uacent. Quod si inuentus fuerit quis in operibus supra scriptis, quae interdicta sunt, exercere, qualiter emundari debeat, non in laici districtione, sed in sacerdotis castigatione consistat.

---

1. Voir le c. 8 du concile d'Orléans I.

2. *Insupra* : voir *supra*, p. 232, n. 1.

3. *Vt publici... obseruant* : passage difficile. Le mot *responsum* que M. Bonnet (*Le latin de Grégoire de Tours*, Paris 1890, p. 247, n. 5) renonçait à traduire dans *Hist. Franc.* III, 35 (34) est employé 2 fois dans *Itinerarium Antonini* 8 (*CCL* 175, p. 133, 1. 15.18) : dans les 3 cas, il peut être rendu par « commerce », ce qui éclaire le présent passage.

4. La leçon *emendari* donnée par plusieurs mss a été préférée ici.

siastiques, à moins qu'on ne soit préalablement certain qu'il a été libéré, soit par testament, soit par un acte écrit. Si un évêque, connaissant la condition de celui qu'il ordonne, se permet d'y contrevenir par une ordination prohibée, qu'il ne se permette plus de célébrer la messe durant un an[1].

30 (27). Que le clerc, à partir du diaconat et au-delà[2], ne prête point d'argent à intérêt et n'attende rien de plus, en retour des prêts consentis, que ce qui est donné ; qu'il ne s'adonne pas non plus aux affaires avec la cupidité d'un gain honteux, tels les fonctionnaires qui surveillent les commerçants sur le marché public[3], et qu'il n'ait pas l'audace d'exercer sous le nom d'un autre un commerce prohibé. Si quelqu'un se permettait de contrevenir à ces dispositions, qu'il soit déposé de son rang, tout en ayant droit à la communion.

31 (28). Comme le peuple s'est persuadé qu'il ne fallait pas, le dimanche, voyager avec des chevaux ou des bœufs et des voitures, ni préparer aucune nourriture, ni faire aucun travail regardant la propreté des maisons ou des personnes, toutes choses qui relèvent de l'observance judaïque plutôt que de l'observance chrétienne, nous avons statué qu'il soit permis de faire, le dimanche, tout ce qui était permis auparavant. Toutefois, pour les travaux des champs, à savoir le labour, la vigne, le fauchage, la moisson, le battage, l'essartage, la clôture, nous avons décidé qu'on doit s'en abstenir pour qu'il soit plus facile de venir à l'église vaquer au bienfait de la prière. Si quelqu'un était surpris en train d'exécuter les travaux énumérés ci-dessus comme interdits, que la mesure de la peine[4] imposée ne relève pas de la rigueur du juge laïque, mais de la correction de l'évêque[5].

5. Le c. 31 figure dans : *Vetus Gallica* 29, 12 ; ms. de Bonneval 23, 5 ; Benoît le Lévite III, 276.

32 (29). De missis nullus laicorum ante discedat, quam dominica dicatur oratio, et, si episcopus praesens fuerit, eius benedictio exspectetur. Sacrificia uero matutina missarum siue uespertina ne quis cum armis pertinentibus ad bellorum usum expectet. Quod si fecerit, in sacerdotis potestate consistat, qualiter eius districtione debeat castigari.

33 (30). Quia Deo propitio sub catholicorum regum dominatione consistimus, iudaei a die cenae Domini usque in secunda sabbati in pasca, hoc est ipso quatriduo, procedere inter christianos neque catholicis populis se ullo loco uel quacumque occasione miscere praesumant.

34 (31). Iudex ciuitatis uel loci si haereticum aut bonosiacum uel cuiuslibet alterius haeresis sacerdotem quamcumque personam de catholicis rebatizasse cognouerit et, quia reges nos constat habere catholicos, non statim rebatizantes adstrinxerit et ad regis fidem atque iustitiam propterea distringendos adduxerit, annuali excommunicationi subdatur.

35 (32). Clericus cuiuslibet gradus sine pontificis sui permissu nullum ad saeculare iudicium praesumat adtrahere neue laico inconsulto sacerdote clericum in saeculare iudicium liceat exhibere.

1. Voir le c. 26 du concile d'Orléans de 511 (*supra*).
2. Ce canon concerne visiblement les Barbares, puisque les Romains ne portaient pas même l'épée hors le temps de la guerre ou des voyages. — Même disposition au c. 17 du concile de Chalon.
3. Le c. 32 figure chez Benoît le Lévite III, 277 et 278.
4. *Secunda sabbati* : cf. BLAISE au mot *sabbatum*.
5. Le c. 33 figure dans le ms. de Bonneval 21, 10.
6. Bonose, évêque de Sardique, avait renouvelé les erreurs de Photin sur la divinité de Jésus Christ. Sur les bonosiens d'Occident et leur pratique baptismale, cf. X. LE BACHELET, art. « Bonose », *DTC* II[1] (1910), col. 1029-1030, qui cite le présent canon.

32 (29). Qu'aucun laïque ne quitte la messe avant que ne soit dite l'oraison dominicale, et si l'évêque est présent, que l'on attende sa bénédiction [1]. Que personne n'assiste au sacrifice de la messe du matin ou du soir avec des armes destinées à la guerre [2]. Si on le fait, qu'il appartienne à l'évêque de juger lui-même de la nature de la correction [3].

33 (30). Puisque, par la faveur de Dieu, nous vivons sous l'autorité de rois catholiques, que les juifs ne se permettent pas, depuis le jour de la Cène du Seigneur jusqu'au lundi [4] de Pâques, autrement dit durant ces quatre jours, de se montrer parmi les chrétiens ni de se mêler nulle part et pour aucun motif au peuple catholique [5].

34 (31). Si le comte de la cité ou de l'endroit avait appris qu'un évêque hérétique, ou bonosien [6], ou de quelque autre secte, a rebaptisé un sujet catholique et qu'il n'ait pas — étant donné que nous avons des rois catholiques — arrêté aussitôt les auteurs de ces seconds baptêmes et ne les ait pas amenés pour être punis à ce sujet conformément à la foi du roi et à sa justice [7], qu'il soit soumis à une excommunication d'un an.

35 (32). Qu'aucun clerc, de quelque rang qu'il soit, ne se permette, sans l'autorisation de son pontife, de traduire quelqu'un devant la justice séculière. Qu'il ne soit pas non plus permis à un laïque de citer un clerc devant la justice séculière sans l'assentiment de l'évêque [8].

7. On peut voir ici l'origine de l'usage de livrer les hérétiques au bras séculier.

8. Voir le c. 11 du concile d'Épaone. Pourtant c'est la 1re fois qu'un concile adopte sur ce point une solution aussi claire. — Le c. 35 figure dans : *Vetus Gallica* 36, 9 ; *Hispana* systématique III, 16, 6 ; ms. de Bonneval 18, 22 ; Benoît le Lévite III, 145.

36 (33). Quocirca haec, quae inspirante Deo communi consensu placuerunt, si quis antistitum uiuentium uel eorum, quos ipsis Deus esse uoluerit successores, relicta obseruationis integritate custodire et inplere neglexerit, reum se diuinitatis pariter et fraternitatis iudicio futurum esse cognoscat, quia canones suos nec ignorare quemquam nec dissimulare, id est praeterire, permittitur.

Subscriptiones
ex codice T

Lupus in Christi nomine ecclesiae Lugdunensis episcopus iuxta id, quod omnibus sanctis coepiscopis meis, qui mecum subscripserunt, placuit, patrum statuta sequutus his constitutionibus subscripsi. Notaui die non. mensis III., quarto post consulatum Paulini iunioris, anno regni domni nostri Childeberthi XXVI.

Pantagatus in Christi nomine ecclesiae Viennensis episcopus iuxta id, quod omnibus sanctis coepiscopis meis, qui mecum subscripserunt, placuit, patrum statuta sequutus his constitutionibus subscripsi. Notaui die non. mensis tercii, quarto post consulatum Paulini iunioris, anno regni domni nostri Childeberthi XXVI.

Leo in Christi nomine episcopus ecclesiae Senonicae cum conprouincialibus meis his constitutionibus consensi.

Archadius in Dei nomine ecclesiae Betoricae episcopus consensi.

Flauius in Christi nomine ecclesiae Rotomagensis episcopus consensi.

Placidus in Christi nomine ecclesiae Matascensis episcopus consensi.

1. Le c. 36 figure dans la *Vetus Gallica* 62, 4 et le ms. de Bonneval 31, 4.

2. C'est-à-dire le 7 mai 538. Le consul Paulin le jeune n'avait pas encore de successeur, ce qui obligeait à compter les années depuis son consulat.

36 (33). Ceci étant, si l'un des prélats vivants ou de ceux que Dieu voudra leur donner comme successeurs vient à négliger, en délaissant leur observation intégrale, ces points qui, sous l'inspiration de Dieu, ont été agréés du consentement de tous, qu'il sache qu'il sera coupable aussi bien au jugement de Dieu qu'à celui de ses frères, car il n'est permis à personne d'ignorer des canons qui sont les siens ni de les négliger, autrement dit de les enfeindre [1].

Souscriptions
d'après le manuscrit de Toulouse

Loup, au nom du Christ, évêque de l'église de Lyon, en accord avec tout ce qu'ont décidé tous mes saints frères dans l'épiscopat qui ont souscrit avec moi, j'ai souscrit aux présentes constitutions, conformément aux statuts des Pères. J'ai signé le jour des nones du 3e mois, la 4e année après le consulat de Paulin le jeune [2], du règne de notre seigneur Childebert la 26e.

Pantagatus, au nom du Christ, évêque de Vienne, en accord avec tout ce qu'ont décidé tous mes saints frères dans l'épiscopat qui ont souscrit avec moi, j'ai souscrit aux présentes constitutions, conformément aux statuts des Pères. J'ai signé le jour des nones du 3e mois, la 4e année après le consulat de Paulin le jeune, du règne de notre seigneur Childebert la 26e.

Léon, au nom du Christ, évêque de l'église de Sens, j'ai consenti, avec mes comprovinciaux, aux présentes constitutions.

Arcadius, au nom de Dieu, évêque de l'église de Bourges, j'ai consenti.

Flavius, au nom du Christ, évêque de l'église de Rouen, j'ai consenti.

Placide, au nom du Christ, évêque de l'église de Mâcon, j'ai consenti.

Aetherius in Christi nomine ecclesiae Carnotenae episcopus consensi.

Agrepinus in Christi nomine ecclesiae Aeduorum episcopus consensi.

Leugadius in Christi nomine ecclesiae Baiocassinae episcopus consensi.

Amelius in Christi nomine ecclesiae Parisiorum episcopus consensi.

Vrsolus in Christi nomine ecclesiae Gratianopolitanae episcopus consensi.

Eleutherius in Christi nomine ecclesiae Altisioderensis episcopus consensi.

Lauto in Christi nomine ecclesiae Constantiae episcopus consensi.

Passiuus in Christi nomine ecclesiae Bexotenae episcopus consensi.

Teodobaudus in Christi nomine ecclesiae Lixoui episcopus consensi.

Licinius in Christi nomine ecclesiae Ebroicensis episcopus consensi.

Albinus in Christi nomine ecclesiae Andecauae episcopus consensi.

Rusticus in Christi nomine ecclesiae Neuernensis episcopus consensi.

Antoninus in Christi nomine ecclesiae Aurelianensis episcopus consensi.

Cyprianus presbyter directus a domino meo Iniurioso ecclesiae Toronicae episcopo consensi.

Euantius presbyter directus a domino meo Gregorio eclesiae Lingonicae episcopo consensi.

Auolus presbyter directus a domino meo Agroecola Cabillonensis eclesiae episcopo consensi.

Optardinus presbyter directus a domino meo Gallo episcopo eclesiae Aruernae consensi.

---

1. Souscription omise par le ms. de Toulouse, mais donnée par les

Aetherius, au nom du Christ, évêque de l'église de Chartres, j'ai consenti.

Agripinus, au nom du Christ, évêque de l'église d'Autun, j'ai consenti.

Leucadius, au nom du Christ, évêque de l'église de Bayeux, j'ai consenti.

Amelius, au nom du Christ, évêque de l'église de Paris, j'ai consenti.

Ursolus, au nom du Christ, évêque de l'église de Grenoble, j'ai consenti.

Eleutherius, au nom du Christ, évêque de l'église d'Auxerre, j'ai consenti.

Lauto, au nom du Christ, évêque de l'église de Coutances, j'ai consenti.

Passivus, au nom du Christ, évêque de l'église de Séez, j'ai consenti.

Theudobaudis, au nom du Christ, évêque de l'église de Lisieux, j'ai consenti [1].

Licinius, au nom du Christ, évêque de l'église d'Évreux, j'ai consenti.

Albinus, au nom du Christ, évêque de l'église d'Angers, j'ai consenti.

Rusticus, au nom du Christ, évêque de l'église de Nevers, j'ai consenti.

Antoninus, au nom du Christ, évêque de l'église d'Orléans, j'ai consenti.

Cyprien, prêtre, délégué par mon seigneur Injuriosus, évêque de l'église de Tours, j'ai consenti.

Evantius, prêtre, délégué par mon seigneur Grégoire, évêque de l'église de Langres, j'ai consenti.

Avolus, prêtre, délégué par mon seigneur Agricola, évêque de l'église de Chalon, j'ai consenti.

Optardinus, prêtre, délégué par mon seigneur Gallus, évêque de l'église d'*Arverna*, j'ai consenti.

autres exemplaires.

Martilianus presbyter directus a domino meo Eumerio episcopo eclesiae Nameticae consensi.

Baudastes presbyter directus a domino meo Perpetuo eclesiae Abrincatinae episcopo consensi.

Vincentius presbyter directus a domino meo Sustratio ecclesiae Cadurcinae episcopo consensi.

Explicit canon Aurilianensis secundi.

1. Le concile de 538 est effectivement le second d'Orléans (après celui de 511) pour les mss qui ignorent celui de 533. Ceux des mss qui connaissent ce dernier ne comportent pas le présent *Explicit*.

Martilianus, prêtre, délégué par mon seigneur Eumerius, évêque de l'église de Nantes, j'ai consenti.

Baudastes, prêtre, délégué par mon seigneur Perpetuus, évêque de l'église de d'Avranches, j'ai consenti.

Vincent, prêtre, délégué par mon seigneur Sustracius, évêque de l'église de Cahors, j'ai consenti.

Fin du canon du second concile d'Orléans[1].

CONCILE D'ORLÉANS IV [1]
(14 mai 541)

Pour la quatrième fois en trente ans, les évêques des royaumes francs se retrouvent à Orléans. Il n'est nullement établi que les rois aient eu la moindre influence sur cette convocation. C'est la première fois qu'apparaît à un concile franc la province d'Arles, réunie au territoire des Francs en 536 ; le métropolitain, Césaire d'Arles, ne s'y rend pas en raison de son grand âge (71 ans), mais exhorte ses comprovinciaux à y assister, ce que font effectivement treize d'entre eux. D'autres provinces sont également bien représentées : ainsi celles de Bourges, de Bordeaux, d'Eauze, de Rouen ou de Tours. L'assemblée est nombreuse : cinq métropolitains, trente-sept évêques et douze délégués. On constate la présence de Lucretius de Die, le seul évêque qui, participant au concile de 541 (Orléans IV), assistera encore au concile de Paris III (556-573).

Trente-huit canons sont promulgués ; beaucoup rappellent des règles antérieures, en particulier les canons 2, 9, 17, 18, 30. Plus de la moitié reprennent ou précisent des mesures décidées au concile d'Épaone (517), ou au concile d'Orléans III (538). Les thèmes abordés sont variés. La célébration de la fête pascale (c. 1-4) constitua sans doute l'un des motifs de la réunion. Les évêques traitèrent en détail du statut des biens ecclésiastiques (c. 11, 12, 14, 18, 19, 25, 34, 36), rappelant leur caractère

---

1. Cf. HEFELE-LECLERCQ, II^2, p. 1164-1174.

inaliénable. D'autres canons se préoccupent de la condition des esclaves (c. 9, 23, 24, 30), de ceux dont les maîtres sont juifs, de ceux qui cherchent à se marier sans avoir le consentement de leur maître. On renouvela l'interdiction de l'inceste (c. 27), celle des pratiques païennes (c. 15-16), l'interdiction faite aux clercs de vivre avec des femmes étrangères, etc.

TRANSMISSION : Les canons du concile figurent dans plusieurs collections, notamment celles de Lorsch, Albi, Cologne, Reims, Saint-Amand. Il semble cependant que les collections canoniques plus tardives ne leur aient pas fait un très large accueil.

DESTINÉE ULTÉRIEURE : La collection de Beauvais reprend tout le concile, celle de Bonneval en reprend les canons 12, 13, 19, 20, 23, 27, 28, 29, 30, 31, 34. En revanche la *Vetus Gallica*, la collection de Novare, l'*Epitome Hispanico,* l'*Hispana* systématique et Benoît le Lévite ignorent le concile. Le Décret d'Yves de Chartres reprend au moins 3 canons (c. 6, 10, 30), mais aucun ne figure dans le Décret de Gratien.

CONCILIVM AVRELIANENSE
541. Mai. 14.

INCIPIVNT CANONES AVRELIANENSES
IN DIE QVARTA
BASILIO V.C. CONSVLE

Cum in Aurelianensi urbe unianimiter in Christo sancta adfuisset congregatio sacerdotum et de his, quae ad sacrum propositum pertinent uel quae secundum ecclesiasticam moderationem regulariter conueniunt disciplinae, Deo medio tractata decernerent, placuit, ut, quae sunt definita, secundum antiquam consuetudinem scripta monstrentur, quo firmius statuta seruentur, cum consensum omnium docet unita subscriptio.

1. Placuit itaque Deo propitio, ut sanctum pascha secundum laterculum Victori ab omnibus sacerdotibus uno tempore celebretur ; quae festiuitas annis singulis epyfaniorum die in ecclesia populis nuntietur. De qua sollemnitate quotiens aliquid dubitatur, inquisita uel agnita per metropolitanos a sede apostolica sacra constitutio teneatur.

2. Id etiam decernimus obseruandum, ut quadragensimam ab omnibus ecclesiis aequaliter teneatur neque

---

1. Dans la date, donnée ici d'après le ms. *N, in die* est une faute pour *indictione*. Cf. la date à la fin des canons. C'est là un des premiers emplois de l'indiction dans la date de documents des royaumes francs.
2. Le concile de Nicée avait fixé Pâques au dimanche suivant le 14e jour de la lune de mars. Cependant la diversité des dates persistait. En particulier la fête de Pâques était célébrée en Espagne le 12 des calendes d'avril et en Gaule le 14 des calendes de mai. Justinien avait tenté de remédier à cette diversité, tout comme le Siège apostolique. Le présent canon confirme cette législation. Suivi jusqu'à l'adoption du

CONCILE D'ORLÉANS
14 mai 541

ICI COMMENCENT LES CANONS
DU CONCILE D'ORLÉANS
EN LA 4ᵉ INDICTION [1],
SOUS LE CONSULAT DU CLARISSIME BASILE

Comme une sainte assemblée d'évêques s'était unanimement réunie dans le Christ en la ville d'Orléans, et qu'ils statuaient sur les points relatifs à la sainte religion et conformes à la discipline régulière convenable au gouvernement de l'Église, les traitant avec l'aide de Dieu, il a été décidé que les dispositions prises soient exprimées par écrit, selon l'ancienne coutume : ainsi les règles fixées seront plus fermement observées, puisque les souscriptions rassemblées témoignent du consentement de tous.

1. Il a donc été décidé, avec le secours de Dieu, que la sainte Pâque soit célébrée par tous les évêques à la même date, d'après la table de Victorius [2] : que cette fête soit annoncée chaque année au peuple, à l'église, le jour de l'Épiphanie. Chaque fois qu'un doute s'élève à propos de cette solennité, qu'on s'en tienne à la sainte décision demandée et apprise du Siège apostolique par les métropolitains.

2. Nous décrétons aussi que soit observé ceci : que l'on s'en tienne uniformément dans toutes les églises à la

calendrier grégorien, le cycle de Victor d'Aquitaine, rédigé vers 457, comprend une période de 532 ans, au terme de laquelle Pâques revient au même dimanche (cf. E. de TORQUAT, *Les conciles d'Orléans ou assemblées générales des évêques de Gaule à Orléans au VIᵉ siècle*, Orléans 1864, p. 61). — Le *Cursus paschalis* de VICTOR est édité par MOMMSEN dans les *MGH, AA* 9, 1 (p. 677-735).

quinquagensimum aut sexagensimum ante pascha quilibet
sacerdos praesumat indicere ; sed neque per sabbata
absque infirmitate quisquis absoluat quadragensimale
ieiunium, nisi tantum die dominico prandeat ; quod fieri
specialiter patrum statuta sanxerunt. Si quis hanc regulam inruperit, tamquam transgressor disciplinae a sacerdotibus censeatur.

3. Quisquis de prioribus ciuibus pascha extra ciuitatem
tenere uoluerit, sciat sibi a cuncta synodo esse prohibitum ; sed principales festiuitates sub praesentia episcopi
teneat, ubi sanctum decet esse conuentum. Tamen si
aliquis certa necessitate constringitur, ut hoc implere non
possit, ab episcopo postulet comeatum. Quod si hoc
sperare dispexerit, in eodem loco, id est in festiuitate
praesenti, ubi tenere uoluerit, suspendatur.

4. Vt nullus in oblatione sacri calicis, nisi quod ex
fructu uineae speratur, aqua mixtum offerre praesumat,
quia sacrilegum iudicatur aliud offerri, quam quod in
mandatis sacratissimis Saluator instituit.

5. Id etiam regulare esse praespeximus decernendum,
ut episcopus in ciuitate, in qua per decretum elegitur
ordinandus, in sua ecclesia, cui praefuturus est, consecretur. Sane si subito necessitas temporis hoc implere
non patitur, licet melius esset in sua ecclesia fieri, tamen
aut sub praesentia metropolitani aut certe cum eius auctoritate intra prouinciam omnino a conprouincialibus
ordinetur.

1. Voir le c. 12 du concile d'Agde de 506 et le c. 24 du concile
d'Orléans I.

2. Voir le c. 25 du concile d'Orléans I et le c. 15 du concile de
Clermont.

3. Les Romains avaient l'habitude d'adoucir leur vin avec du miel.

quarantaine (Carême), et qu'aucun évêque ne se permette
de prescrire avant Pâques une cinquantaine ou une
soixantaine ; que personne non plus, à moins de maladie,
ne rompe le jeûne quadragésimal les samedis, mais que
l'on déjeûne seulement le dimanche [1] : les statuts des Pères
ont spécialement fixé qu'il en soit ainsi. Si quelqu'un
viole cette règle, qu'il soit considéré par les évêques
comme un transgresseur de la discipline.

3. Que quiconque parmi les principaux laïques voudrait passer Pâques hors de la cité sache que cela a été
interdit par tout le concile [2] : qu'il passe les fêtes principales en présence de l'évêque, là où doit avoir lieu la
sainte assemblée. Si toutefois quelqu'un était empêché de
le faire par une nécessité précise, qu'il sollicite de l'évêque
un congé. S'il néglige de le demander, qu'il soit excommunié sur-le-champ, c'est-à-dire durant la présente fête,
là où il a voulu la passer.

4. Que personne ne se permette, à l'offertoire du saint
calice, de rien offrir qui ne provienne du fruit de la vigne,
mêlé d'eau, car il est jugé sacrilège d'offrir autre chose
que ce que le Sauveur a fixé dans ses très saints
commandements [3].

5. Nous avons considéré qu'il fallait aussi poser en
règle qu'un évêque soit consacré dans la cité où il a été
élu et confirmé pour y être ordonné, dans son église à
laquelle il doit présider [4]. Cependant, si un empêchement
subitement survenu ne permet pas de faire ainsi, bien
qu'il eût mieux valu que cela ait lieu dans son église,
qu'il soit ordonné en présence du métropolitain, ou au
moins avec son autorisation, dans la province, et de
toute façon par ses comprovinciaux.

4. Voir le c. 33 du concile d'Orléans III.

6. Vt parrochiani clerici a pontificibus suis necessaria sibi statuta canonum legenda percipiant, ne se ipsi uel populi, quae pro salute eorum decreta sunt, excusent postmodum ignorasse.

7. Vt in oratoriis domini praediorum minime contra uotum episcopi, ad quem territorii ipsius priuilegium noscitur pertinere, peregrinos clericos intromittant, nisi forsitan quos probatos ibidem districtio pontificis obseruare praeceperit.

8. De his, qui post baptismi sacramentum ad heresis lapsum carne suadente descendunt et agnoscentes reatum ad unitatem fidei catholicae uenire desiderant, in episcoporum potestatem consistat, cum eos uiderint dignam paenitentiam agere, quando uel qualiter communioni pristinae reformentur.

9. Vt episcopus, qui de facultate propria ecclesiae nihil relinquit, si quid de ecclesiae facultate, id est si aliter quam canones elocuntur, obligauerit, uendiderit aut distraxerit, ab ecclesia reuocetur. Sane si de seruis ecclesiae libertos fecerit numero competenti, in ingenuitate permaneant, ita ut ab officio ecclesiae non recedant.

10. Si quis episcoporum sciens aut bigamum aut internuptae maritum ad officium leuiticae dignitatis siue presbyterii contra ius canonum promouere praesumpserit, nouerit se unius anni spatium ab omni officio sacerdotis

---

1. Voir le c. 2 du concile de Clermont et le c. 3 du concile d'Orléans III. — Le c. 6 figure chez Yves de Chartres, Décret VI, 250.
2. Voir le c. 29 du concile d'Épaone.

6. Que les clercs des paroisses reçoivent de leurs pontifes les statuts canoniques qu'il leur est nécessaire de lire, afin que ni eux ni leur peuple n'allèguent plus tard l'excuse d'avoir ignoré ce qui a été décrété pour leur salut[1].

7. Que les propriétaires des domaines n'introduisent aucunement dans leurs oratoires des clercs étrangers contre la volonté de l'évêque à qui appartient la juridiction sur ce territoire, mais seulement ceux que la décision du pontife aura approuvés et assignés au service de ce lieu.

8. Quant à ceux qui, après le sacrement du baptême, cédant à des pensées charnelles, glissent et tombent dans l'hérésie, et qui, reconnaissant leur culpabilité, désirent revenir à l'unité de la foi catholique, qu'il appartienne au pouvoir des évêques, lorsqu'ils les voient faire une digne pénitence, de déterminer quand et comment les rétablir dans la communion primitive[2].

9. Qu'un évêque qui ne cède rien à son église sur ses ressources personnelles, s'il vient à engager, vendre ou aliéner une part des ressources de l'église, cela contrairement à ce que précisent les canons, soit révoqué de cette église[3]. Toutefois, s'il a affranchi des esclaves de l'église en nombre raisonnable, qu'ils gardent leur liberté, mais sans quitter le service de l'Église.

10. Si l'un des évêques se permet sciemment, contrairement aux règles canoniques, de promouvoir à l'office et à la dignité du diaconat ou de la prêtrise un clerc qui a été marié deux fois ou a épousé une veuve, qu'il sache qu'il se trouve suspendu de toute fonction épiscopale

---

3. Voir le c. 12 du concile d'Orléans III.

esse suspensum. Cui si forte sententiae subiacere contempserit, a communione eius usque in magnam synodum se fraternitas uniuersa suspendat. Illi uero, qui inlicite promoti sunt, regradentur.

11. Si quid abbatibus aut sacris monasteriis aut parrochiis pro Dei fuerit contemplatione conlatum, in sua proprietate hoc abbates uel presbyteri minime reuocabunt nec alienare rem cunctis fratribus debitam quacumque occasione praesumant. Quibus si fuerit inpositum, ut constituta conuellant, non aliter ualeat, nisi fuerit sui episcopi subscriptione firmatum.

12. Si inter episcopos de rebus terrenis aut possessionibus sub repetitionis aut retentationis titulo nascatur intentio, intra anni spatio pro studio caritatis, quae cunctis debet rebus temporalibus anteferri, per epistulas fratrum adfectuose commoniti aut inter se aut in praesentia electorum iudicum negotium sanare festinent. Quod si distulerint, donec ipsa causatio abrogetur, a caritate fratrum, qui distulerit, habeatur extraneus, quia iniustum est, ut, qui cunctis praesunt, inter se quacumque causatione dissentiant.

13. Si quis iudicum clericos de quolibet corpore uenientes atque altario mancipatos uel quorum nomina in matricula ecclesiastica tenentur scripta, publicis actionibus adplicare praesumpserit, si a sacerdote commonitus emendare noluerit, cognoscat se pacem ecclesiae non

---

1. Voir le c. 2 du concile d'Épaone et le c. 3 du concile d'Arles IV.
2. Le c. 10 figure chez Yves de Chartres, Décret VIII, 301.
3. Voir le c. 23 du concile d'Orléans III.
4. Le c. 12 figure dans le ms. de Bonneval 18, 10.
5. C'est la première fois qu'un concile mérovingien parle de la matricule de l'église. Il s'agit des serviteurs et familiers qui vivent sur les terres d'église : cf. DE CLERCQ, *Législation*, p. 29.

durant l'espace d'un an[1]. S'il refusait de se soumettre à cette sentence, que tous les frères s'abstiennent de la communion avec lui jusqu'au grand synode. Quant à ceux qui ont été promus illicitement, qu'ils soient dégradés[2].

11. Si quelque chose a été offert aux abbés ou aux saints monastères ou aux paroisses en considération de Dieu, les abbés et les prêtres ne le retiendront aucunement en leur propre possession, et qu'ils ne se permettent pas d'aliéner pour aucun motif un bien dû à tous les frères. S'ils se trouvaient obligés de contrevenir aux règles, que l'acte ne vaille qu'à la condition d'être confirmé par la souscription de leur évêque[3].

12. Si une contestation surgit entre des évêques au sujet de terres ou de possessions, à propos de revendication ou de rétention, qu'ils se hâtent de mettre ordre dans le courant de l'année à cette affaire, par souci de la charité qui doit être préférée à tous les intérêts temporels. Ce sera soit sur la monition affectueuse des lettres de leurs frères, soit par accord mutuel, soit en présence de juges choisis. S'ils tardent à le faire, que celui qui cause le retard soit tenu pour exclu de la communion de ses frères jusqu'à ce que ce différend ait pris fin, car il n'est pas juste que ceux qui sont à la tête de tous soient en mutuel désaccord pour quelque différend que ce soit[4].

13. Si l'un des juges se permet de requérir pour des services publics des clercs, venant de quelque communauté que ce soit, affectés au service de l'autel, ou des gens dont les noms se trouvent inscrits à la matricule de l'église[5], et si, rappelé à l'ordre par l'évêque, il refuse de se corriger, qu'il se sache hors de la paix de l'Église[6].

6. Voir le c. 11 du concile d'Orléans III.

habere. Similiter a tutellae administratione pontifices, presbyteros atque diaconos adeo excusatos esse decreuimus, quia, quod lex saeculi etiam paganis sacerdotibus et ministris ante praestiterat, iustum est, ut erga christianos specialiter conseruetur.

14. Quaecumque ecclesiis aut pontificibus sub conpetenti ac iusto documento fuerint derelicta, ab heredibus legitimis dignum est, ut pro Dei contemplatione seruentur.

15. Si quis post acceptum baptismi sacramentum ad immolata daemonibus, tanquam ad uomitum, sumenda reuertitur, si commonitus a sacerdote se corrigere ex hac praeuaricatione noluerit, a communione catholica pro emendatione sacrilegii suspendatur.

16. Si quis christianus, ut est gentilium consuetudo, ad caput cuiuscumque ferae uel pecudis, inuocatis insuper numinibus paganorum, fortasse iurauerit, si se ab hac superstitione commonitus noluerit prohibere, donec reatum emendet, a consortio fidelium uel ecclesiae communione pellatur.

17. Vt sacerdotes siue diaconi cum coniugibus suis non habeant commune lectum et cellulam, ne propter suspicionem carnalis consortii religio maculetur. Quod qui fecerint, iuxta priscos canones ab officio regradentur.

---

1. Ce qui est invoqué ici, c'est la disposition du droit romain par laquelle les prêtres païens sont dispensés de la tutelle, mais les évêques ne se prévalent pas de l'exemption générale des *munera* accordés par Constantin au clergé chrétien (*C. Th.* 16, 2, 2). En somme, les Pères reprennent les arguments déjà invoqués par CYPRIEN (*Ep.* 1).

2. Le c. 13 figure dans le ms. de Bonneval 18, 11.

3. Voir le c. 22 du concile d'Orléans III.

De même, nous avons décidé que les pontifes, les prêtres et les diacres soient dispensés de l'administration d'une tutelle, étant donné qu'il est juste que ce que la loi séculière avait accordé précédemment même aux pontifes et ministres païens [1] soit maintenu à meilleur titre vis-à-vis de ceux qui sont chrétiens [2].

14. Il est bien juste que tout legs fait aux églises ou aux pontifes par un acte valable et régulier soit respecté par les héritiers légitimes, en considération de Dieu [3].

15. Si quelqu'un, après avoir reçu le sacrement de baptême, en revient à manger des mets sacrifiés aux démons, comme à son vomissement, et si, rappelé à l'ordre par l'évêque, il refuse de se corriger de ce forfait, qu'il soit, comme châtiment du sacrilège, exclu de la communion catholique [4].

16. Si un chrétien, suivant l'usage des païens, vient à jurer sur la tête de quelque bête ou animal, en invoquant de plus les divinités des païens, et si, rappelé à l'ordre, il refuse de s'abstenir de pareille superstition, qu'il soit, jusqu'à ce qu'il se corrige de sa faute, rejeté de la société des fidèles et de la communion de l'Église.

17. Que les prêtres ou les diacres [5] n'aient avec leurs épouses ni lit commun ni chambre commune, afin que l'honneur de la religion ne soit pas maculé par le soupçon d'un commerce charnel. Que ceux qui le font soient déposés de leur office, conformément aux anciens canons.

---

4. Voir le c. 20 du concile d'Orléans II.

5. Sur cet emploi du mot *sacerdotes,* voir la note de C. DE CLERCQ à ce canon. Il n'est pas fait mention des sous-diacres ; l'extension de la règle aux sous-diacres telle qu'elle figure au c. 2 du concile d'Orléans III rencontrait une grande opposition.

18. Quicumque clericus aliquid de iure ecclesiastico seu uerbo seu per scripturam acceperit ad utendum et postmodum hoc alienare quacumque occasione uoluerit, non ualebit, quia secundum canonum statuta proprietatem ecclesiae non uiolat in alios quamuis longa possessio. Sed in pontificis potestate consistat, qualiter pro conseruando iure ecclesiastico rem possessam inter clericos debeat communicare.

19. Quicumque pro deuotione sua oblationis studio aliquid in campellis uel in uineolis etiam absque scriptura probatur ecclesiae contulisse, si postmodum uel ipse uel heredes eius quacumque occasione auferre a iure hoc ecclesiae uel alienare uoluerit, quoadusque a tali intentione discedat aut peruasa restituat, a communione ecclesiastica suspendatur.

20. Vt nullus saecularium personarum praetermisso pontifice seu praeposito ecclesiae quemquam clericorum pro sua potestate constringere, discutere audeat aut damnare ; sed et clericus si pro causa ad petitionem cuiuscumque fuerit ab ecclesiastico ordinatore commonitus, se ad audientiam spondeat adfuturum et respondere nulla calliditate dissimulet. Sed quaecumque causatio quotiens inter clericum et saecularem uertitur, absque presbytero aut archidiacono, uel si quis esse praepositus ecclesiae noscitur, iudex publicus audire negotium non praesumat. Sane si causam habentibus placuerit ire ad iudicium fori

---

1. Voir le c. 23 du concile d'Orléans I et le c. 18 du concile d'Épaone ; en revanche le c. 13 du concile d'Orléans III semblait laisser supposer que la prescription trentenaire jouait parfois à l'encontre des intérêts de l'Église.

2. Le c. 19 figure dans le ms. de Bonneval 22, 7.

3. Première mention dans un concile mérovingien d'un « prévôt de l'église » (préposé à l'église).

18. Si un clerc a reçu, soit verbalement, soit par écrit, l'usufruit d'un bien appartenant à l'Église, et qu'ensuite il voulait l'aliéner pour quelque motif, ce ne sera pas valable, puisque, selon les dispositions des canons, la durée de la possession par autrui, si longue soit-elle, ne porte pas atteinte à la propriété de l'Église [1]. Et qu'il demeure au pouvoir du pontife de décider de la manière dont il doit répartir entre les clercs les biens possédés, de façon à sauvegarder les droits de l'Église.

19. S'il est établi que quelqu'un a, par dévotion personnelle, avec l'intention d'en faire offrande, remis à l'Église, même sans acte écrit, des parcelles de champs ou de vignes, et qu'ensuite, soit lui-même, soit ses héritiers veulent sous quelque prétexte les soustraire à la propriété de l'Église ou les aliéner, qu'ils soient exclus de la communion de l'Église jusqu'à ce qu'ils abandonnent une telle prétention ou qu'ils restituent les biens saisis [2].

20. Qu'aucun personnage laïc n'ose, sans en référer au pontife ou au prévôt de l'église [3], contraindre, juger ou condamner un clerc au nom de son autorité ; mais si un clerc, à la requête de quelqu'un, est invité par son supérieur ecclésiastique à paraître à un procès, qu'il s'engage à se présenter à l'audience et ne se dispense par aucun subterfuge de répondre [4]. Et que toutes les fois que se déroule un procès entre un clerc et un séculier, le juge public ne se permette pas d'instruire l'affaire sans la présence du prêtre ou de l'archidiacre [5] ou du prévôt de l'église, s'il en existe un. Si pourtant il plaît à ceux qui sont en procès d'aller, d'un commun accord, au

4. Voir le c. 32 du concile d'Orléans III.
5. Première mention de l'« archidiacre » dans un concile mérovingien.

ex uoluntate communi, permittente praeposito ecclesiae
clerico licentia tribuatur.

21. Si quis necessitatis inpulsu ad ecclesiae septa
confugerit et sacerdote seu praeposito ecclesiae praetermisso atque contempto eum quisque de locis sacris uel
atriis seu ui seu dolo abstrahere aut sollicitare fortasse
praesumpserit, ut inimicus ecclesiae ab eius liminibus
arceatur, quousque iuxta pontificis districtionem digna
per indictam paenitentiam emendatio subsequatur, eo
tamen, qui abstractus est, prius ecclesiae restituto.

22. Vt nullus per imperium potestatis filiam conpetere
audeat alienam, ne coniugium, quod contra parentum
uoluntatem impie copulatur, uelut captiuitas iudicetur.
Sed si, quod est prohibitum, admittitur, in his, qui
perpetrauerint, excommunicationis seueritas pro modo
pontificis inponatur.

23. Vt seruis ecclesiae uel sacerdotum praedas et cap-
tiuitates exercere non liceat, quia iniquum est, ut, quorum
domini redemptionis debent praebere suffragium, per ser-
uorum excessum disciplina ecclesiastica maculetur.

24. Quaecumque mancipia sub specie coniugii ad ecclesiae septa confugerint, ut per hoc credant posse fieri
coniugium, minime eis licentia tribuatur aut talis coniunctio a clericis defensetur, quia pollutum est, ut, qui sine
legitima traditione coniuncti pro religionis ordine statuto
tempore se ab ecclesiae communione suspendunt, in sacris

---

1. Le c. 20 figure dans le ms. de Bonneval 18, 12.
2. Cf. TIMBAL, p. 119.

tribunal civil, que par la permission du prévôt de l'église licence en soit donnée au clerc[1].

21. Si une personne, poussée par la nécessité, se réfugie dans l'enceinte de l'église, et que quelqu'un, sans l'aveu et au mépris de l'évêque ou du prévôt de l'église, vient à se permettre de l'enlever ou de l'attirer hors du lieu saint et de l'atrium, soit par violence soit par dol, que celui-ci soit, en tant qu'ennemi de l'Église, tenu éloigné de son seuil jusqu'à ce que s'ensuive une juste réparation par une pénitence imposée selon le jugement du pontife, étant entendu que celui qui a été enlevé soit d'abord rendu à l'Église[2].

22. Que personne n'use de l'autorité de son pouvoir pour convoiter la fille d'autrui, car alors le mariage conclu de manière impie contre la volonté des parents serait estimé une captivité. Et si cette prohibition est transgressée, que la sanction de l'excommunication soit infligée aux coupables sous la forme fixée par le pontife.

23. Qu'il ne soit pas permis aux serviteurs de l'Église ou des évêques d'opérer des saisies ou des emprisonnements, car il serait injuste que la discipline de l'Église soit déshonorée par les abus de serviteurs dont les maîtres ont pour devoir d'aider au rachat des hommes[3].

24. Qu'à tous les esclaves qui se réfugient dans l'enceinte de l'église sous prétexte de mariage, croyant qu'un mariage peut exister de ce fait, on refuse absolument ce droit, et que les clercs ne prennent pas la défense de pareille union. Il y a en effet souillure à ce que des gens qui, unis sans la « tradition » légale, se séparent de la communion de l'Église pour la durée fixée par la disci-

---

3. Le c. 23 figure dans le ms. de Bonneval 14, 21.

locis turpi concubitu misceantur. De qua re decernimus,
ut, a parentibus aut a propriis dominis, prout ratio poscit
personarum, accepta fide excusati sub separationis promissione reddantur ; postmodum tamen parentibus atque
dominis libertate concessa, si eos uoluerint propria uoluntate coniungere.

25. Si quis clericus aut laicus sub potentum nomine
atque patrocinio res ad ius ecclesiae pertinentes
contempto pontifice petere seu possidere praesumpserit,
primum admoneatur, quae abstulit, ciuiliter reformare
aut certe iudicium sacerdotis seu iudicis opperiri, ut poscit
sacra religio. Quod si in peruasionis pertinacia subsistit,
tamdiu ab ecclesiae liminibus arceatur, donec cum satisfactione iustissima peruasa aut occupata restituat.

26. Si quae parrochiae in potentum domibus consti-
tutae sunt, ubi obseruantes clerici ab archidiacono ciuitatis admoniti secundum qualitatem ordinis sui fortasse,
quod ecclesiae debent, sub specie domini domus implere
neglexerint, corrigantur secundum ecclesiasticam disciplinam. Et si ab agentibus potentum uel ab ipsis rei dominis
de agendo officio ecclesiae in aliquo prohibentur, auctores
nequitiae a sacris ceremoniis arceantur, donec subsecuta
emendatione in pace ecclesiastica reuocentur.

27. De incestis coniunctionibus id statuimus obseruandum, ut si quisquis post synodum Aurelianensem ante
hoc triennium constitutam inliciti thori iura praesumpse-

---

1. En fait, des clercs passaient outre à cette défense et mariaient
ces esclaves parfois au préjudice des droits des maîtres des esclaves.
GRÉGOIRE DE TOURS (*Hist. Franc.* V, 3) raconte comment un maître
se venge en faisant enterrer vivants les deux époux dans la même fosse.

pline religieuse, s'unissent par un commerce honteux dans les lieux saints. Sur ce point, nous décidons qu'une fois leur pardon assuré sur la foi reçue de leurs parents ou de leurs propres maîtres, selon que le requiert la condition des personnes, ils leur soient rendus, sous la promesse de se séparer. Par la suite cependant, liberté est laissée aux parents et aux maîtres, s'ils le veulent, de les marier de leur propre volonté [1].

25. Si un clerc ou un laïque, se prévalant du nom et du patronage de gens puissants, se permet de réclamer ou détenir, au mépris du pontife, des biens appartenant à l'Église, qu'il soit d'abord sommé de restituer légalement ce qu'il a pris, ou au moins d'attendre le jugement de l'évêque ou du juge, comme le demande la sainte discipline. S'il persiste obstinément dans son usurpation, qu'il soit tenu à l'écart du seuil de l'église jusqu'à ce qu'il restitue, en donnant une très équitable satisfaction, les biens usurpés ou occupés.

26. Si des paroisses ont été établies dans les domaines des grands, et que les clercs qui les desservent, sommés par l'archidiacre de la cité, négligent de s'acquitter de leurs devoirs vis-à-vis de l'église, proportionnellement à leur rang, en se couvrant de l'autorité du maître du domaine, qu'ils soient corrigés conformément à la discipline de l'Église. Et s'ils sont empêchés par les représentants des grands ou par les maîtres eux-mêmes de s'acquitter de quelque point de leur office envers l'église, que les auteurs de cet abus soient tenus à l'écart des saintes cérémonies jusqu'à ce qu'ils soient ramenés, après s'être amendés, dans la paix de l'Église.

27. Au sujet des unions incestueuses, nous avons établi que doit être observé ceci : si quelqu'un s'est permis, depuis le synode d'Orléans tenu il y a trois ans, de

rit, circa eum secundum statuta Epaunensium canonum
a sacerdotibus ecclesiae seueritas teneatur.

28. Quisquis homicidium uoluntate commiserit, ita ut
occidere audeat innocentem, si a principibus aut a parentibus quacumque re se reddiderit absolutum, pro
modo paenitentiae distringendus in sacerdotis potestate
consistat.

29. Si quae mulieres fuerint in adulterio cum clericis
deprehensae, clericis districtione adhibita, mulieres ipsae,
prout sacerdoti uisum fuerit, districtioni subiaceant et a
ciuitatibus, ut sacerdos praeceperit, repellantur.

30. Licet prioribus canonibus iam fuerit definitum, ut,
de mancipiis christianis quae apud iudaeos sunt, si ad
ecclesiam confugerint et redemi se postulauerint, etiam
ad quoscumque christianos refugerint et seruire iudaeis
noluerint, taxato et oblato a fidelibus iusto pretio ab
eorum dominio liberentur, ideo statuimus, ut tam iusta
constitutio ab omnibus catholicis conseruetur.

31. Id etiam decernimus obseruandum, ut, si quicumque iudaeus proselitum, qui aduena dicitur, iudaeum
facere praesumpserit aut christianum factum ad iudaicam
superstitionem adducere uel si iudaeo christianam ancillam suam crediderit sociandam uel si de parentibus chris-

---

1. Le c. 30 du concile d'Épaone prévoyait la nullité de toute union
incestueuse, même conclue avant 517. En 538 le concile d'Orléans III
(c. 11) revient sur cette sévérité et exclut l'effet rétroactif. Le c. 27 du
présent concile maintient la date de 538 comme limite de la tolérance.
— Le c. 27 figure dans le ms. de Bonneval 14, 22.
   2. Le c. 28 figure dans le ms. de Bonneval 13, 9.
   3. Le c. 29 figure dans le ms. de Bonneval 14, 23.

conclure un mariage illicite, que les évêques lui appliquent une sanction conforme aux dispositions des canons d'Épaone [1].

28. Que quiconque a commis un homicide volontaire en osant tuer un innocent, même s'il a obtenu, d'une façon ou d'une autre, son pardon de la part des princes ou des parents, demeure soumis à l'autorité épiscopale, qui doit décider de la mesure de sa pénitence [2].

29. Si des femmes ont été surprises en adultère avec des clercs, que, les clercs une fois châtiés, les femmes elles-mêmes subissent un châtiment, laissé à la discrétion de l'évêque, et soient chassées des cités selon les ordres de l'évêque [3].

30. Bien qu'il ait déjà été fixé par les canons antérieurs, à propos des esclaves chrétiens possédés par des juifs, que, dans le cas où ceux-ci se réfugient à l'église et demandent qu'on les rachète, ou encore s'ils se réfugient chez des chrétiens et refusent de servir des juifs, ils soient libérés du service de ces derniers, moyennant un juste prix estimé et offert par les fidèles [4], nous statuons qu'une aussi juste disposition soit respectée par tous les catholiques [5].

31. Nous décrétons également que doit être observé ceci : si un juif se permet de convertir au judaïsme un nouveau venu (*proselytus*) — on dit un « étranger » (*aduena* [6]) — ou de l'amener à la superstition judaïque une fois qu'il est devenu chrétien ; ou s'il se permet d'unir à un juif une sienne esclave chrétienne ; ou s'il

---

4. Sur cette libération, cf. Timbal, p. 101-102.

5. Le c. 30 figure dans : ms. de Bonneval 21, 11 ; Yves de Chartres, Décret I, 281.

6. Texte cité par Du Cange au mot *proselytus*.

tianis natum iudaeum sub promissione fecerit libertatis, mancipiorum amissione multetur. Ille uero, qui de christianis natus iudaeus factus est, si sub condicione fuerit manumissus, ut in ritu iudaico permanens habeat libertatem, talis condicio non ualebit, quia iniustum est, ut ei libertas maneat, qui de christianis parentibus ueniens iudaicis uult cultibus inhaerere.

32. De genere seruili decreuimus obseruandum, ut descendens inde posteritas, ubicumque quamuis post longa spatia temporum repperitur, in locum, cui auctores eius constat fuisse deputatos, reuocata studio sacerdotis, in ea, quae constituta est a defunctis, condicione permaneat. Cui praecepto si quis saecularium humanae cupiditatis inpulsu crediderit obuiandum, quousque se corrigat, ab ecclesia suspendatur.

33. Si quis in agro suo aut habet aut postulat habere diocesim, primum et terras ei deputet sufficienter et clericos, qui ibidem sua officia impleant, ut sacratis locis reuerentia condigna tribuatur.

34. Quisquis agellum ecclesiae in die uitae suae pro quacumque misericordia a sacerdote, cui potestas est, acceperit possidendum, quaecumque ibidem profecerit, alienandi nullam habeat potestatem nec sibi parentes sui ex ea re aliquid extiment uindicandum.

1. Le c. 31 figure dans le ms. de Bonneval 21, 12.
2. Cf. HEFELE-LECLERQ, II², p. 1170-1173, n. 5.
3. Le souci de ne pas multiplier les lieux de culte sans y assurer les moyens suffisants avait déjà préoccupé Gélase : cf. J. GAUDEMET, « Histoire d'un texte, les chapitres 4 et 27 de la décrétale du pape Gélase du 11 mars 494 », *Mélanges H.-Ch. Puech,* Paris 1974, p. 289-298 (repris dans *La société ecclésiastique dans l'Occident médiéval,* XIV, Londres 1980).

convertit au judaïsme un esclave né de parents chrétiens,
moyennant la promesse de la liberté, qu'il soit châtié par
la perte de ces esclaves. Quant à l'homme qui, né de
parents chrétiens, est devenu juif, si la condition posée
pour son affranchissement a été qu'il possèderait la liberté
pourvu qu'il demeure dans la religion juive, une telle
condition ne sera pas valable, car il est injuste que la
liberté soit maintenue à celui qui, issu de parents chrétiens, veut rester attaché au culte juif[1].

32. En ce qui concerne les familles serviles, nous avons
décrété que soit observé ceci : la postérité qui en descend,
où qu'elle se trouve, même après un laps de temps
prolongé, doit être ramenée par les soins de l'évêque au
lieu où l'on sait qu'ont été assignés ses ascendants, et
maintenue dans la condition qui a été fixée par les
(donateurs) défunts. Si quelque séculier, poussé par
l'humaine cupidité, prenait sur lui de contrevenir à ce
précepte, qu'il soit exclu de l'Église jusqu'à ce qu'il se
corrige[2].

33. Si quelqu'un a ou demande à avoir dans son
domaine rural une paroisse, qu'il commence par lui
procurer et des terres en quantité suffisante, et des clercs
qui s'y acquittent de leurs devoirs, afin que la révérence
convenable soit assurée aux lieux saints[3].

34. Que quiconque a reçu de l'évêque qui en a le
pouvoir, sous n'importe quelle forme de concession, une
parcelle de terre de l'Église pour la posséder sa vie
durant, n'ait aucun pouvoir de l'aliéner, quelles que
soient les améliorations qu'il y a apportées, et que ses
parents ne croient pas pouvoir lui en réclamer quelque
chose[4].

4. Le c. 34 figure dans le ms. de Bonneval 22, 8.

35. De substituendo antistite si fortassis mora extiterit et uoluntas decessoris ante fuerit reserata quam successor accedat ecclesiae, non inpediat successori. Si quispiam clericorum aliquid de facultate illa praesumpserit, in potestate sit aduenientis episcopi, utrum audire an reicere decessoris sui debeat uoluntatem, nec ecclesiae in obiecto ueniant tempora legibus constituta, dum non exstitit persona, quae de utilitate ecclesiae adtentius cogitaret.

36. Si quis episcopus alterius ecclesiae clerico de facultatibus suae ecclesiae aliquid sub titulo quocumque donauerit, post eius obitum, qui accepit, ad ecclesiae ius, de cuius facultate discesserat, reuertatur, quia iniquum est, ut sub hac specie damnum ecclesia, quae multis subuenit, patiatur.

37. Placuit praetera, ut cuncti metropolitani de conprouincialibus suis in prouincia sua annis singulis synodum debeant congregare, ut, dum in unum se fraternitas iungit, semper et censura teneatur et caritas.

38. Quapropter, quia auxiliante Domino, quae ad ecclesiasticam regulam pertinent, synodus sancta constituit, id decernimus, ut a cunctis fratribus haec definitio sancta seruetur. Quod si quis, quae salubriter perspicit instituta, indecenter transgredi quacumque occasione temptauerit, nouerit se Deo et cunctae fraternitati culpabilem esse futurum, quia iustum est, ut per unitatem antistitum et ecclesiastica fulgeat disciplina et inconuulsa maneat constitutio sacerdotum.

35. Si lors d'une succession épiscopale intervient un délai, et que les volontés du défunt sont publiées avant que le successeur ne rejoigne son église, que ces volontés ne lient pas ce successeur. Si un clerc a pris prossession de l'un des biens dont il s'agit, qu'il soit au pouvoir de l'évêque nouveau venu soit d'accepter soit de refuser la volonté de son prédécesseur ; et que l'on n'objecte pas à l'Église les délais fixés par les lois, vu qu'alors il n'y avait personne pour veiller avec l'attention suffisante aux intérêts de l'Église.

36. Si un évêque donne à un clerc d'une autre église, à quelque titre que ce soit, un bien de sa propre église, que ce bien, après la mort de celui qui l'a reçu, revienne en la possession de l'église au patrimoine de laquelle il avait été soustrait, car il est injuste que pour un tel motif l'Église, qui subvient aux besoins de beaucoup de gens, subisse un préjudice.

37. En outre, il a été décidé que tous les métropolitains doivent chaque année réunir dans leur province un synode de leurs comprovinciaux : ainsi, tandis que les frères se retrouvent dans l'unité, sont toujours assurées et la discipline et la charité.

38. Ceci étant, puisque, avec l'aide de Dieu, le saint synode a fixé ce qui intéresse la régularité dans l'Église, nous prescrivons que ces saintes décisions soient observées par tous les frères. Si l'un d'eux tente, sous quelque motif que ce soit, de transgresser impudemment ce qu'il sait bien avoir été décrété sainement, il sera coupable, qu'il le sache, envers Dieu et envers tous ses frères, car il est juste que, grâce à l'unité entre les évêques, à la fois resplendisse la discipline ecclésiastique et demeurent inébranlées les constitutions épiscopales.

Subscriptiones
ex codicibus K et I

Leontius in Christi nomine ecclesiae Burdigalensis episcopus cum conprouincialibus meis his difinitionibus
consensi et subscripsi sub die II. idus mensis tertii, Basilio
consule, indictione quarta.

Aspasius in Christi nomine episcopus Elosae ciuitatis
subscripsi.

Flauius in Christi nomine episcopus Rotomagensis
subscripsi.

Iniuriosus in Christi nomine episcopus ciuitatis Toro-
norum subscripsi.

Maximus secundae Narbonensis episcopus subscripsi.

Cyprianus in Christi nomine Telonensis episcopus
subscripsi.

Ruricius Deo propitio Lemouicae ciuitatis episcopus
subscripsi.

Praetextatus in Christi nomine Aptensis ciuitatis episcopus subscripsi.

Placidus in Christi nomine ciuitatis Matiscensis episcopus subscripsi.

Gallicanus in Christi nomine ciuitatis Ebredunensis
episcopus subscripsi.

Eucherius in Christi nomine episcopus ciuitatis Anthi-
politae subscripsi.

Aeterius in Christi nomine episcopus ecclesiae Carnotenae subscripsi.

Rufus in Christi nomine ciuitatis Octodorinsium episcopus subscripsi.

Alethius in Christi nomine episcopus ciuitatis Vasensis
subscripsi.

Heraclius in Christi nomine episcopus ciuitatis Tricas-
tinorum subscripsi.

---

1. Aix (province d'Arles).

Souscriptions
d'après les manuscrits de Cologne et d'Albi

Léonce, au nom du Christ, évêque de l'église de Bordeaux, avec mes comprovinciaux, j'ai consenti et souscrit aux présentes définitions le 2e jour des ides du 3e mois, sous le consulat de Basile, en la 4e indiction.

Aspasius, au nom du Christ, évêque de la cité d'Eauze, j'ai souscrit.

Flavius, au nom du Christ, évêque de Rouen, j'ai souscrit.

Injuriosus, au nom du Christ, évêque de la cité de Tours, j'ai souscrit.

Maxime, évêque de la Narbonnaise Seconde [1], j'ai souscrit.

Cyprien, au nom du Christ, évêque de Toulon, j'ai souscrit.

Ruricius, grâce à Dieu, évêque de la cité de Limoges, j'ai souscrit.

Prétextat, au nom du Christ, évêque de la cité d'Apt, j'ai souscrit.

Placide, au nom du Christ, évêque de la cité de Mâcon, j'ai souscrit.

Gallicanus, au nom du Christ, évêque de la cité d'Embrun, j'ai souscrit.

Eucherius, au nom du Christ, évêque de la cité d'Antibes, j'ai souscrit.

Aetherius, au nom du Christ, évêque de la cité de Chartres, j'ai souscrit.

Rufus, au nom du Christ, évêque de la cité d'*Octodurum* [2], j'ai souscrit.

Aletius, au nom du Christ, évêque de la cité de Vaison, j'ai souscrit.

Heraclius, au nom du Christ, évêque de la cité de Saint-Paul-Trois-Châteaux, j'ai souscrit.

2. Martigny.

Dalmatius in Christi nomine Rutenicium episcopus subscripsi.

Gallus in Christi nomine episcopus Aruernae ciuitatis subscripsi.

Vindimialis in Christi nomine episcopus ciuitatis Arausicorum subscripsi.

Euantius in Christi nomine Gaualetanae ciuitatis episcopus subscripsi.

Agricula in Christi nomine episcopus ciuitatis Cabelonensis subscripsi.

Firminus in Christi nomine episcopus ciuitatis Euceticae subscripsi.

Danihel in Christi nomine episcopus ciuitatis Pictauensis subscripsi.

In Christi nomine Grammatius episcopus ciuitatis Vindonensium subscripsi.

Aduolus in Christi nomine Sigistericae ciuitatis episcopus subscripsi.

Iulianus in Christi nomine Begoritanae ecclesiae episcopus subscripsi.

Passiuus episcopus Sagensis ecclesiae subscripsi.

Innocentius episcopus Cennomanicae ciuitatis subscripsi.

Viuentius peccator consensi et subscripsi.

Eleutherius episcopus de Altesiodero subscripsi.

Deutherius in Dei nomine episcopus de Vintio subscripsi.

Symplicius in Christi nomine episcopus de Sanisio subscripsi.

Proculianus in Dei nomine episcopus Ausciae ciuitatis subscripsi.

Rusticius in Dei nomine episcopus Neuernensis subscripsi.

---

1. Uzès, qui appartenait à la province de Narbonnaise, passe en

Dalmatius, au nom du Christ, évêque de la cité de Rodez, j'ai souscrit.

Gallus, au nom du Christ, évêque de la cité d'*Arverna*, j'ai souscrit.

Vindimialis, au nom du Christ, évêque de la cité d'Orange, j'ai souscrit.

Evantius, au nom du Christ, évêque de la cité de Javols, j'ai souscrit.

Agricola, au nom du Christ, évêque de la cité de Chalon, j'ai souscrit.

Firmin, au nom du Christ, évêque de la cité d'Uzès [1], j'ai souscrit.

Danihel, au nom du Christ, évêque de la cité de Poitiers, j'ai souscrit.

Au nom du Christ, Grammatius, évêque de la cité de Windisch, j'ai souscrit.

Advolus, au nom du Christ, évêque de la cité de Sisteron, j'ai souscrit.

Julien, au nom du Christ, évêque de l'église de Bigorre, j'ai souscrit.

Passivus, évêque de l'église de Séez, j'ai souscrit.

Innocent, évêque de la cité du Mans, j'ai souscrit.

Viventius [2], pécheur, j'ai consenti et souscrit.

Eleutherius, évêque d'Auxerre, j'ai souscrit.

Deuterius, au nom de Dieu, évêque de Vence, j'ai souscrit.

Symplicius, au nom du Christ, évêque de Senez, j'ai souscrit.

Proculianus, au nom de Dieu, évêque de la cité d'Auch, j'ai souscrit.

Rusticus, au nom de Dieu, évêque de Nevers, j'ai souscrit.

---

506 sous l'autorité des Francs. C'est la 1ʳᵉ fois que le siège est représenté à un concile franc. Très probablement, il relevait alors d'Arles.

2. Évêque dont le siège est inconnu.

Clematius in Christi nomine episcopus ciuitatis Carpentoratensium et Vindascensium subscripsi.

Eumerius in Christi nomine episcopus Namnetecae ciuitatis subscripsi.

Licinius in Christi nomine episcopus Ebrecum ecclesiae subscripsi.

Albinus in Christi nomine episcopus Andecauae ciuitatis subscripsi.

Vellesius in Christi nomine episcopus Vappencensis ecclesiae subscripsi.

Carterius in Christi nomine Aquinsis episcopus subscripsi.

In Christi nomine Antonius episcopus Auinnicae ciuitatis subscripsi.

Lucritius in Christi nomine ciuitatis Deensis episcopus subscripsi.

Marcus episcopus ciuitatis Aurilianensium subscripsi.

Probianus in Christi nomine presbyter directus a domno meo Arcadio episcopo ciuitatis Betoriuae subscripsi.

Amphilocius abba directus a domno meo Amelio episcopo de Parisius subscripsi.

Thoribius presbyter directus a domno meo Pappolo episcopo ciuitatis Genauensis subscripsi.

Ausonius presbyter missus a domno meo Eusebio episcopo Santonicae ciuitatis subscripsi.

Kierius presbyter directus a domno meo Lupicino episcopo ciuitatis Eculinensis subscripsi.

Gratianensis presbyter missus a domno meo Disiderio episcopo ciuitatis Foroiuliensis subscripsi.

Benenatus presbyter missus a domno meo Claudio episcopo ciuitatis Glannatinae subscripsi.

Minutalis presbyter missus a domno meo Sustracio episcopo ciuitatis Cadurcis subscripsi.

Clematius, au nom du Christ, évêque de la cité de Carpentras et de Venasque, j'ai souscrit.

Eumerius, au nom du Christ, évêque de la cité de Nantes, j'ai souscrit.

Licinius, au nom du Christ, évêque de l'église d'Évreux, j'ai souscrit.

Albinus, au nom du Christ, évêque de la cité d'Angers, j'ai souscrit.

Vellesius, au nom du Christ, évêque de l'église de Gap, j'ai souscrit.

Carterius, au nom du Christ, évêque de Dax, j'ai souscrit.

Au nom du Christ, Antonin, évêque de la cité d'Avignon, j'ai souscrit.

Lucretius, au nom du Christ, évêque de la cité de Die, j'ai souscrit.

Marc, évêque de la cité d'Orléans, j'ai souscrit.

Probianus, au nom du Christ, prêtre délégué par mon seigneur Arcadius, évêque de la cité de Bourges, j'ai souscrit.

Amphilocius, abbé délégué par mon seigneur Amelius, évêque de Paris, j'ai souscrit.

Thoribius, prêtre délégué par mon seigneur Pappolus, évêque de la cité de Genève, j'ai souscrit.

Ausonius, prêtre envoyé par mon seigneur Eusèbe, évêque de la cité de Saintes, j'ai souscrit.

Kierius, prêtre délégué par mon seigneur Lupicin, évêque de la cité d'Angoulême, j'ai souscrit.

Gratianensis, prêtre envoyé par mon seigneur Desiderius, évêque de la cité de Fréjus, j'ai souscrit.

Benenatus, prêtre envoyé par mon seigneur Claude, évêque de la cité de Glandève, j'ai souscrit.

Minutalis, prêtre envoyé par mon seigneur Sustracius, évêque de la cité de Cahors, j'ai souscrit.

Theudorus presbyter missus a domno meo Leucadio episcopo ciuitatis Baiocassinae subscripsi.

Scupilio presbyter directus a domno meo Lautone episcopo Constantiae ecclesiae subscripsi.

Baudardus presbyter missus a domno meo Perpetuo episcopo Abrincatenae ecclesiae subscripsi.

Edebius presbyter missus a domno meo Theudobaudo episcopo Lixiuinae ecclesiae subscripsi.

Theudorus, prêtre envoyé par mon seigneur Leucadius, évêque de la cité de Bayeux, j'ai souscrit.

Scupilio, prêtre délégué par mon seigneur Lauto, évêque de l'église de Coutances, j'ai souscrit.

Baudardus, prêtre envoyé par mon seigneur Perpetuus, évêque de l'église d'Avranches, j'ai souscrit.

Edebius, prêtre envoyé par mon seigneur Theudobaudis, évêque de l'église de Lisieux, j'ai souscrit.

CONCILE D'ORLÉANS V [1]
(28 octobre 549)

L'évêque d'Orléans, Marc, étant l'objet de graves accusations, le roi de Paris, Childebert Ier, demande aux évêques de statuer sur le sort de l'accusé. Tel fut le motif déterminant de la convocation du concile de 549 (Orléans V). Marc, déclaré innocent, fut rétabli sur son siège[2] ; les actes du concile qui nous sont parvenus ne font pas état de cette accusation. Réunis pour cette affaire, les Pères se préoccupent de bien d'autres questions, ce qui fait du concile d'Orléans V l'un des plus grand conciles du VIe siècle. Les évêques des deux autres royaumes francs se joignent à l'assemblée ; soixante-et-onze évêques ou délégués y assistent, chiffre que n'avait atteint aucun autre concile de ce siècle. Treize provinces sont représentées, chiffre qui ne sera dépassé à l'époque mérovingienne qu'au concile de Paris de 614 (14 provinces). Sept métropolitains sont présents, ceux de Lyon, Arles, Vienne, Trèves, Bourges, Eauze et Sens. Deux autres se sont fait personnellement représenter, ceux de Bordeaux et de Reims. Les provinces du Nord sont mieux représentées qu'auparavant.

Les thèmes abordés par les vingt-quatre canons rappellent ceux envisagés lors des précédentes assemblées tenues à Orléans. Les Pères se préoccupent aussi de questions d'actualité, comme les hérésies liées à l'affaire

---

1. Cf. HEFELE-LECLERCQ, III[1], p. 157-164.
2. Cf. GRÉGOIRE DE TOURS, *Vitae patrum* VI, 5.

des « Trois Chapitres »[1] (c. 1). D'autres canons rappellent, en les précisant souvent, des règles antérieures, concernant le droit d'asile (c. 22), les modalités d'affranchissement ou d'ordination des esclaves (c. 6 et 7), le mariage des clercs (c. 4) et leurs relations avec les femmes et leur entourage (c. 3), la protection du patrimoine ecclésiastique (c. 13 et 16), le caractère obligatoire du concile provincial annuel (c. 18 et 23). Le concile précise les règles de l'ordination épiscopale[2] (c. 9, 10 et 11) et répète avec insistance qu'un évêque ne doit pas intervenir dans les affaires d'un autre diocèse (c. 5, 8, 12, 14). Les Pères mettent en garde contre un usage abusif de l'excommunication (c. 2) : faut-il voir dans cette mesure le souci de ne pas dévaloriser cette sanction ? Enfin le concile se préoccupe des monastères de femmes (c. 19), de la miséricorde que les clercs doivent témoigner à l'égard des prisonniers (c. 20) et de leur charité envers les malades (c. 21). Un canon confirme la fondation d'un hospice faite à Lyon par le roi et la reine (c. 15).

TRANSMISSION : L'importance du concile de 549 fut ressentie par les contemporains, comme l'atteste le nombre des collections où figurent ces canons : Corbie, Lyon, Lorsch, Albi, Cologne, Saint-Maur, Reims, Saint-Amand, Beauvais.

Mais les collections canoniques médiévales ne firent pas à ces décisions un accueil beaucoup plus favorable que celui qu'elles avaient réservé à l'ensemble des conciles gaulois, à l'exception de celui d'Orléans I.

DESTINÉE ULTÉRIEURE : Un seul canon (c. 19) figure dans la *Vetus Gallica* et dans la collection de Bonneval. Aucune dis-

---

1. Cf. DUCHESNE, *L'Église au VIe siècle,* p. 156 s.
2. La législation conciliaire sur ce point est particulièrement abondante entre 533 et 549 ; sans doute est-ce parce que, après la mort de Clovis, beaucoup d'ambitieux voulaient des sièges épiscopaux : cf. CHAMPAGNE-SZRAMKIEWICZ, p. 30.

position n'est reprise dans la collection de Novare, ni dans
l'*Hispana* systématique. Pourtant le concile est inséré dans
l'*Epitome Hispanico*. 4 canons (c. 3, 13, 14, 17) figurent, au
moins partiellement, chez Benoît le Lévite. 3 canons se
retrouvent dans le Décret d'Yves de Chartres (c. 7, 12, 17), 3
dans celui de Gratien (c. 2, 12, 17).

CONCILIVM AVRELIANENSE
549. Oct. 28.

INCIPIVNT CANONES AVRELIANENSES
ANNO XX CHILDEBERTI REGIS

Ad diuinam gratiam referendum est, quando uota principum concordant animis sacerdotum, ut, dum fit pontificale concilium, normam uiuendi teneat recapitulatio antiqua canonum, uel, ut locus tempusque est, in quibuscumque titulis ueteribus adherens noua constitutio sanctionum. Igitur cum clementissimus princeps domnus triumphorum titulis inuictissimus Childebertus rex pro amore sacrae fidei et statu religionis in Aurelianensi urbe congregasset in unum Domini sacerdotes, cupiens ex ore patrum audire, quod sacrum est et quod pro ecclesiastico ordine auctoritate prometur pastorali, ut uenientibus sit norma et praesentibus disciplina : quae conueniant a praesenti tempore in posterum custodiri, praestante Deo signanter est titulis praenotatum.

1. Itaque nefariam sectam, quam auctor male sibi conscius et a uiuo sanctae fidei catholicae fonte discedens sacrilegus quondam condidit Euthices, uel si quaequae a uenefico similiter impio sunt prolata Nestorio, quas etiam sectas sedes apostolica sancta condemnat, similiter et nos easdem cum suis auctoribus et sectatoribus execrantes praesentis constitutionis uigore anathematizamus atque

---

1. Tous les mss mentionnent la 20ᵉ année du règne de Childebert. Ce dernier est roi de Paris depuis 511, mais il étend sa domination seulement quelque temps après la mort de son frère Clodomir, qui était roi d'Orléans et qui meurt en 524.

CONCILE D'ORLÉANS
28 octobre 549

ICI COMMENCENT LES CANONS D'ORLÉANS

XXe ANNÉE [1] DU ROI CHILDEBERT

C'est à la grâce divine qu'il faut attribuer que les voeux des princes concordent avec les sentiments des évêques, quand, lors de la tenue d'une assemblée épiscopale, la règle de vie est fixée par le rappel des anciens canons, ou, selon le lieu et le temps, par l'établissement de nouvelles mesures prolongeant certains anciens articles. Voilà pourquoi — alors que notre très clément prince et seigneur très invincible dans l'honneur de ses triomphes, le roi Childebert, avait, pour l'amour de la sainte foi et le statut de la religion, réuni ensemble en la ville d'Orléans les évêques du Seigneur, dans le désir d'apprendre de la bouche des Pères ce qui est saint et ce que propose l'autorité pastorale pour le gouvernement de l'Église, afin que ce soit une norme pour les fidèles à venir et une règle pour ceux d'aujourd'hui — les points qu'il convient d'observer dès à présent et par la suite ont été, par la grâce de Dieu, fixés en détail article par article.

1. Ainsi donc, la secte impie qui a eu jadis pour fauteur et fondateur un homme à la conscience mauvaise et s'écartant de la source vive de la foi catholique, le sacrilège Eutychès, et aussi tout ce qu'a proféré le venimeux et impie Nestorius, sectes que le Siège apostolique condamne également, nous aussi, les exécrant avec leurs fauteurs et leurs sectateurs, nous les anathématisons et condamnons par l'autorité de la présente constitution, en

damnamus, rectum atque apostolicum in Christi nomine
fidei ordinem praedicantes.

2. Vt nullus sacerdotum quemquam rectae fidei hominem pro paruis et leuibus causis a communione suspendat, praeter eas culpas, pro quibus antiqui patres ab
ecclesia arciri iusserunt committentes.

3. Vt nullus episcopus, presbyter et diaconus extranearum mulierum intra domum praesumat habere solatium,
cui etiam pro utilitate sua aliqua familiarius regenda
committat. Quod etiam et de propinquis feminis horis
indecentibus similiter prohibemus, ne sub concessa sibi
licentia parentali ab earum sequipedis memoratorum uita
uel opinio polluatur. Quod si episcopus nunc uetita uti
sub quadam praesumptione uoluerit, anno uno a metropolitano uel a conprouincialibus suis ab officio suspendatur ; clerici uero a propriis episcopis modo, qui supra
scriptus est, corrigantur.

4. Si quis clericus post acceptam benedictionem cuiuslibet loci uel ordinis ad conjugale thorum denuo iam sibi
inlicitum redire praesumpserit, usque in diem uitae ab
honore accepti ordinis, sicut habent patrum antiquorum
canones, ab officio deponatur, ei tantummodo communione concessa.

5. Vt nullus clericum seu lectorem alienum sine sui
cessione pontificis uel promouere uel sibi quibuslibet
condicionibus audeat uindicare. Quod si quis hanc consti-

---

1. A cette date l'hérésie, importante en Orient, n'avait pratiquement
pas encore touché la Gaule. Pourtant l'attitude des évêques de la Gaule,
suivant le pape dans sa condamnation de l'hérésie, est d'une portée
fondamentale, car pour cette condamnation les églises d'Afrique venaient
d'excommunier le pape Vigile (cf. DUCHESNE, *L'Église au VIe siècle*,
p. 191).

prêchant la règle de foi droite et apostolique au nom du Christ [1].

2. Qu'aucun évêque ne sépare de la communion un homme de foi droite pour des motifs minimes et légers, mais seulement pour les fautes dont les auteurs doivent, par décision des anciens Pères, être écartés de l'Église [2].

3. Qu'aucun évêque, prêtre ni diacre ne se permette d'admettre chez lui l'aide de femmes étrangères, ni ne confie à aucune une responsabilité plus familière à son service. Nous l'interdisons même pour les proches parentes aux heures indues, de crainte que, à la faveur de la permission à elles accordée au titre de la parenté, la vie ou la réputation desdits clercs ne soit salie du fait de leurs suivantes. Si un évêque, sous quelque prétexte, se permet d'aller à l'encontre des présentes interdictions, qu'il soit suspendu de son office un an par son métropolitain ou ses comprovinciaux ; quant aux clercs, qu'ils soient corrigés par leurs propres évêques de la manière indiquée [3].

4. Si un clerc, après avoir reçu l'ordination à quelque état ou degré, se permet de reprendre à nouveau des rapports conjugaux qui lui sont maintenant interdits, qu'il soit, jusqu'à son dernier jour, privé de l'honneur de l'ordre reçu, comme le disent les canons des anciens Pères, et déposé de son office ; la communion seulement lui sera concédée.

5. Qu'aucun évêque n'ose ni promouvoir un clerc ou un lecteur étranger, ni le revendiquer pour sien à aucun titre, à moins d'un congé de son propre évêque. Si

---

2. Le c. 2 figure dans le Décret de Gratien, Causa 11, q. 3, c. 42.
3. La fin du c. 3 figure chez Benoît le Lévite III, 422.

tutionem fuerit quacumque praesumptione transgressus, memoratae personae ab eo, cui sunt debitae seu ecclesiastico iure seu proprio, reuocatae, quia inlicita uagatione discesserant, ab officio uel honore suscepto iuxta arbitrium sui pontificis suspendantur ; episcopus uero, qui ordinauerit, sex mensibus missas tantum facere non praesumat.

6. Vt seruum, qui libertatem a dominis propriis non acceperit, aut etiam iam libertum nullus episcoporum absque eius tantum uoluntate, cuius aut seruus est aut eum absoluisse dinoscitur, clericum audeat ordinare. Quod quisque fecerit, is, qui ordinatus est, a domino reuocetur et ille, qui est conlator ordinis, si sciens fecisse probatur, sex mensibus missas tantum facere non praesumat. Si uero saecularium seruus esse conuincitur, ei, qui ordinatus est, benedictione seruata honestum ordini domino suo inpendat obsequium. Quod si saecularis dominus amplius eum uoluerit inclinare, ut sacro ordini inferre uideatur iniuriam, duos seruos, sicut antiqui canones habent, episcopus, qui eum ordinauit, domino saeculari restituat et episcopus eum, quem ordinauit, ad ecclesiam suam reuocandi habeat potestatem.

7. Et quia plurimorum suggestione conperimus eos, qui in ecclesiis iuxta patrioticam consuetudinem a seruitio fuerint absoluti, pro libito quorumcumque iterum ad seruitium reuocari, impium esse tractauimus, ut, quod in ecclesia Dei consideratione a uinculo seruitutis absoluitur, irritum habeatur, adeo pietatis causa communi consilio

---

1. Ici, comme au c. 8 et au c. 13, l'éditeur a préféré, sans doute avec raison, la leçon *Quod quisque fecerit* à *Quod si quisque fecerit*. Il faut toutefois remarquer que la tournure *Quod si* + le parfait du subjonctif revient une douzaine de fois dans ces 24 canons.

quelqu'un transgresse sous quelque prétexte cette constitution, que les personnes en question, une fois revendiquées par celui à qui elles appartiennent au titre de
l'église ou à titre personnel, soient, puisqu'elles étaient
allées vagabonder sans permission, déposées de la charge
ou dignité reçue, selon la décision de leur propre pontife.
Quant à l'évêque qui les a ordonnées, qu'ils s'abstienne
seulement de célébrer la messe durant six mois.

6. Qu'aucun évêque n'ait l'audace d'ordonner clerc un
esclave qui n'a pas reçu la liberté de la part de ses
propres maîtres, ni non plus un esclave qui a déjà reçu
la liberté, si ce n'est seulement avec le consentement de
celui dont il est l'esclave ou qui l'a affranchi. Si quelqu'un
le fait[1], que celui qui a été ordonné soit réclamé par son
maître, et que celui qui a conféré l'ordination, s'il est
prouvé qu'il a agi sciemment, ne se permette plus de
célébrer la messe, cela seulement, durant six mois. Si par
ailleurs l'esclave qui a été ordonné appartient à des
laïques, que la bénédiction lui reste acquise et qu'il rende
à son maître un service qui convienne à l'ordre reçu. Et
si le maître laïque voulait l'abaisser par trop, au point
de faire injure au saint ordre reçu, que l'évêque qui l'a
ordonné donne en échange au maître laïque deux esclaves, comme le prescrivent les anciens canons, et que
cet évêque ait pouvoir de réclamer par son église celui
qu'il a ordonné.

7. Et puisque nous sommes informés par de très nombreux témoignages que des gens qui ont été, à l'église,
affranchis de la servitude, suivant l'usage du pays, sont
réduits de nouveau en servitude par l'arbitraire de certaines gens, nous avons délibéré qu'il était impie qu'un
affranchissement du lien de la servitude accordé dans une
église, en considération de Dieu, soit tenu pour nul. C'est
pourquoi il a été, par motif religieux, décidé d'un

placuit obseruandum, ut, quaecumque mancipia ab in-
genuis dominis seruitute laxantur, in ea libertate ma-
neant, quam tunc a dominis perceperunt. Huiusmodi
quoque libertas si a quocumque pulsata fuerit, cum
iustitia ab ecclesiis defendatur, praeter eas culpas, pro
quibus leges conlatas seruis reuocari iusserunt libertates.

8. Vt in ciuitate, ubi pontifex iure humanae conditionis
obierit, nullus episcopus ante substitutionem reparati per
ordinem successoris aut in ciuitate aut per parrocias
ordinare clericos aut altaria audeat consecrare uel quicquam de rebus ecclesiae praeter humanitatem praesumat
auferre. Quod quisque temerario ausu statuta transcen-
derit, conuentus ab instituto pontifice uerecundiae suae
consulens sine dilatione ablata restituat. Si uero suae
uoluntatis arbitrio uel quorumcumque precibus actus
quamcumque personam aut promouere aut contra hoc
interdictum ire praesumpserit, anno integro missas tantum facere non praesumat.

9. Vt nullus ex laicis absque anni conuersione praemissa episcopus ordinetur, ita ut intra anni ipsius spatium
a doctis et probatis uiris et disciplinis et regulis spirita-
libus plenius instruatur. Quod si hoc quisque episcoporum transcendere quacumque conditione praesumpserit
ordinando, anno integro ab officio uel a caritate fratrum
habeatur extraneus.

---

1. Allusion à la constitution de Constantin de 332 (*C. Th.* 4, 10,
1), qui punit l'ingratitude des esclaves affranchis par le retour à la
condition servile.

2. Le c. 7 figure chez Yves de Chartres, Décret XVI, 48.

3. *Praeter humanitatem :* « sauf les vivres nécessaires ». Sur ce sens
de *humanitas,* cf. BLAISE, § 3 ; *TTL* VI, 3, col. 3083, 23.

commun accord de maintenir que tous les esclaves qui sont affranchis de la servitude par des maîtres nés libres (*ingenui*) demeurent dans la liberté qu'ils ont alors reçue de ces maîtres ; que de plus une pareille liberté, si elle est mise en cause par quiconque, soit défendue conformément à la justice par les églises, sauf s'il s'agit de fautes pour lesquelles les lois[1] ont prescrit la révocation des libertés accordées aux esclaves[2].

8. Que dans une cité où le pontife, suivant l'humaine condition, est décédé, aucun évêque, avant qu'il soit pourvu à son remplacement par l'ordination d'un successeur, ne se permette, ni dans la cité ni dans les paroisses, d'ordonner des clercs, ou de consacrer des autels, ou de rien prendre sur les biens de l'église, sauf les vivres nécessaires[3]. Si quelqu'un, par une téméraire audace, transgresse cette disposition, qu'il soit cité à comparaître par le pontife qui aura été établi, et que, conscient de son action honteuse, il restitue sans retard ce qu'il a soustrait. Et s'il a l'audace, de son propre chef ou poussé par les prières de qui que ce soit, ou de promouvoir quelqu'un, ou d'agir à l'encontre de cet interdit, qu'il ne se permette plus de célébrer la messe, cela seulement, durant une année entière.

9. Qu'aucun laïque ne soit ordonné évêque sans qu'ait précédé une année de changement de vie (*conuersio*), de façon qu'il soit, durant cette année, instruit plus à fond, par des hommes doctes et éprouvés, de la discipline et des règles spirituelles. Si un évêque, lors d'une ordination, s'est permis de passer outre, d'une façon ou d'une autre, à cette prescription, qu'il soit tenu à l'écart un an durant de son office et de la communion de ses frères[4].

---

4. Sur les c. 9, 10, 11 et 12, cf. GAUDEMET, *Élections*, p. 52.

10. Vt nulli episcopatum praemiis aut conparatione liceat adipisci, sed cum uoluntate regis iuxta electionen cleri ac plebis, sicut in antiquis canonibus tenetur scriptum, a metropolitano uel, quem in uice sua praemiserit, cum conprouincialibus pontifex consecretur. Quod si quis per coemptionem hanc regulam huius sanctae constitutionis excesserit, eum, qui per praemia ordinatus fuerit, statuimus remouendum.

11. Item, sicut antiqui canones decreuerunt, nullus inuitis detur episcopus, sed nec per oppressionem potentium personarum ad consensum faciendum ciues aut clerici, quod dici nefas est, inclinentur. Quod si factum fuerit, ipse episcopus, qui magis per uiolentiam quam per decretum legitimum ordinatur, ab indepto pontificatus honore in perpetuo deponatur.

12. Vt nullus uiuente episcopo alius superponatur aut superordinetur episcopus, nisi forsitan in eius locum, quem capitalis culpa deiecerit.

13. Ne cui liceat res uel facultates ecclesiis aut monasteriis uel exenodociis pro quacumque elemosina cum iustitia delegatas retentare, alienare atque subtrahere. Quod quisque fecerit, tanquam necator pauperum antiquorum canonum sententiis constrictus ab ecclesiae liminibus excludatur, quamdiu ab ipso ea, quae sunt ablata uel retenta, reddantur.

---

1. En pratique cela se passait ainsi depuis Clovis ; cependant c'est le premier texte reconnaissant officiellement cette intervention.

2. Cf. J. CHAMPAGNE et R. SZRAMKIEWICZ, notamment p. 45.

3. Cf. CÉLESTIN Iᵉʳ, *Ep.* 4, 5, adressée en 428 aux évêques de Viennoise et de Narbonnaise.

4. Voir le c. 3(5) du concile de Lyon I.

5. Le c. 12 figure dans : Yves de Chartres, Décret V, 302 ; Décret de Gratien, Causa 7, q. 1, p. 1.

10. Qu'il ne soit permis à personne d'obtenir l'épiscopat par des présents ou par achat, mais que ce soit avec l'assentiment du roi[1], en conformité avec l'élection du clergé et du peuple, comme il est écrit dans les anciens canons[2], que l'évêque soit consacré par le métropolitain ou son délégué, avec le concours de ses comprovinciaux. Si quelqu'un, par un achat, viole la règle de cette sainte constitution, nous statuons que celui qui a été ordonné grâce à des présents doit être écarté.

11. Aussi, comme l'ont prescrit les anciens canons, que nul évêque ne soit donné à ceux qui ne veulent pas de lui[3], et que non plus — il est malheureux d'avoir à le dire — les citoyens ou les clercs ne soient pas influencés dans leur consentement par la pression de puissants personnages. Si cela s'est fait, que cet évêque ordonné plutôt par violence que par une décision légitime soit à jamais déposé de l'honneur de l'épiscopat obtenu.

12. Que du vivant d'un évêque aucun autre évêque ne soit institué ou ordonné en plus de lui[4], à moins peut-être que ce ne soit pour remplacer celui qu'une faute majeure a fait rejeter[5].

13. Qu'il ne soit permis à personne de retenir, aliéner et soustraire les biens et ressources attribués légalement, sous une forme ou l'autre d'aumône, aux églises, aux monastères ou aux hospices[6]. Que quiconque l'a fait, condamné qu'il est par les sentences des anciens canons comme assassin des pauvres[7], soit tenu éloigné du seuil de l'église jusqu'à ce qu'il ait restitué ce qui a été pris ou retenu[8].

6. Le canon reprend les dispositions antérieures concernant les biens des églises et des monastères, mais il ajoute ici ceux des hospices.

7. Cf. *supra,* Introd., p. 43, n. 1.

8. Le c. 13 figure chez Benoît le Lévite II, 136 et III, 419.

14. Vt nullus episcoporum aut cuiuslibet ordinis clericus uel alia quaecumque persona quibuslibet condicionibus seu in uno regno seu in alio positus alterius cuiuscumque ecclesiae res aut petat aut praesumat accipere. Quod si fecerit, tamdiu habeatur a communione altaris uel ab omnium fratrum ac filiorum caritate suspensus, donec ipsi ecclesiae, cuius directo ordine iuris est, ablata restituat.

15. De exenodocio uero, quod piissimus rex Childeberthus uel iugalis sua Vulthrogotho regina in Lugdunensi urbe inspirante Domino condiderunt, cuius institutionis ordinem uel expensae rationem petentibus ipsis manuum nostrarum suscriptione firmauimus, uisum est pro Dei contemplatione iunctis nobis in unum permansura auctoritate decernere, ut, quidquid praefato exenodocio aut per supra dictorum regum oblationem aut per quorumcumque fidelium elemosinam conlatum aut conferendum est in quibuscumque rebus aut corporibus, nihil exinde ad se quolibet tempore antistes ecclesiae transferat, ut succedentes sibi per temporum ordinem sacerdotes non solum aut de facultate exenodocii ipsius aut de consuetudine uel institutione nil minuant, sed dent operam, qualiter rei ipsius stabilitas in nullam partem detrimentum aut deminutionem aliquam patiatur, prouidentes intuitu retributionis aeternae, ut praepositi semper strenui ac Deum timentes decedentibus instituantur et cura aegrotantium ac numerus uel exceptio peregrinorum secundum inditam institutionem inuiolabili semper stabilitate permaneat. Quod si quis quolibet tempore, cuiuslibet potestatis aut ordinis persona, contra hanc constitutionem nostram uenire temptauerit aut aliquid de consuetudine uel facultate exenodocii ipsius abstulerit, ut

1. Le c. 14 figure chez Benoît le Lévite II, 135 et III, 420.

14. Qu'aucun évêque, ou clerc de quelque rang qu'il soit, ou personnage quelconque, en quelque situation qu'il soit, qu'il se trouve dans un royaume ou dans l'autre, ne revendique ou n'ose accepter des biens de n'importe quelle autre église. S'il le fait, qu'il soit tenu à l'écart de la communion de l'autel et de la communauté (*caritas*) de tous ses frères et fils, jusqu'à ce qu'il restitue ce qui a été pris à l'église qui le possède de bon droit[1].

15. Quant à l'hospice que le très pieux roi Childebert et son épouse la reine Ultrogothe ont fondé, sous l'inspiration divine, dans la ville de Lyon, et dont, sur leur demande, nous avons confirmé, souscrits de nos mains, le règlement constitutif et le compte des dépenses, voici ce que nous avons jugé bon, en considération de Dieu, d'un accord unanime, de décréter d'autorité durable. De tout ce qui a été ou sera attribué audit hospice en fait de biens et de personnes, soit par le don desdits souverains, soit par les aumônes de tels ou tels fidèles, que jamais l'évêque de l'église de Lyon ne s'attribue rien personnellement ni ne transfère rien à la propriété de l'église. Que les évêques qui lui succéderont avec le temps, non seulement ne retranchent rien, ni des ressources, ni des règlements et de la constitution de cet hospice, mais encore qu'ils s'emploient à empêcher que la stabilité de cette fondation ne subisse sur aucun point quelque préjudice ou diminution. Qu'ils veillent, en vue de la récompense éternelle, à ce que toujours des prévôts actifs et craignant Dieu succèdent à ceux qui disparaissent, et que le soin des malades, ainsi que le nombre et l'accueil des étrangers soient toujours maintenus selon les règles fixées, avec une inviolable stabilité. Et si jamais quelqu'un, quel que soit son pouvoir ou son rang, tente de contrevenir à notre présente constitution ou de retrancher quelque chose aux règles ou aux ressources de l'hospice, si bien que cet hospice, ce qu'à Dieu ne plaise, cesserait d'exister,

exenodocium, quod auertat Deus, esse desinat, ut necator
pauperum inreuocabili anathemate feriatur.

16. Quisquis etiam aut maiorum aut mediocrium personarum quodcumque muneris uel facultatis sacerdotibus
aut ecclesiis aut quibuslibet locis sanctis studio mercedis
cum iustitia pro Dei contemplatione contulerit aut ea,
quae a parentibus donata noscuntur, postmodum auferre
praesumpserit, superiori sententia ut necator pauperum
a communione priuabitur.

17. Placuit etiam, ut, si quaecumque persona contra
episcopum uel actores ecclesiae se proprium crediderit
habere negotium, prius ad eum recurrat caritatis studio,
ut familiari aditione commonitus sanare ea debeat, quae
in quaerimoniam deducuntur. Quam rem si differre uoluerit, tunc demum ad metropolitani audientiam ueniatur.
De qua re cum litteras suas metropolitanus ad conprouin-
cialem episcopum dederit et causa ipsa inter utrosque
quacumque transactione amicis mediis non fuerit definita,
ut ipsi metropolitano necessarium sit in eodem negotio
iterare rescriptum, et secundo ammonitus sanare, mittere
aut uenire distulerit, in tantum a caritate metropolitani
sui nouerit se esse suspensum, donec ad praesentiam eius
ueniens causae ipsius, de qua petitur, reddiderit rationem.
Quod si patuerit episcopum ipsum contra iustitiam fati-
gatum, is, qui eum iniusta interpellatione pulsauit, anni
spatio a communione ecclesiastica suspendatur. Si metropolitanus a quocumque conprouinciali episcopo bis fuerit
in causa propria appellatus et eum audire distulerit, ad
proximam synodum, quae constituetur, negotium suum
in concilio habeat licentiam exerendi et, quidquid pro

qu'il soit, comme assassin des pauvres, frappé d'un ir-
révocable anathème.

16. Si quelqu'un aussi, soit parmi les grands soit parmi
les humbles, a conféré quelque présent ou quelque bien
aux évêques ou aux églises ou à quelque lieu saint en
vue de la récompense, justement, en considération de
Dieu — et de même s'il s'agit de ce qu'ont donné ses
parents —, et que par la suite il se permet de le reprendre,
il sera, selon la sentence ci-dessus, privé de la communion
en tant qu'assassin des pauvres.

17. Il a aussi été décidé que si quelqu'un estime avoir
un grief personnel contre l'évêque ou les administrateurs
de l'église, il recoure d'abord à celui-ci, pour qu'informé
dans une rencontre familière, il puisse porter remède à
ce qui fait l'objet de la plainte. Si l'évêque veut renvoyer
l'affaire, alors, qu'on s'adresse au tribunal du métropolitain. Une fois que le métropolitain a adressé sa lettre
sur ce sujet à l'évêque comprovincial, et que le conflit
n'a pu être résolu entre les deux parties par aucun
arrangement grâce à la médiation d'amis, si bien que ce
métropolitain soit forcé de réitérer sa réponse, et que
l'évêque, deux fois averti, néglige de remédier au mal,
d'envoyer quelqu'un ou de venir, alors, que ce dernier
sache qu'il se trouve exclu de la communion (*caritas*)
avec le métropolitain tant qu'il ne sera pas venu se
présenter à lui et ne se sera pas justifié de l'accusation
portée contre lui. S'il en ressort que cet évêque a été
injustement inquiété, que l'auteur de la poursuite injuste
intentée contre lui soit privé durant un an de la communion de l'église. Si un évêque comprovincial, dans un
procès qui le concerne, fait appel à deux reprises à son
métropolitain, et que celui-ci néglige de l'entendre, qu'il
lui soit permis, au prochain synode qui se tiendra, d'exposer son affaire en session, et qu'il veille à observer ce

iustitia a conprouincialibus suis statutum fuerit, studeat
obseruare.

18. Id etiam huic decreto credidimus inserendum, ut,
si quis de conprouincialibus episcopis a metropolitano
suo ad concilium intra suam prouinciam fuerit euocatus
et praeter euidentem infirmitatem ad concilium uenire
distulerit atque de synodali conuentu, antequam cuncta
conueniant, sine commeatu concilii ipsius discedere fortasse praesumpserit, sicut est praecedentibus regulis statutum, sex mensibus a missarum officio suspendatur.
Quod si concilium faciendum quaecumque necessitas in-
lata distulerit, a metropolitano suo ueniam postulans ad
missarum faciendarum gratiam reuocetur.

19. Quaecumque etiam puellae seu propria uoluntate
monasterium expetunt seu a parentibus offeruntur, annum in ipsa qua intrauerint ueste permanent. In his uero
monasteriis, ubi non perpetuo tenentur inclusae, triennium in ea qua intrauerint ueste permaneant et postmodum secundum statuta monasterii ipsius, in quo
elegerint permanere, uestimenta religionis accipiant. Quae
si deinceps sacra relinquentes loca propositum sanctum
saeculi ambitione transcenderint, uel illae, quae in domibus propriis, tam puellae quam uiduae, conmutatis
uestibus conuertuntur, cum his, quibus coniugio copulan-

---

1. Le début du c. 17 figure chez Benoît le Lévite II, 318 a et III,
350 b ; la fin figure dans : Réginon de Prüm, Appendix III, 47 ; Burchard
de Worms I, 59 ; Coll. en treize livres IX, 64 ; Yves de Chartres,
Décret V, 169 ; Décret de Gratien, Causa 6, q. 4, c. 4.

2. Voir le c. 19 du « IIᵉ concile d'Arles ». Mais les conciles mérovingiens antérieurs étaient moins sévères sur ce point.

3. R. Metz, *La consécration des vierges*, p. 173-174, fait remarquer
que cette prescription ressemble à celle du chap. 3 de la *Regula ad
virgines* de Césaire d'Arles.

qui aura été statué selon la justice par ses comprovinciaux [1].

18. Un point encore que nous avons cru bon d'insérer dans le présent décret : si l'un des évêques comprovinciaux est invité par son métropolitain au concile tenu dans sa province, et que, hors le cas d'évidente infirmité, il néglige de venir au concile, ou encore qu'il se permette de quitter l'assemblée conciliaire avant que tout soit réglé et sans le congé de l'assemblée, qu'il soit, comme il a été fixé par les canons antérieurs [2], suspendu durant six mois de la célébration de la messe. Si quelque nécessité l'avait forcé de s'abstenir de prendre part au concile, qu'il sollicite de son métropolitain le pardon et soit réadmis à la faculté de célébrer la messe.

19. Également, que toutes les jeunes filles qui, soit entrent au monastère de leur propre volonté, soit sont offertes par leurs parents, gardent durant un an le vêtement qu'elles portaient à leur entrée [3]. Si c'est dans des monastères où elles ne sont pas tenues à la clôture perpétuelle, qu'elles gardent durant trois ans le vêtement qu'elles portaient en entrant, et qu'ensuite, selon les règles du monastère où elles ont choisi de demeurer, elles reçoivent l'habit religieux. Si par la suite elles quittent la sainte demeure et transgressent leur saint engagement par désir du siècle — ceci concerne aussi celles, jeunes filles ou veuves, qui dans leur propre demeure ont changé de vêtement et de vie [4] —, qu'elles soient, avec ceux auxquels elles se marient, privées de la communion de

---

4. Quae... *commutatis uestibus* conuertuntur. La *conuersio* (changement de vie) se traduit par le changement de vêtements *(vestis mutatio)*. Cf. R. Metz, *La consécration des vierges*, p. 136-138.

tur, ab ecclesiae communione priuentur. Sane si culpam sequestratione sanauerint, ad communionis gratiam reuocentur.

20. Id etiam miserationis intuitu aequum duximus custodiri, ut, qui pro quibuscumque culpis carceribus deputantur, ab archidiacono seu praeposito eclesiae singulis diebus dominicis requirantur, ut necessitas uinctorum secundum praeceptum diuinum misericorditer subleuetur, atque a pontifice instituta fideli et diligenti persona, quae necessaria prouideat, conpetens uictus de domo ecclesiae tribuatur.

21. Et licet propitio Deo omnium Domini sacerdotum uel quorumcumque haec cura possit esse fidelium, ut egentibus necessaria debeant ministrare, specialiter tamen de leprosis id pietatis causa conuenit, ut unusquisque episcoporum, quos incolas hanc infirmitatem incurrisse tam territorii sui quam ciuitatis agnouerit, de domo ecclesiae iuxta possibilitatem uictui et uestitui necessaria subministret, ut non his desit misericordiae cura, quos per duram infirmitatem intolerabilis constringit inopia.

22. De seruis uero, qui pro qualibet culpa ad ecclesiae septa confugerint, id statuimus obseruandum, ut, sicut in antiquis constitutionibus tenetur scriptum, pro concessa culpa datis a domino sacramentis, quisquis ille fuerit, egrediatur de uenia iam securus. Enimuero si inmemor fidei dominus transcendisse conuincitur quod iurauit, ut is, qui ueniam acceperat, probetur postmodum pro ea

1. R. Metz, *La consécration des vierges,* p. 213, cite de très nombreux conciles ayant légiféré sur ce point : notamment Ancyre (314), c. 19, Orange (441), c. 28, Chalcédoine (451), c. 16, Vannes (465), c. 4, Mâcon (581-583), c. 12, Paris (614), c. 15.

2. Le c. 19 figure dans : *Vetus Gallica* 47, 9 ; ms. de Bonneval 14, 34.

l'Église[1]. D'ailleurs, s'ils remédient à leur faute en se séparant, qu'il soient réadmis à la grâce de la communion[2].

20. Un point encore que nous avons trouvé juste d'observer, en esprit de miséricorde : que ceux qui sont, pour quelque faute que ce soit, mis en prison, soient visités chaque dimanche par l'archidiacre ou le responsable de l'église, afin que les prisonniers soient assistés avec miséricorde dans leurs besoins, conformément au précepte divin ; et que le pontife nomme quelqu'un de fidèle et soigneux qui pourvoie au nécessaire, les vivres voulus étant fournis par l'évêché[3].

21. Et bien que, avec l'aide de Dieu, le soin de procurer aux pauvres le nécessaire puisse être exercé par tous les prêtres du Seigneur et tous les fidèles, voici ce qui convient spécialement, par miséricorde, dans le cas des lépreux : que chaque évêque procure à ceux des habitants de son territoire comme de sa cité dont il apprend qu'ils ont contracté cette maladie ce qui leur est nécessaire pour la nourriture et le vêtement, selon les possibilités, en le prenant sur l'évêché[3] ; ainsi le secours de la miséricorde ne fera pas défaut à ceux que leur cruelle infirmité réduit à un intolérable dénuement.

22. Au sujet des esclaves qui pour quelque faute que ce soit se réfugient dans l'enceinte de l'église, voici ce que nous avons prescrit d'observer : que, comme on le trouve écrit dans les anciennes constitutions, tout esclave, une fois sa faute remise sous serment par son maître, sorte assuré désormais du pardon. Par conséquent, si le maître, oublieux de la foi donnée, est convaincu d'avoir transgressé ce qu'il a juré, et qu'il est prouvé que celui

---

3. *Domus ecclesiae* : la demeure épiscopale et ses ressources.

culpa qualicumque supplicio cruciatus, dominus ille, qui inmemor fuit datae fidei, sit ab omnium communione suspensus. Iterum si seruus de promissione ueniae datis sacramentis a domino iam securus exire noluerit, ne sub tali contumacia requirens locum fugae domino fortasse dispereat, egredi nolentem a domino eum liceat occupari, ut nullam quasi pro retentatione serui quibuslibet modis molestiam aut calumniam patiatur ecclesia ; fidem tamen dominus, quam pro concessa uenia dedit, nulla temeritate transcendat. Quod si aut gentilis dominus fuerit aut alterius sectae, qui a conuentu ecclesiae probatur extraneus, is, qui seruum repetit, personas requirat bonae fidei christianas, ut ipsi in persona domini seruo praebeant sacramenta ; quia ipsi possunt seruare, quod sacrum est, qui pro transgressione ecclesiasticam metuunt disciplinam.

23. His itaque Deo propitio constitutis, quod praecipue in omnibus patrum conciliis habetur scriptum, congrua definitione sancimus, ut intra anni circulum unusquisque metropolitanus episcopus iunctis in unum locum conprouincialibus suis intra prouinciam suam studeat habere concilium, ut aut, si qua accesserint, caritatis emendentur studio aut, si pax regulis uel disciplina in cunctis Deo adiuuante permanserit, auctori bonorum omnium Deo de caritate et praesentia gratulentur.

24. Haec ergo Deo propitio constanter et unanimiter definita seruantes, etiam praeteritorum statuta canonum

---

1. Voir le c. 3 du concile d'Orléans I et le c. 9 du concile de Clichy. — Sur le droit d'asile des esclaves, cf. TIMBAL, p. 99-106.

qui avait reçu son pardon a été par la suite châtié par quelque supplice pour cette même faute, que ce maître qui s'est montré oublieux de la foi donnée soit exclu de la communion de tous. Par ailleurs, si l'esclave, une fois assuré de la promesse du pardon donnée sous serment par son maître, refuse de sortir, de crainte que, pour s'être ainsi révolté en cherchant un lieu de refuge, il risque d'être perdu aux yeux de son maître, il sera permis au maître de se saisir de lui, puisqu'il refuse de sortir : ainsi l'église n'aura à subir aucune vexation ni accusation d'aucune sorte sous prétexte de rétention d'esclave [1]. Mais que le maître n'ait en rien l'audace de transgresser le serment qu'il a prêté au sujet du pardon accordé. Et si le maître qui réclame l'esclave est païen ou appartient à une autre confession reconnue étrangère à l'unité de l'Église, qu'il requière des chrétiens d'une foi sûre pour que ceux-ci prêtent serment au sujet de l'esclave au nom du maître : seuls en effet peuvent garder la foi jurée ceux qui, pour sa transgression, craignent la discipline de l'Église.

23. Tout ceci étant ainsi établi, avec le secours de Dieu, nous ratifions par une définition analogue ce qui se trouve au premier chef inscrit dans tous les conciles des Pères, à savoir que dans le courant de l'année chaque évêque métropolitain fasse en sorte de réunir en un même lieu les évêques comprovinciaux et de tenir un concile dans sa province : ainsi, ou bien, si des abus se présentent, il y sera remédié en esprit de charité ; ou bien, si grâce à Dieu la paix s'est maintenue en tout quant aux règles et à la discipline, ils rendront grâces à Dieu, auteur de tout bien, pour leur entente (*caritas*) et leur rencontre.

24. Observant donc, avec le secours de Dieu, les points ainsi définis fermement et unanimement, nous ratifions

decernimus, ut Christo auctore deinceps inconuulsa uniuersa seruentur, ut manente concordia, quae diuina inspiratione salubriter in praesenti tempore definita sunt, amodo et habeant uigorem et custodiant caritatem.

In Christi nomine Sacerdus episcopus ecclesiae Lugdunensis constitutionem nostram relegi et subscripsi. Notaui die V. kal. Nouembris, anno XXXVIII regni domni Childeberthi, indictione tertia decima.

In Christi nomine Aurilianus episcopus ecclesiae Arelatensis constitutionem nostram relegi et subscripsi.

In Christi nomine Esychius episcopus ecclesiae Viennensis constitutionem nostram relegi et subscripsi.

Nicecius gratia Domini episcopus Triuericae ciuitatis consensum meum uel dommorum meorum relegi et subscripsi.

Desideratus in Christi nomine episcopus ecclesiae Beturiuae subscripsi.

Aspasius in christi nomine Elusae episcopus consensum nostrum uel domnorum meorum relegi et subscripsi.

Constitutus in Christi nomine episcopus ecclesiae Senonicae consensi et subscripsi.

In Christi nomine Placidus ecclesiae Matiscensis episcopus consensi et subscripsi.

In Christi nomine Firminus episcopus ecclesiae Vceticinsium consensi et subscripsi.

In Christi nomine Agricula episcopus ecclesiae Cabilonnensis consensi et subscripsi.

In Christi nomine Vrbicus episcopus ciuitatis Vesuntiensis consensi et subscripsi.

In Dei nomine Rufus episcopus ecclesiae Octorinsium[1] consensi et subscripsi.

1. Martigny.

aussi les dispositions des canons antérieurs, de façon que, par la grâce du Christ, le tout soit, par la suite, inébranlablement observé, afin que, la concorde étant maintenue, les points sainement définis à présent par l'inspiration divine demeurent dorénavant en vigueur et garantissent l'union (*caritas*).

Au nom du Christ, Sacerdos, évêque de l'église de Lyon, j'ai relu notre constitution et y ai souscrit. J'ai signé le 5e jour des calendes de novembre, la 38e année du règne de monseigneur Childebert, en la 13e indiction.

Au nom du Christ, Aurélien, évêque d'Arles, j'ai relu notre constitution et y ai souscrit.

Au nom du Christ, Esychius, évêque de l'église de Vienne, j'ai relu notre constitution et y ai souscrit.

Nicet, par la grâce du Seigneur évêque de la cité de Trèves, j'ai relu notre accord, le mien et celui de mes seigneurs, et j'y ai souscrit.

Desideratus, au nom du Christ, évêque de l'église de Bourges, j'ai souscrit.

Aspasius, au nom du Christ, évêque d'Eauze, j'ai relu notre accord, le mien et celui de mes seigneurs, et y ai souscrit.

Constitutus, au nom du Christ, évêque de l'église de Sens, j'ai consenti et souscrit.

Au nom du Christ, Placide évêque de l'église de Mâcon, j'ai consenti et souscrit.

Au nom du Christ, Firmin, évêque de l'église d'Uzès, j'ai consenti et souscrit.

Au nom du Christ, Agricola, évêque de l'église de Chalon, j'ai consenti et souscrit.

Au nom du Christ, Urbicus, évêque de la cité de Besançon, j'ai consenti et souscrit.

Au nom de Dieu, Rufus, évêque de l'église d'*Octodurum* [1], j'ai consenti et souscrit.

Gallus in Christi nomine episcopus Aruernae ecclesiae consensi et subscripsi.

Saffaracus in Christi nomine episcopus ecclesiae Parisiacae subscripsi.

Domitianus episcopus ecclesiae Tungrinsis subscripsi.

Eleutherius in Christi nomine episcopus ecclesiae Autisiodorensis subscripsi.

Desideratus in Christi nomine episcopus ecclesiae Veredunensis subscripsi.

Grammatius episcopus ecclesiae Vindunnensis subscripsi.

Tetricus episcopus ecclesiae Lingonicae subscripsi.

Nectarius episcopus ecclesiae Austidunensis subscripsi.

Eusebius episcopus ecclesiae Sanctonicae subscripsi.

Proculianus episcopus ecclesiae Auscensis subscripsi.

Maximus episcopus ecclesiae Cadurcinae subscripsi.

Bebianus episcopus ecclesiae Agennensis subscripsi.

Abthonius episcopus ecclesiae Ecolisnissis subscripsi.

Deuterius episcopus ecclesiae Vintiensis subscripsi.

Lauto episcopus ecclesiae Constantinae uel Briouerensis subscripsi.

Passiuus episcopus ecclesiae Sagensis subscripsi.

Clematius episcopus ecclesiae Carpentoratensis subscripsi.

Vellesius episcopus ecclesiae Vappincensis subscripsi.

Aregius episcopus ecclesiae Neuernensis subscripsi.

Hilarius episcopus ecclesiae Diniensis subscripsi.

Clementinus episcopus ecclesiae Aptensis subscripsi.

Palladius episcopus ecclesiae Telonensis subscripsi.

Basilius episcopus ecclesiae Glannatensis subscripsi.

Auolus episcopus ecclesiae Aquinsis subscripsi.

Fybidiolus episcopus ecclesiae Redonensis subscripsi.

Gallus episcopus ecclesiae Valentinae subscripsi.

Leubenus episcopus ecclesiae Carnotensis subscripsi.

Gallus, au nom du Christ, évêque de l'église d'*Arverna*, j'ai consenti et souscrit.

Saffaracus, au nom du Christ, évêque de l'église de Paris, j'ai souscrit.

Domitien, évêque de l'église de Tongres, j'ai souscrit.

Eleutherius, au nom du Christ, évêque de l'église d'Auxerre, j'ai souscrit.

Desideratus, au nom du Christ, évêque de l'église de Verdun, j'ai souscrit.

Grammatius, évêque de l'église de Windisch, j'ai souscrit.

Tetricus, évêque de l'église de Langres, j'ai souscrit.

Nectaire, évêque de l'église d'Autun, j'ai souscrit.

Eusèbe, évêque de l'église de Saintes, j'ai souscrit.

Proculianus, évêque de l'église d'Auch, j'ai souscrit.

Maxime, évêque de l'église de Cahors, j'ai souscrit.

Bebianus, évêque de l'église d'Agen, j'ai souscrit.

Abthonius, évêque de l'église d'Angoulême, j'ai souscrit.

Deuterius, évêque de l'église de Vence, j'ai souscrit.

Lauto, évêque de l'église de Coutances et de Saint-Lô, j'ai souscrit.

Passivus, évêque de l'église de Séez, j'ai souscrit.

Clematius, évêque de l'église de Carpentras, j'ai souscrit.

Vellesius, évêque de l'église de Gap, j'ai souscrit.

Aregius, évêque de l'église de Nevers, j'ai souscrit.

Hilaire, évêque de l'église de Digne, j'ai souscrit.

Clementinus, évêque de l'église d'Apt, j'ai souscrit.

Palladius, évêque de l'église de Toulon, j'ai souscrit.

Basile, évêque de l'église de Glandève, j'ai souscrit.

Avolus, évêque de l'église d'Aix, j'ai souscrit.

Fybidiolus, évêque de l'église de Rennes, j'ai souscrit.

Gallus, évêque de l'église de Valence, j'ai souscrit.

Leubenus, évêque de l'église de Chartres, j'ai souscrit.

Theudobaudis episcopus ecclesiae Lixouiensis subscripsi.

Alodius episcopus ecclesiae Tullensis subscripsi.

Licinius episcopus ecclesiae Ebroicorum subscripsi.

Medoueus episcopus ecclesiae Meldensis subscripsi.

Liberius episcopus ecclesiae Aquinsis subscripsi.

Amelius episcopus ecclesiae Conuenicae subscripsi.

Alecius episcopus ecclesiae Lactorensis subscripsi.

Gonotiernus episcopus ecclesiae Siluanectensis subscripsi.

Egidius episcopus ecclesiae Afrincatinae subscripsi.

Beatus episcopus ecclesiae Ambianensium subscripsi.

Ambrosius episcopus ecclesiae Tricassium subscripsi.

Marinus presbyter directus a domno meo Antonino episcopo ecclesiae Auennicae subscripsi.

Aetius presbyter directus a domno meo Magno episcopo ecclesiae Cemelensis et Nicaensis subscripsi.

Cautinus archidiaconus directus a domno meo Melanio episcopo ecclesiae Albensis subscripsi.

Vincentius presbyter directus a domno meo Lucritio episcopo ecclesiae Deinsis subscripsi.

Tranquillus presbyter directus a domno meo Pappulo episcopo ecclesiae Genauensis subscripsi.

Theudorus presbyter directus a domno meo Leucadio episcopo ecclesiae Baiocensis subscripsi.

Claudianus diaconus directus a domno meo Fausto episcopo ecclesiae Regensis subscripsi.

Epyfanius presbyter directus a domno meo Expectato episcopo ecclesiae Foroiuliensis subscripsi.

September diaconus directus a domno meo Eusebio episcopo ecclesiae Antipolitanae subscripsi.

Optatus abbas directus a domno meo Praetextato episcopo ecclesiae Cabellicae subscripsi.

Petrus presbyter directus a domno meo Vindemiale episcopo ecclesiae Arausicae subscripsi.

Theudobaudis, évêque de l'église de Lisieux, j'ai souscrit.

Alodius, évêque de l'église de Toul, j'ai souscrit.

Licinius, évêque de l'église d'Évreux, j'ai souscrit.

Medoveus, évêque de l'église de Meaux, j'ai souscrit.

Liberius, évêque de l'église de Dax, j'ai souscrit.

Amelius, évêque de l'église de Comminges, j'ai souscrit.

Alecius, évêque de l'église de Lectoure, j'ai souscrit.

Gonotiernus, évêque de l'église de Senlis, j'ai souscrit.

Egidius, évêque de l'église d'Avranches, j'ai souscrit.

Beatus, évêque de l'église d'Amiens, j'ai souscrit.

Ambroise, évêque de l'église de Troyes, j'ai souscrit.

Marinus, prêtre délégué par mon seigneur Antonin, évêque de l'église d'Avignon, j'ai souscrit.

Aetius, prêtre délégué par mon seigneur Magnus, évêque de l'église de Cimiez et de Nice, j'ai souscrit.

Cautinus, archidiacre délégué par mon seigneur Melanius évêque d'Alba, j'ai souscrit.

Vincent, prêtre délégué par mon seigneur Lucretius, évêque de l'église de Die, j'ai souscrit.

Tranquillus, prêtre délégué par mon seigneur Pappolus, évêque de l'église de Genève, j'ai souscrit.

Theodorus, prêtre délégué par mon seigneur Leucadius, évêque de l'église de Bayeux, j'ai souscrit.

Claudien, diacre délégué par mon seigneur Faustus, évêque de l'église de Riez, j'ai souscrit.

Epyfanius, prêtre délégué par mon seigneur Expectatus, évêque de l'église de Fréjus, j'ai souscrit.

September, diacre délégué par mon seigneur Eusèbe, évêque de l'église d'Antibes, j'ai souscrit.

Optat, abbé délégué par mon seigneur Prétextat, évêque de l'église de Cavaillon, j'ai souscrit.

Pierre, prêtre délégué par mon seigneur Vindimialis, évêque de l'église d'Orange, j'ai souscrit.

Probus diaconus directus a domno meo Gallicano episcopo ecclesiae Ebridunensis subscripsi.

Vitalis presbyter directus a domno meo Agrescio episcopo ecclesiae Toronnicae subscripsi.

Vincentius presbyter directus a domno meo Leontio episcopo ecclesiae Burdigalensis subscripsi.

Agecius presbyter directus a domno meo Auolo episcopo ecclesiae Segestericae subscripsi.

Bantardus archidiaconus directus a domno meo Ruricio episcopo ecclesiae Lemouicinae subscripsi.

Viuentius archidiaconus directus a domno meo Ambrosio episcopo ecclesiae Albigensis subscripsi.

Eleutherius archidiaconus directus a domno meo Theudoro episcopo ecclesiae Consoranicae subscripsi.

Protadius archidiaconus directus a domno meo Mappinio episcopo ecclesiae Remorum subscripsi.

Medulfus archidiaconus directus a domno meo Gennobaudi episcopo ecclesiae Lugdunensi Clauato subscripsi.

Sapaudus abbas directus a domno meo Albino episcopo ecclesiae Andicauensis subscripsi.

Expliciunt canones Aurelianenses, ubi fuerunt episcopi quinquaginta, presbyteri uel diacones, qui in loca episcoporum uenerunt, uiginti unus.

Probus, diacre délégué par mon seigneur Gallicanus, évêque d'Embrun, j'ai souscrit.

Vital, prêtre délégué par mon seigneur Agrescius, évêque de l'église de Tournai, j'ai souscrit.

Vincent, prêtre délégué par mon seigneur Léonce, évêque de l'église de Bordeaux, j'ai souscrit.

Agecius, prêtre délégué par mon seigneur Avolus, évêque de l'église de Sisteron, j'ai souscrit.

Bantardus, archidiacre délégué par mon seigneur Ruricius, évêque de l'église de Limoges, j'ai souscrit.

Viventius, archidiacre délégué par mon seigneur Ambroise, évêque de l'église d'Albi, j'ai souscrit.

Eleutherius, archidiacre délégué par mon seigneur Théodore, évêque de l'église de Couserans, j'ai souscrit.

Protadius, archidiacre délégué par mon seigneur Mappinius, évêque de l'église de Reims, j'ai souscrit.

Medulfus, archidiacre délégué par mon seigneur Gennobaudus, évêque de l'église de Laon, j'ai souscrit.

Sapaudus, abbé délégué par mon seigneur Albinus, évêque de l'église d'Angers, j'ai souscrit.

Ici s'achèvent les canons du concile d'Orléans, où furent présents cinquante évêques et vingt-et-un prêtres et diacres venus remplacer des évêques.

CONCILE D'EAUZE [1]
(1er février 551)

Ce concile provincial rassemble autour de l'évêque Aspasius sept de ses suffragants et le délégué d'un huitième. C'est un des rares conciles provinciaux dont les actes nous soient parvenus. Les évêques se plaignent particulièrement des désordres de la province, désordres accrus probablement par le fait que la région avait été longtemps disputée entre les Wisigoths et les Francs. En édictant ces sept canons, les Pères tentent de redresser la moralité du clergé et des laïques.

TRANSMISSION : Local, le concile n'eut qu'une faible diffusion. On le trouve dans la collection de Diessen.

Aucune des collections canoniques que nous avons consultées n'a eu recours à ses dispositions.

---

1. Cf. HEFELE-LECLERCQ, III[1], p. 165 ; DE CLERCQ, *Législation*, p. 73. Dom CEILLIER ne mentionne pas ce concile.

CONCILIVM ASPASII
EPISCOPI METROPOLITANI ELVSANI
551. Febr. 1.

SYNODVS ASPASI EPISCOPI
SEDIS APOSTOLICAE

Cum nos sanctus ac uenerabilis apostolicus primus Aspasius episcopus pontifex pro statu sanctae ecclesiae et salute animarum et populi euocatione congregasset, et recensitis sanctorum uirorum patrum statutis aliqua per incuriam et longinqua tempora non in integrum seruata constiterint : quae in posterum cum summa seueritate debeant obseruari, praesentibus titulis credimus adnotandum.

1. Et quia nonnullos oblitos propositae paenitentiae modum excessisse perpatuit, de eo eis obseruandum esse decreuimus, ut, quicumque post acceptam paenitentiam ad thorum uxorum suarum, sicut canis ad uomitum[a], redisse probantur uel aliis, tam uiri quam feminae, se inlicite coniunxisse noscuntur, tam a communione quam a liminibus ecclesiae uel conuiuio catholicorum se sequestratos esse cognoscant. Nam si se per dignam multi temporis paenitentiam inspirante Domino sequestrati deuiasse cognouerint, qualiter communionem Deo propitio mereantur, inspecta fide horum in sacerdotis sui consistat arbitrium.

a. Cf. II Pierre 2, 22 (= Prov. 26, 11)

---

1. Noter l'accumulation des titres donnés au métropolitain. Pour *apostolicus,* cf. BLAISE, § 3.

2. Voir le c. 23 du concile d'Épaone. — Sur la rigueur de cette discipline et la difficulté de l'observer, voir les témoignages de Césaire et Avit cités par VOGEL, *La discipline pénitentielle en Gaule,* p. 113-115 et 123-124.

CONCILE D'ASPASIUS,
ÉVÊQUE MÉTROPOLITAIN D'EAUZE
1er février 551

SYNODE D'ASPASIUS, ÉVÊQUE
DU SIÈGE APOSTOLIQUE

Comme le saint et vénérable Aspasius, premier et apostolique évêque et pontife [1], nous avait réunis dans l'intérêt du bon ordre de la sainte Église et du salut des âmes et du rassemblement du peuple, et que, les constitutions des saints personnages nos Pères ayant été passées en revue, il était apparu que quelques-unes, du fait de l'insouciance et de la longueur du temps, n'ont pas été pleinement observées, nous jugeons bon de consigner par les présents articles celles qui doivent à l'avenir être observées avec la plus grande rigueur.

1. Et puisqu'il n'est que trop prouvé que quelques-uns ont enfreint les bornes de la condition de pénitent à laquelle ils s'étaient engagés, nous avons à ce sujet décrété qu'ils doivent se soumettre à la mesure suivante : s'il est établi que des gens, après avoir été admis à la condition de pénitent, sont retournés aux relations conjugales avec leurs femmes, comme le chien à son vomissement [a], ou qu'ils ont eu des relations interdites avec d'autres, qu'il s'agisse des hommes ou des femmes, qu'ils sachent qu'ils se trouvent exclus, aussi bien de la communion que de l'accès à l'église ou à la table des catholiques. Cependant, si après avoir été exclus, ils reconnaissent par une longue et digne pénitence, sous l'inspiration du Seigneur, qu'ils ont fait fausse route, il appartiendra à l'évêque de décider, une fois reconnues leurs bonnes dispositions, à quelles conditions ils méritent, avec la grâce de Dieu, de rentrer dans la communion [2].

2. Si quis uero episcopus, presbyter, diaconus secum extraneam mulierem praeter has personas, quas sancta synodus in solatio clericorum esse constituit, habere forte praesumpserit aut ad cellarii secretum tam ingenuam quam ancillam ad ullam familiaritatem habere uoluerit, deposito omne sacerdotale sacrificio remotus a liminibus sanctae ecclesiae uel ab omni conloquio catholicorum supra scriptae synodi ordine feriatur.

3. De incantatoribus uel eis, qui instinctu diaboli cornua praecantare dicuntur, si superiores forte personae sunt, a liminibus excommunicatione pellantur ecclesiae, humiliores uero personae uel serui correpti a iudice fustigentur, ut si se timore Dei corrigi forte dissimulant, uelut scriptum est, uerberibus corrigantur.

4. Sacerdotum uero uel omnium clericorum negotia, ut non apud laicos nisi apud suos comprouinciales episcopos suas excerceant actiones, sanctae synodi Arausicae praecepta conuenit custodire, ea uidilicet ratione, ut, si quis supra scripta praecepta contempserit, excommunicatione omnium ac detestatione dignus habeatur ; pariter ut, si quis spreto suo pontifice ad laici patrocinia fortasse confugerit, cum fuerit a suo episcopo repetitus et laicus eum defensare uoluerit, similis eos excommunicationis poena percellat.

1. Voir le c. 3 du concile de Nicée (325).
2. Voir le c. 16 du concile de Clermont et le c. 3 du concile d'Orléans V.
3. Voir le c. 30 du concile d'Orléans I.
4. Cette prescription ne figure dans aucun concile d'Orange, mais elle est au c. 31 de la collection dite « IIe concile d'Arles ». La confusion

2. Si d'autre part un évêque, un prêtre, un diacre se permettait d'avoir auprès de lui une femme du dehors — mises à part les personnes que le saint synode [1] a désignées pour l'aide des clercs — ou s'il osait en admettre une, femme libre aussi bien qu'esclave, dans l'intimité de son cellier pour quelque service familier, qu'il soit, selon la mesure prise par le synode susdit, privé de tout sacrifice sacerdotal et écarté de l'accès à la sainte église et de toute assemblée de catholiques [2].

3. Au sujet des enchanteurs et des gens qui, paraît-il, prononcent, sous l'instigation du diable, des formules magiques sur les cornes à boire, s'il s'agit de personnes de haut rang, qu'elles soient excommuniées et chassées du seuil de l'église [3] ; pour celles de basse condition et pour les esclaves, que le juge les fasse saisir et fustiger : de la sorte, s'ils négligent de se corriger sous l'effet de la crainte de Dieu, ils seront, comme il est écrit, corrigés par les verges.

4. Quant aux démêlés entre les évêques et les clercs de tout rang, et quant au fait qu'ils ne doivent pas porter leurs procès devant les laïques, mais seulement devant leurs évêques comprovinciaux, il convient d'observer les prescriptions du saint concile d'Orange [4], en spécifiant que si quelqu'un méprise lesdites prescriptions, il mérite d'être excommunié et exécré de tous ; également, si quelqu'un, au mépris de son pontife, venait à recourir au patronage d'un laïque, qu'il fût réclamé par son évêque, et que le laïque voulût prendre sa défense, tous deux seront frappés d'une même peine d'excommunication.

faite par les Pères s'explique par le fait qu'à l'exception de ce canon 31 et du canon 36, les canons 26 à 46 de cette collection sont tous empruntés au concile d'Orange de 441.

5. De ordinatione uero clericorum id conuenit obseruari, ut, cum presbyter aut diaconus ab episcopo petitur ordinandus, precedentibus diebus VIII populus quemquam ordinandum esse cognoscat et, si qua uitia in eum quis e populo forte esse cognoscit, ante ordinationem dicere non desistat, ut, si nullus comprobationem certam contradicturus extiterit, absque ulla haesitatione benedictionem inspectus mereatur accipere.

6. Si quis uero pro remedium animae suae mancipia uel loca sanctis ecclesiis uel monasteriis offerri curauerit, conditio, quam qui donauerit scripserit, in omnibus obseruetur ; pariter et de familiis ecclesiae id intuitu pietatis et iustitiae conuenit obseruari, ut familiae Dei leuiore quam priuatorum serui opere teneantur, ita ut quarta tributi uel quodlibet operis sui benedicentes Deo ex presente tempore sibi a sacerdotibus concessa esse congaudeant.

7. Nam sicut patrum sanctorum nostrorum praecepta declarant, semel in anno sanctas congregationes episcoporum per loca sua conuenire, specialiter conuenit obseruari. Quam rem si quis nostrorum fortasse contempserit, usque ad aliam congregationem sit a caritate fratrum suspensus.

Facta institutio kal. Feb. anno XL. regni domni nostri Hildiberti et Hlothari regis.

Consensi et subscripsi in Dei nomine Aspasius episcopus.

---

1. Cette prescription ne se retrouve, semble-t-il, dans aucun autre des conciles que nous avons étudiés.
2. Voir le c. 23 du concile d'Orléans V.

5. Au sujet de l'ordination des clercs il convient d'observer ceci : lorsque l'ordination d'un prêtre ou d'un diacre est sollicitée de l'évêque, que le peuple sache huit jours d'avance qui doit être ordonné, et si quelqu'un a connaissance de défauts chez le candidat, qu'il n'omette pas de le dire avant l'ordination ; de ce fait, si personne ne vient faire d'objection à l'admission décidée, le candidat mérite, sans aucune hésitation, de recevoir la bénédiction [1].

6. Si quelqu'un, pour le soulagement de son âme, s'est soucié d'offrir aux églises ou monastères saints des esclaves ou des domaines, que les clauses écrites par le donateur soient observées en tout ; au sujet des esclaves de l'église également, il convient d'observer ceci, en esprit de miséricorde et de justice : que les esclaves de Dieu soient tenus à un travail plus léger que les esclaves des particuliers, et pour cela qu'ils jouissent dorénavant, en bénissant Dieu, de la remise que leur font les évêques d'un quart de la contribution et d'une partie de leur travail.

7. D'autre part, il convient que la règle fixée par les prescriptions de nos saints Pères, à savoir qu'une fois l'an les saintes assemblées des évêques se réunissent dans leurs provinces respectives, soit spécialement observée [2]. Et si l'un des nôtres venait à négliger ce point, qu'il soit, jusqu'à l'assemblée suivante, tenu à l'écart de la communion fraternelle.

Constitution établie aux calendes de février, la 40e année du règne de notre seigneur Childebert et du roi Clotaire.

Aspasius, évêque [d'Eauze], au nom de Dieu, j'ai consenti et souscrit.

Institutiones supra scriptas consensi et subscripsi Iulianus peccator.

Proculeianus episcopus subscripsi.

Liberius episcopus subscripsi.

Theodorus in Christi nomine episcopus subscripsi.

Amelius episcopus subscripsi.

Eusepius episcopus subscripsi.

Marinus episcopus subscripsi.

Flauius in Christi nomine presbyter ad uicem domni mei Thomasi episcopi subscripsi.

Julien, pécheur [évêque de Bigorre], j'ai consenti et souscrit aux règles ci-dessus transcrites.

Proculianus, évêque [d'Auch], j'ai souscrit.

Liberius, évêque [de Dax], j'ai souscrit.

Théodore, au nom du Christ, évêque [de Couserans], j'ai souscrit.

Amelius, évêque [de Comminges], j'ai souscrit.

Eusepius, évêque [?], j'ai souscrit.

Marinus, évêque [?], j'ai souscrit.

Flavius, prêtre, au nom du Christ, j'ai souscrit à la place de mon seigneur Thomas, évêque [?].

CONCILE D'ARLES V [1]
(29 juin 554)

Le cinquième concile d'Arles est un concile provincial [2], comme ceux tenus à Arles en 524, à Carpentras en 527, à Orange et à Vaison en 529. Il se propose de rappeler des dispositions préexistantes, beaucoup plus que d'en prendre de nouvelles. Il met particulièrement l'accent sur la compétence de l'évêque à l'intérieur de son propre diocèse et sur les interdictions faites à tout clerc d'intervenir dans les affaires d'un autre diocèse. Il semble que l'objectif essentiel du synode ait été de rappeler au clergé diocésain son devoir d'obéissance à l'égard de chaque évêque.

Le procès verbal est signé par le métropolitain d'Arles, dix autres évêques et huit prêtres, archidiacres ou diacres, délégués par leur évêque. D'intérêt local et ne comportant que sept canons, la portée de ce concile a été limitée.

TRANSMISSION : Les canons ne sont connus que par la collection de Lyon.

DESTINÉE ULTÉRIEURE : Les collections canoniques n'utilisèrent guère ce synode ; 3 canons figurent dans la collection de

---

1. Cf. CEILLIER, XI, p. 882 ; HEFELE-LECLERCQ, III[1], p. 169 ; DE CLERCQ, *Législation,* p. 74.
2. Assistent au concile les évêques de Digne et de Senez, villes de la province d'Arles en 554, mais qui, au VIIIe s., passeront à la province d'Embrun. Cf. DUCHESNE, *Fastes,* I, p. 136.

Bonneval (c. 2, 4 et 5), 4 dans la *Vetus Gallica* (c. 2, 4, 5 et 7) ;
le canon 2, contraignant les abbés à demeurer dans leur monastère sauf autorisation de l'évêque, est le seul repris dans le
Décret de Gratien. La collection de Novare, l'*Hispana,* Benoît
le Lévite et Yves de Chartres ignorent le concile.

CONCILIVM ARELATENSE
554. Iun. 29.

INCIPIT SYNODVS ARELATENSIS

Hanc super omnia curam decet esse pontificis, ut de ecclesiabus Deo iuuante sibi commissis tamquam de propria, quam regit, cura sollicitudineque indesinenter inuigilet, ut frequentius adgregatis episcopis statuta canonum relegendo in eorum animis caritate interueniente commendet, ut, quod statutum est, inreprehensibiliter debeat custodiri et, si quid forsitan statuendum causa suggesserit, unanimiter obseruanda decernant. Itaque cum in Arelatense urbe episcoporum fuisset synodus adgregata pro necessariis rebus, rationabile esse credidimus antiquis canonibus non derogantes pauca tamen pro eorum ordinatu Deo adiutore subiungere. Quibus hoc roboris maius esse credidimus, quod a plurimis caritate interueniente consentientibus prona uoluntate firmatum est.

1. Vt oblatae, quae in sancto offeruntur altario, a conprouincialibus episcopis non aliter nisi ad formam Arelatensis offerantur ecclesiae. Quod si aliter aliquis facere praesumpserit, tamdiu sit a communione uel a caritate fratrum seclusus, quamdiu ipsum coetus synodalis receperit.

2. Vt monasteria uel monachorum disciplina ad eum pertineant episcopum, in cuius sunt territorio constituta.

---

1. Le titre de *pontifex* est ici appliqué au métropolitain, comme au concile d'Eauze.

2. *Ordinatus* au sens de *ordinatio ;* seul exemple connu de *TLL* IX, 2, col. 238.

CONCILE D'ARLES
29 juin 554

ICI COMMENCE LE SYNODE D'ARLES

Le souci d'un pontife [1] doit être par-dessus tout de veiller constamment sur les églises qui lui sont confiées, par la grâce de Dieu, avec autant de soin et de sollicitude que sur la sienne propre, ceci en réunissant fréquemment les évêques pour relire souvent les statuts des canons et les inculquer à leurs esprits en toute charité, et pour qu'ainsi ce qui a été établi puisse être maintenu hors de tout reproche, et qu'aussi, s'il se présentait quelque chose qui doive être établi, ils décrètent unanimement les points à observer. C'est pourquoi, comme le synode des évêques s'était réuni en la ville d'Arles pour traiter d'affaires nécessaires, nous avons cru bon, sans porter atteinte aux anciens canons, d'y ajouter cependant, avec l'aide de Dieu, quelques précisions en vue de leur application [2]. Et nous avons pensé que ce décret tirerait plus d'autorité du fait qu'il a été confirmé avec empressement, en toute charité, par de très nombreux signataires.

1. Que les offrandes qui sont offertes au saint autel ne soient pas offertes par les évêques comprovinciaux autrement que selon le rite de l'église d'Arles. Si quelqu'un se permet de faire autrement, qu'il soit exclu de la communion et de la charité de ses frères jusqu'à ce que l'assemblée synodale le réintègre.

2. Que les monastères et la discipline des moines relèvent de l'évêque sur le territoire duquel ils sont établis [3].

3. Voir le c. 19 du concile d'Orléans I et le c. 21 du concile d'Orléans III. — Le c. 2 figure dans : *Vetus Gallica* 46, 5 ; ms. de Bonneval 12, 13 ; Décret de Gratien, Causa 18, q. 2, c. 17.

3. Vt abbatibus longius a monasterio uagari sine episcopi sui permissione non liceat. Quod si fecerit, iuxta antiquos canones ab episcopo suo regulariter corrigatur.

4. Vt presbyter diaconum uel subdiaconum de ordine deponere nescio episcopo suo non praesumat. Quod si fecerit, illi in officio uel communione recipiantur et ille anno integro a communione priuatus officium inplere penitus non praesumat.

5. Vt episcopi de puellarum monasteriis, quae in sua ciuitate constituta sunt, curam gerant nec abbatissae eius monasterii aliquid liceat contra regulam facere.

6. Vt clericis non liceat facultates, quas ab episcopo in usu accipiunt, deteriorare. Quod si fecerint, si iunior fuerit, disciplina corrigatur, si uero senior, ut necator pauperum habeatur.

7. Vt episcopus alterius clericum in gradu sine epistula episcopi sui prouehere non praesumat. Quod si praesumpserit, ille, qui ordinatus fuerit, ab honore quem acceperit remotus, quod ei commissum est, agere non praesumat et is, qui eum sciens ordinauerit, tribus mensibus communione priuetur.

Sapaudus in Christi nomine episcopus ecclesiae Arelatensis constitutionem nostram relegi et subscripsi. Notaui sub die tertio kal. Iulias, anno XLIII. regni domni nostri Childeberti regis, indictione tertia.

---

1. Le c. 4 figure dans : *Vetus Gallica* 17, 11 ; ms. de Bonneval 28, 19.

2. Le c. 5 figure dans : *Vetus Gallica* 47, 2 ; ms. de Bonneval 14, 28.

3. Qu'il ne soit pas permis aux abbés de circuler loin du monastère sans la permission de l'évêque. Si l'un d'eux le fait, qu'il soit corrigé par son évêque selon la règle fixée par les anciens canons.

4. Qu'un prêtre ne se permette pas de déposer de son ordre un diacre ou un sous-diacre à l'insu de l'évêque. S'il le fait, qu'eux soient rétablis dans leur office et la communion, et que lui soit privé une année entière de la communion, sans se permettre aucunement de remplir son office [1].

5. Que les évêques prennent en charge les monastères de filles établis dans leur cité, et qu'il ne soit pas permis à l'abbesse d'un tel monastère de rien faire contre la règle [2].

6. Qu'il ne soit pas permis aux clercs d'amoindrir les biens dont l'évêque leur concède l'usage. Si quelqu'un le fait, qu'il soit, s'il est jeune, corrigé par un châtiment corporel, et s'il est âgé, considéré comme assassin des pauvres.

7. Qu'un évêque ne se permette pas de promouvoir à un degré le clerc d'un autre évêque sans une lettre de celui-ci. S'il se le permet, que celui qui a été ordonné soit dégradé de l'honneur reçu et s'abstienne d'exercer l'office à lui confié, et que celui qui l'a ordonné sciemment soit privé de la communion pendant trois mois [3].

Sapaudus, au nom du Christ, évêque de l'église d'Arles, j'ai relu notre constitution et y ai souscrit. J'ai signé le 3e jour des calendes de juillet, en la 43e année du règne de notre seigneur le roi Childebert, en la 3e indiction.

3. Voir le c. 5 du concile d'Orléans V. — Le c. 7 figure dans la *Vetus Gallica* 16, 18.

Simplicius episcopus ecclesiae Saniensis subscripsi.

In Christi nomine Antoninus episcopus ecclesiae Auennicae subscripsi.

In Christi nomine Hilarius episcopus ecclesiae Diniensis subscripsi.

Clementinus in Christi nomine episcopus ecclesiae Aptensis subscripsi.

Praetextatus in Christi nomine episcopus ecclesiae Cauellicae subscripsi.

Eusebius in Dei nomine episcopus subscripsi.

Magnus in Christi nomine episcopus ecclesiae Cemelensis constitutioni subscripsi.

Auolus in Christi nomine episcopus ecclesiae Aquinsis subscripsi.

In Christi nomine Spectatus episcopus ecclesiae Foroiulensis subscripsi.

Mattheus in Christi nomine episcopus ecclesiae Arausicae subscripsi.

In Christi nomine Cymianus presbyter missus a domno meo Deotherio episcopo subscripsi.

Honoratus in Christi nomine presbyter missus a domno meo Vellesio episcopo subscripsi.

Benenatus in Christi nomine presbyter missus a domno meo Basilio episcopo subscripsi.

Seuerus presbyter in Christi nomine ecclesiae Telonensis missus a domno meo Palladio episcopo subscripsi.

Quinidius in Christi nomine archidiaconus missus a domno meo Theodosio episcopo subscripsi.

Liberius in Christi nomine archidiaconus missus a domno meo Emeterio episcopo subscripsi.

Claudianus in Christi nomine diaconus missus a domno meo Emeterio episcopo subscripsi.

Cyprianus in Christi nomine diaconus missus a domno meo Auolo episcopo subscripsi.

Simplicius, évêque de l'église de Senez, j'ai souscrit.

Au nom du Christ, Antonin, évêque de l'église d'Avignon, j'ai souscrit.

Au nom du Christ, Hilaire, évêque de l'église de Digne, j'ai souscrit.

Clementinus, au nom du Christ, évêque d'Apt, j'ai souscrit.

Prétextat, au nom du Christ, évêque de l'église de Cavaillon, j'ai souscrit.

Eusèbe, au nom de Dieu, évêque [d'Antibes], j'ai souscrit.

Magnus, au nom du Christ, évêque de l'église de Cimiez, j'ai souscrit à la constitution.

Avolus, au nom du Christ, évêque de l'église d'Aix, j'ai souscrit.

Au nom du Christ, Expectatus, évêque de l'église de Fréjus, j'ai souscrit.

Matthieu, au nom du Christ, évêque de l'église d'Orange, j'ai souscrit.

Au nom du Christ, Cymianus, prêtre, délégué par mon seigneur Deuterius, évêque [de Vence], j'ai souscrit.

Honorat, au nom du Christ, prêtre, délégué par mon seigneur Vellesius, évêque [de Gap], j'ai souscrit.

Benenatus, au nom du Christ, prêtre, délégué par mon seigneur Basile, évêque [de Glandève], j'ai souscrit.

Sévère, prêtre, au nom du Christ, de l'église de Toulon, délégué par mon seigneur Palladius, évêque, j'ai souscrit.

Quinidius, au nom du Christ, archidiacre, délégué par mon seigneur Théodose, évêque [de Vaison], j'ai souscrit.

Liberius, au nom du Christ, archidiacre, délégué par mon seigneur Emeterius, évêque [de Riez], j'ai souscrit.

Claudien, au nom du Christ, diacre, délégué par mon seigneur Emeterius, évêque [de Riez], j'ai souscrit.

Cyprien, au nom du Christ, diacre, délégué par mon seigneur Avolus, évêque [de Sisteron], j'ai souscrit.

TABLE DES MATIÈRES

TABLE DES MATIÈRES